$900

D0714274

MI VIDA JUNTO
A PABLO NERUDA

MATILDE URRUTIA

Mi vida junto a Pablo Neruda

SEIX BARRAL

Segunda edición: enero 1987

© Albaceazgo Matilde Neruda, 1986

Derechos exclusivos de edición en castellano
reservados para todo el mundo:
Edición especial para su
comercialización a través de
Editorial Planeta Chilena, S.A.

© 1986: Editorial Seix Barral, S. A.
Córcega, 270 – 08008 Barcelona

ISBN: 84-322-4580-1

Depósito legal: B. 37. 231- 1986

Impreso en el mes de enero de 1987
Salesianos
Bulnes 19
Santiago Chile

1

11 DE SEPTIEMBRE DE 1973

Tranquilo amaneció este día 11 de septiembre de 1973. Un chorro de luz alegre me golpeó el rostro cuando abrí las ventanas. Tranquilo venía el mar, tranquilo estaba el cielo, y un aire tranquilo mecía las flores del jardín. Me sentía animosa, le debo haber sonreído a esa mañana llena de luz. Ningún mal presagio nos anunció el gran cataclismo de este día 11 de septiembre. Lo estábamos esperando con una ilusión muy grande. Era el señalado para darle fin a varios proyectos que se trabajaban hacía bastante tiempo. Ese día llegaría a Isla Negra Sergio Inzunza, nuestro abogado y gran amigo que en ese momento era ministro de Justicia de Salvador Allende. Llegaría con los estatutos de la Fundación Pablo Neruda, con el testamento de Pablo y con los planos y la maqueta de la que sería la casa principal de la Fundación, en Punta de Tralca. Todo estaba listo para la firma, que se haría ese día.

También vendría nuestro amigo Fernando Alegría; sabiéndolo gourmet, yo me había esmerado para ofrecerle un buen almuerzo; quería quedar a la altura de mi fama de buena cocinera.

Esperábamos también a José Miguel Varas, que le traía a Pablo lo que él más amaba recibir: un libro recién impreso. La Imprenta Quimantú lanzaba ese día una edición de su libro *Canción de gesta*.

Sería un día movido, sería la culminación de muchas horas de trabajo.

El mar, como siempre, allí estaba, golpeando las rocas con sus grandes olas, pero esa mañana era como un vaivén inocente. Nada nos hacía presentir que ese día marcaría para nosotros el fin y la muerte de un modo de vida. No sabíamos que en ese momento estábamos suspendidos al borde de un abismo.

Como todos los días, estábamos alegres, conversando de los mil detalles para afrontar otra jornada. Era muy temprano. Encendimos la radio para oír noticias. Entonces, todo cambió. Había noticias alarmantes, dadas en forma desordenada. De pronto, la voz de Salvador Allende. Pablo me mira con inmensa sorpresa: estábamos oyendo su discurso de despedida; sería la última vez que escucharíamos su voz.

«Esto es el final», me dice Pablo con profundo desaliento. Yo protesto: «no es verdad, esto será otro tancazo, el pueblo no lo permitirá».

Nada se aparece en mi recuerdo a esa hora que trato ahora de evocar; mi exceso de vitalidad estaba reñido con la conformidad o la aceptación de hechos tan contrarios a todas mis esperanzas y deseos. De repente enmudezco, algo me llama poderosamente la atención, Pablo reacciona en forma extraña para mí, distinta a la del hombre batallador y fuerte que yo conozco. En su actitud, en sus ojos, hay un brillo vacío, inconscientemente desesperado. Para hacer algo pido el desayuno, pero es difícil distraerlo; cambia febrilmente de radio, está oyendo al mismo tiempo Santiago y las noticias del extranjero. Fue así como supimos más tarde, por una radio de Mendoza, la muerte de Salvador Allende. Fue asesinado en La Moneda, que había sido incendiada, comunicaban las radios extranjeras. En Santiago se demoraron horas en informar al pueblo de la muerte de su presidente.

Estamos solos con este inmenso dolor. Seguimos oyendo noticias: nadie puede salir de su casa, quien desobedezca morirá. Son los primeros bandos.

Chile entero está preso en su casa. Yo tengo la loca esperanza de que muy pronto nos dirán que el movimiento subversivo ha sido sofocado, pero estoy equivocada y, como siempre, Pablo, con esa intuición profética que comprobé tantas veces, tenía razón. Esto era el fin. Todo este júbilo del pueblo, esta esperanza de una vida con igualdad, con justicia, se va desvaneciendo; esta gran esperanza de Pablo, por la que trabajó toda su vida, se ha venido abajo bruscamente, como si fuera el castillito de fósforos quemados que solía armar en sus ratos de ocio.

Ese día llamaron varias veces de Europa, de Alemania, de España, de Francia; querían saber de Pablo. En el extranjero se había dado la noticia de que Pablo había muerto; yo les contestaba que no era verdad, que Pablo estaba vivo. ¡Qué equivocada estaba! Pablo en ese momento estaba muerto, quebrado por dentro; esa fuerza inmensa de lucha que lo sostuvo siempre, ya no la tenía; había soñado y luchado toda su vida por conseguir la erradicación de la pobreza, para que en su país hubiera un poco de igualdad. Puso su pluma y su vida al servicio de esta noble causa. Muchas veces arriesgó su vida perseguido por el González Videla que ahora sólo recordamos como tiranuelo, no sabíamos lo que era una tiranía de verdad.

En las elecciones, recorríamos el país en las más difíciles circunstancias. Ningún pueblo de Chile, por muy lejano que estuviera, quedó sin oír su voz. Siempre lo vi animoso, entusiasta, alegre, hablándole al pueblo, tratando de despertar esa conciencia dormida y fatalista de los pobres que se contentan con casi nada. En el Sur, llegábamos hasta los villorrios más desamparados. En la Patagonia, en los archipiélagos, allí llegábamos mojados y con frío. En invierno, en ese Sur lluvioso, la pobreza es angustiante. No se tiene ni el abrigo ni la alimentación adecuados, sobrevive el que puede. A nadie le importa el otro, y esto influye en su carácter. Parece que el frío los tuviera un poco congelados. Pablo sufría viéndolos allí, resignados, sin pensar siquiera en rebelarse contra un destino tan cruel que otros hombres iguales a ellos les daban.

También íbamos al Norte, ésa es otra pobreza. Son caras morenas, curtidas; tienen una mirada franca, son más extrovertidos, más luchadores. Por algo en el Norte han tenido lugar las más grandes matanzas de obreros, cuando pedían sus justas reivindicaciones. Pablo tenía mucho contacto con esta gente. Me decía muy a menudo: «el día en que este pueblo tenga acceso a la educación, cuando los niños no tengan que trabajar desde los doce años, entonces vamos a tener una patria muy grande. Tenemos un material humano precioso», me decía con un brillo de inmensa ternura en sus ojos. «Usted verá todo lo que es posible conseguir cuando ellos sepan a lo que tienen derecho. Ahora es necesaro sacudirles este adormecimiento de siglos.»

Todos estos recuerdos hacen que sienta más fuertemente la

angustia de este momento. Siento que una desilusión muy grande se ha apoderado de Pablo. Es como si de repente se diera cuenta de que todo ha sido inútil, que había fuerzas tan poderosas defendiendo sus privilegios que, al lado de ellas, nos sentíamos pequeños e indefensos.

Estamos aquí, solos, sintiendo toda la amargura del mundo. Salvador Allende asesinado, La Moneda incendiada, muy pronto por la televisión veíamos las llamas, el humo, la destrucción, y nos preguntábamos entonces: ¿Dónde estaban estos chilenos capaces de hacer todo esto? ¿Dónde estaban, que nosotros no sabíamos de su existencia?

Por televisión vimos el asalto a la Casa de los Presidentes de Tomás Moro; veíamos salir a la gente sacando canastos con ropas que desbordaban, algunas prendas caían. ¿Era posible todo esto?

Lo que no veíamos por televisión, y que tampoco sabíamos, era que nuestra casa de Santiago corría la misma suerte que Tomás Moro; a esa hora era saqueada, destruida, incendiada.

En la tarde de este mismo día Pablo tuvo fiebre. Después de grandes esfuerzos, logro comunicarme con su médico, en Santiago. Éste receta inyecciones y, en forma bastante inocente, me pide que Pablo no se informe de las noticias porque le pueden hacer mucho daño. ¿Cómo podía impedirlo? Teníamos el televisor al frente. Pasaban constantemente el incendio de La Moneda. Nos mostraban los tanques, las fuerzas policiales custodiando a cientos de ciudadanos tirados boca abajo en la calle; posiblemente eran transeúntes ocasionales. Veíamos las ambulancias llevando heridos. No cabía duda de que esto era un amedrentamiento bien dirigido. Los bandos se sucedían, nadie podía salir a la calle, todo Chile quedaba preso en su casa. Si alguien se aventuraba fuera de su casa podía ser ametrallado. Yo estaba desesperada. Pablo estaba más y más excitado. No quiso comer. Tenía que ponerse las inyecciones. Pensé que en la comisaría me podían dar un salvoconducto para ir a buscar a la enfermera que venía de un pueblo cercano. Y así llegué a la comisaría de El Quisco. Me oyeron en forma fría y distante. Una vida, en ese momento, parecía no tener ninguna importancia; eran cientos los que caían a cada minuto y, ante mi sorpresa, me dijeron que no podían dar salvoconducto a nadie, pero que yo era libre de ir a buscar a la enfermera cuando quisiera, es decir, teníamos que correr nuestra suerte. Así lo hice y la angelical Rosita, enfermera de El Tabo, con riesgo de su vida, llegó a la Isla para atender a Pablo.

El día 14 él estaba mejor y me dijo que quería dictarme algo. Busqué afanosamente papel, lápiz y, casi inmediatamente, estaba a su lado recibiendo el dictado a mano. Era el último capítulo de las memorias. Yo estaba muy contenta porque dictando se desahogaría de esta terrible tensión en la que vivíamos desde el 11. Estábamos trabajando. De repente, oímos voces. ¿Quién puede llegar hasta aquí? En ese momento, entra el chofer muy asustado y dice: «Es un allanamiento. Vienen tres grandes carros de militares.» Mi nerviosismo fue muy grande, no por el allanamiento, sino por lo que tenía entre mis manos, el dictado de Pablo. Había en nuestro dormitorio un gran plato de madera donde se iban tirando todas las últimas revistas. Allí metí estos papeles quemantes y los revolví en forma nerviosa. Bajé a hablar con nuestros extraños visitantes. Reconocí entre ellos al oficial de El Quisco; parecía nervioso y avergonzado. Le pregunté por dónde querían comenzar el registro. «Por donde usted quiera», me respondió. Los pasé directamente a nuestro dormitorio. Pablo no se había levantado todavía. Al entrar, mi vista se fue al plato con revistas; era muy difícil que encontraran esos papeles, pero, ¿y si hacían un registro minucioso en esta pieza? Por suerte, no lo hicieron. Pablo les dijo: «Cumplan ustedes con su deber. La señora los acompañará.» Salimos de allí y entramos a la biblioteca donde miles de objetos nos reciben. Ellos miran todo con gran curiosidad. No se atreven a tocar nada. De repente, uno de ellos taconea fuerte el suelo y me dice: «¿Tiene subterráneos esta casa?» No alcanzo a contestarle, porque en ese momento entra corriendo una chica de servicio. Trae cara de espanto y me dice: «Señora, por favor, venga. Tienen al chofer encañonado en su pieza, preguntándole no sé qué cosas.» Miré a mis acompañantes y les pedí por favor que fuéramos a ver qué pasaba. Al salir al patio me di cuenta de que nuestro allanamiento no era ninguna broma. La casa entera estaba rodeada de militares. No habría podido salir de allí ni una mosca sin que ellos se dieran cuenta. ¿Qué pensaban encontrar en nuestra casa fuera de la poesía, que es un arma poderosa, aunque ellos parecían no saberlo? Misterios de esos días en que sucedían las cosas más absurdas. Llegamos a la pieza del chofer. La situación era tan ridícula que en otra oportunidad me habría reído pasando un buen rato. Cuando comenzó el allanamiento, les dieron orden a todos los de la casa de quedarse donde estaban, sin moverse. A los pocos minutos, cuando el chofer creía que no lo veían, corrió a su pieza. Extrañadísima, le pregunté: «¿Por qué tenías que venir a esta habitación?» Lleno de vergüenza, me contestó: «En la mañana lavé unos calzoncillos y calcetines, los colgué en el baño. No quería que usted los viera cuando entraran a mi pieza a hacer el registro.» Y pensar que por una cosa tan ridícula pudo haber perdido la vida. Esos días me recordaban el chiste mexicano de los tiempos de Villa que tanto nos había hecho reír: «¡Afusílalo y después virigua!» Fuera de este incidente, el registro fue hecho en forma bastante respetuosa en comparación con los que se hacían en otras casas, donde robaban y usaban una brutalidad innecesaria.

2

MUERTE Y FUNERAL DE PABLO

Se acercaba el 18 de septiembre, fecha que patrióticamente festejábamos con los amigos.

Este 18 sería triste; de todas maneras, llegaron algunos amigos. Las noticias que traían de Santiago eran alarmantes; nuestros amigos estaban escondidos o presos y —muchos— muertos. Yo me daba cuenta de que Pablo recibía todas estas noticias como si fueran puñales que se adentraban en su carne.

En la tarde del 18 de septiembre estaba en un estado febril; todo el día había tratado de comunicarme con el médico para preguntarle qué podía hacer. Después de muchas tentativas, lo encontré en su casa de Santiago; me prometió mandar al día siguiente una ambulancia para trasladar a Pablo a la clínica Santa María, en Santiago.

Hoy es 19 de septiembre y tengo todo preparado esperando la ambulancia. Pablo está triste, hay en él una mirada lejana que no acierto a explicarme. *La Panda*, nuestra perra *chow-chow*, se niega a separarse de él; la noche anterior no quiso salir del dormitorio. Creo que era la primera vez que desobedecía con tal tenacidad una orden. Movía su cola, se restregaba en la cama cerca de Pablo, después se acostaba y metía la cabeza entre sus patas delanteras, como pidiéndonos que la dejáramos dormir allí. Y, entre gracias y súplicas, allí se quedó.

En la mañana fue la primera que oyó llegar la ambulancia y comenzó a gemir. Extrañada, me asomé a la puerta: era la ambulancia que venía llegando. Ya teníamos todo preparado; subimos a ella. Cuando vamos saliendo me doy cuenta de que *la Panda* está hecha un ovillo, muy disimulada en un rincón de la ambulancia. No quería separarse de su amo, a quien tanto amaba. Nosotros viajábamos muy seguido a distintas partes; ella jamás entraba al coche si no era llamada. Vino alguien de la casa a sacarla; sus gemidos eran extraños, dolorosos. Ella lo sabía...

Nos fuimos por ese mismo camino que tantas veces recorrimos alegres, riendo, haciendo planes serios o descabellados. Ahora había un clima pesado: Pablo, con una tristeza inmensa reflejada en su rostro; yo, haciendo esfuerzos inauditos para sacarlo de su tristeza, le conversaba de la construcción de una nueva biblioteca que estábamos haciendo en la Isla; ésta recibiría sus libros que venían en ese momento en viaje desde Francia. Recuerdo que discutíamos los ventanales. Él era amigo de hacer piezas transparentes, con mucha luz; yo lo aconsejaba, diciéndole: «En ese lado de la casa la luz es muy fuerte, tenga cuidado, la luz es mala para los libros.»

Y así, poco a poco, casi consigo distraerlo; pero, a la salida de Melipilla, había muchos carabineros. Nos hacen detenernos, le piden los documentos al chofer y también a nosotros. ¿De dónde vienen? ¿Para dónde van?, preguntaban. Uno de ellos me dice: «Bájese, señora. Hay que revisar la ambulancia.» Los debo haber mirado con gran sorpresa. ¿Bajarme yo? ¿Pero, no ve que Pablo está enfermo, que le tengo la mano tomada, que necesita mi fuerza? ¿Cómo puedo dejarlo solo? ¿Que no ve su mirada triste? ¿Que no ve cómo siente los dolores de tantos crímenes, de tanta sangre que está derramándose en este Chile que él tanto ha defendido? ¿Que no se da cuenta de que es Pablo Neruda, que ha hecho suyos todos los sufrimientos de este pueblo, y también los suyos, porque usted es pueblo, como él y como yo?

Lo miré. Ninguna de esas palabras salió de mis labios, creo que hasta tuve valor para sonreír a Pablo, y me bajé en silencio. ¿Cómo fue la inspección? No lo supe. Cuando subí, había lágrimas en los ojos de Pablo; pensé que no lloraba por él ni por mí, lloraba por Chile. Su instinto profético no lo engañaba: se acercaban días negros, muy negros, para este pueblo.

Siempre pensamos que nuestro país era civilizado. El chileno es enemigo de la violencia, es apegado a las leyes, detesta los derramamientos de sangre; cuando éstos han ocurrido, los ha denunciado con gran valor y energía. Todo esto siempre se lo

12

oí decir a Pablo cuando hablaba de su país. Ahora estábamos asombrados, mudos, y era sólo el comienzo. ¿Era esto una inmensa pesadilla?

Llegamos a la clínica Santa María. Allí nos esperaban «las sigilosas», como Pablo había llamado a las enfermeras. También llegó el doctor, con cara angustiada, con miles de problemas en su casa. No era el más indicado para levantarnos la moral, pero, ¿quién en estos días estaba libre de problemas? Pronto llegaron también nuestros amigos. Los recibí pidiéndoles que no dieran noticias alarmantes a Pablo; por ellos supe que nuestra casa de Santiago había sido inundada, saqueada e incendiada. Por suerte las llamas tomaron los árboles, me dijeron; son muy grandes y esto alertó a los vecinos, que llamaron a los bomberos. Llegaron muy a tiempo y sólo se quemaron algunos árboles, una bodega y dos piezas pequeñas.

Entre los primeros amigos, llegó el embajador de México. Me insiste en que tenemos que sacar a Pablo de Chile. El presidente Echeverría ha ofrecido mandar un avión para que lleve todo lo que quiera. Ese mismo día le conversé a Pablo de esta idea. No quiso ni siquiera escuchar mis argumentos. «Yo no me iré de Chile, yo aquí correré mi suerte. Éste es nuestro país y éste es mi sitio», me dijo.

La destrucción de nuestra casa de Santiago no se la había contado. A todo esto, los amigos me presionaban para que pusiera a Pablo a resguardo de cualquier atentado que pudiera sufrir aquí, donde no había consideración ni respeto por ninguna persona de izquierda.

El día 20 de septiembre regresa el embajador con varios amigos; de nuevo intentarían convencerlo para que salga de Chile. Le conté la destrucción de la casa de Santiago. Fue una conversación muy larga, penosa; sopesamos los peligros de quedarnos y, sobre todo, yo insistí en la imposibilidad de un tratamiento adecuado para su enfermedad. Con gran alegría de mi parte, Pablo dijo por fin que nos iríamos por un corto tiempo, que llevaría sólo lo más indispensable, porque él regresaría de todas maneras.

Me fui a la Isla con una lista de libros que Pablo quería llevar. Estaba allí, recogiendo algunas cosas para el viaje, cuando sonó el teléfono. Era Pablo. Me pedía que regresara inmediatamente: «No puedo hablar más», me dijo. Yo creí que había pasado lo peor; en forma afiebrada cerré la valija y me puse en camino. Lo van a detener, pensé casi enloquecida. «Tenemos que ir lo más rápido que pueda», le dije al chofer. No sé cómo no nos matamos. A cada momento, le reclamaba: «¡Vaya más aprisa! ¡Este coche no se mueve!» En mi cabeza sentía que los minutos se alargaban hasta el infinito. Parecía que no llegábamos nunca.

Subo corriendo a su habitación, me siento a su lado, vengo exhausta por la tensión nerviosa. Pablo está muy excitado, me dice que habló con muchos amigos y que es increíble que yo no sepa nada de lo que pasa en este país. «Están matando gente —me dice—, entregan cadáveres despedazados. La morgue está llena de muertos, la gente está afuera por cientos, reclamando cadáveres. ¿Usted no sabía lo que le pasó a Víctor Jara? Es uno de los despedazados, le destrozaron sus manos.» Como yo evitaba que él supiera todas las noticias espeluznantes de estos días, él creía que yo ignoraba todo.

Yo sentía la garganta seca, casi no me salían sonidos, este retrato macabro que Pablo me hacía era lo que había tratado todos estos días de evitar, prohibiendo la entrada a los amigos. Ahora ya lo sabía todo. Su dolor, su espanto, su angustia, su impotencia, todo esto se reflejaba en su mirada, todo lo que le habían dicho. «El cadáver de Víctor Jara despedazado. ¿Usted no sabía esto? ¡Oh, Dios mío! Si esto es como matar un ruiseñor, y dicen que él cantaba y cantaba, y que esto los enardecía.» Y, con insistencia, me volvía a decir lo mismo. Todo esto entraba en mi pobre corazón como estiletes, y se me iba apretando la garganta, y sabía que no podía llorar. Pensaba: debo tranquilizarlo. Por fin, logro hablar y le digo: «No creo todo lo que dicen, hay mucha exageración en todo lo que le han contado.» «¿Cómo? —me dice—. Si estaban aquí el embajador de México y el de Suecia. ¿Cree usted que ellos no están informados?» Yo finjo indiferencia, y le digo: «De todas maneras, yo no creo en todo eso.»

Poco a poco hago lo posible por hablar de otra cosa, le cuento que en la Isla salió a recibirme *la Panda*, movía su cola, se colaba por entre mis piernas sin dejarme caminar. Comencé a hablarle de la casa, del mar que estaba tan hermoso, que venían

14

unas inmensas olas de color verde claro y se desgranaban con un ruido enorme. (La verdad es que ni siquiera había mirado el mar.) Inventaba cuentos de la casa y logré distraerlo de esa enorme pesadilla que estaba viviendo. Poco a poco, su voz se hizo dulce, comenzó a decir frases muy lindas que, después de pensarlo mucho, no las voy a repetir aquí, son demasiado halagadoras para mí.

Era como si quisiera hacer un recuento de nuestra vida. Comencé a inquietarme, era la primera vez que Pablo tenía ese lenguaje. Yo sabía que durante todos estos años habíamos sido el uno para el otro, pero este análisis de nuestra vida era descrito como una confesión de amor inalterable. Recordamos nuestra luna de miel en Capri, recordamos ese 3 de mayo de 1952, cuando nos casamos en una ceremonia a la luz de la luna. Allí me puso una sortija en el dedo, con esa fecha. Ése fue nuestro verdadero casamiento, allí juramos que, pasara lo que pasara en nuestras vidas, nunca nos separaríamos. Y con voz muy suave, pero firme, me dice que no se irá de Chile y que quiere que esta decisión sea también la mía.

Comprendí entonces que aquí estaba todo lo que él amaba y que no podría resistir estar lejos mientras su pueblo era perseguido tan cruelmente. «Nos quedaremos —le dije—, y me alegra su decisión. Mañana le hablaré al embajador para agradecerle al presidente Echeverría su invitación.» Esto lo tranquilizó.

Seguimos conversando. Recordamos nuestra llegada a Montevideo, donde lo esperaban parlamentarios chilenos porque, como era un exiliado, no tenía permiso para volver.

«¡Qué horribles son las dictaduras, las persecuciones!», me dice, casi gritando.

Vuelve al estado febril del comienzo. Una desesperación muy grande hizo presa de Pablo, tenía los ojos espantados, como si su imaginación estuviera viendo los muertos tirados en las calles, otros, pasando por el río Mapocho, no uno, sino muchos, como yo los había visto. Exaltado, sigue hablando en forma afiebrada, me dice de nuevo que no se irá, que él debe estar aquí con los que sufren, que él no puede huir, que tiene que ver lo que pasa en su país. Y yo estoy sola con él y no tengo a quién llamar; ya se han ido todos los amigos, a las seis tenemos toque de queda, y me siento impotente para calmarlo. Y su desesperación es la mía, y el mismo dolor nos traspasa a ambos. ¿De dónde sacar fuerzas para consolarlo?

De repente, me quita sus manos, que se las tengo tomadas, se toma el pijama con las dos manos y se lo desgarra, gritando: «¡Los están fusilando! ¡Los están fusilando!» Comienzo a tocar el timbre en forma desesperada. Viene la enfermera de turno. Ve que Pablo está casi fuera de sí. «Le pondremos una inyección para dormir», me dice en forma indiferente. Le puso la inyección y se fue. De nuevo estamos solos.

Poco a poco se fue calmando, yo sentada a su lado, con mi cabeza pegada a la suya, sentía su calor. Estábamos juntos, estábamos protegidos, éramos un solo cuerpo, parecía que nada podía separarnos, y con este convencimiento, con esta seguridad, con esta ilusión, sintiéndolo tan cerca, casi dentro de mí, se quedó dormido. Yo también dormí unas horas. No despertó en toda la noche; al otro día, Pablo todavía seguía durmiendo. Estaba contenta de que no despertara para que no sufriera, para que no me preguntara las últimas noticias. Dormir es olvidar, y yo quería que él olvidara estos acontecimientos macabros que sucedían a granel en estos días. Ya se acercaba la tarde y mi chofer no había aparecido.

El día anterior me dejó en la clínica y se fue a guardar el coche. Debía venir, era la única persona que tenía cerca para ayudarme. Hice averiguaciones: no había guardado el coche, había desaparecido como si se lo hubiera tragado la tierra. Más tarde, supe que lo detuvieron cuando llegamos de la Isla, a poco de dejarme en la clínica. Y, en este momento en que yo lo hacía buscar, él estaba en el Estadio Nacional, sufriendo las torturas más atroces. Según ellos, era duro y no confesaba nada. Pobre muchacho que vagabundeaba con Pablo por mercados, por casas de antigüedades, ¿qué le preguntarían? Por suerte, en ese momento yo no sabía nada de esto; él había desaparecido con nuestro coche y con él yo perdía la única persona que me acompañaba en todas las horas del día.

Ya se acercaba la tarde de ese 23 de septiembre; Pablo no despertaba. Comencé a inquietarme. Le pedí a Laura, hermana de Pablo, que se quedara en la clínica esa noche. También se quedó mi amiga Teresa Hamel. Pero yo no pensaba que se moriría; mi capacidad de sufrimiento se había detenido en esa puerta, sin querer ver lo que podía suceder.

No pensé ni por un momento que Pablo se moriría. ¿Cómo podía yo quedarme sola en este momento de tanto horror, de tanta angustia, en que incendiaban y robaban en las casas donde vivíamos, y donde destruían objetos de arte únicos? ¿Qué me pasaría?

En este último tiempo, el doctor me había asegurado que Pablo se defendía maravillosamente del cáncer que lo aquejaba, y yo lo había visto lleno de vida y entusiasmo. ¿Por qué así, de repente, iba a pensar en algo tan atroz como su muerte?

Era el día 23 de septiembre. Allí, en la pieza de la clínica, estábamos silenciosas y tristes tres mujeres. Mis ojos están pendientes de Pablo. De repente, lo veo que se agita. Qué bueno, va a despertar. Me levanto. Un temblor recorre su cuerpo, agitando su cara y su cabeza. Me acerco. Había muerto. No recobró el conocimiento. Pasó de ese sueño del día anterior a la muerte.

Viene gente. Seguramente la enfermera, el doctor; yo no distingo a nadie. Algo se ha roto dentro de mí. Es difícil reaccionar. Laura llora, yo estoy como petrificada, no puedo llorar. De pronto oigo la voz de Teresa Hamel, esa mujer frágil y maravillosa; ella cuida en ese momento de los detalles prácticos: «Hay que vestirlo —me dice—. ¿Dónde está la ropa?» Yo le contesto: «Mañana lo vestimos.» Nunca antes estuve en una situación semejante y no sabía que había que vestirlo en seguida. De nuevo oigo la voz: «¿Dónde está la ropa? Hay que vestirlo.» Me levanto, busco una camisa. Encuentro una a cuadros, es alegre, a él le gustaría. Su chaqueta también tiene unos cuadros grandes, entre café, beige y rojo. Todo esto pasaba con una velocidad increíble. Todos estaban apurados. Trajeron un carro camilla, insistían en que no lo siguiera vistiendo, cosa que no consiguieron. Había que trasladarlo. ¿Adónde? No alcancé a preguntar nada. Salieron con él casi corriendo por un pasillo.

Yo le digo a Teruca: «Comunícate con algunos amigos y diles que hay que buscar un ataúd de color claro. A Pablo no le gustaban los ataúdes negros.» Las pocas veces que hablamos de la muerte, lo habíamos hecho en forma de broma liviana. Pablo me había dicho: «¡Qué horribles son los ataúdes negros! ¿Por qué no son alegres, de colores claros y hasta con florcitas pintadas en las tapas?» Yo, ingenuamente, creía que era fácil encontrar un ataúd de otro color.

Pero por dar este recado los hombres que llevaban la camilla con Pablo se me pierden. Siento miedo, y una idea descabellada me golpea de repente. ¿Y si me roban el cadáver y hacen un *show* de enterramiento oficial? Por suerte, eso no lo pensaron los nuevos gobernantes. Estaban bien lejos de pensar en la resonancia que tendría en el mundo entero la muerte de Pablo.

Salgo por unos pasillos en una semioscuridad. De repente, veo un enorme ascensor, y pienso: por aquí han tenido que bajar. Lo llamo y bajo a una especie de subterráneo. Allá al fondo hay una luz; entro, es una capilla, es lógico que esté allí. Pero no está. Salgo. Al otro lado hay otro pasillo oscuro, frío, es para enloquecer, hay una corriente de aire atroz; por fin, en la semioscuridad, diviso unas siluetas, son ellos, se acercan. «No puede permanecer aquí —me dice una voz fría—. Vuelva a la pieza.»

Creí que enloquecía. ¿Que yo no puedo permanecer al lado de Pablo en este momento en que tanto me necesita? Todavía su mano debe estar tibia y su cuerpo debe temblar entre esas sábanas, ¿y se me dice que yo no puedo estar a su lado? ¿Que yo no sentiré el contacto de su cabeza amada? ¿Quién puede impedirlo? No sé lo que les dije a estos indiferentes inhumanos, familiarizados con la muerte. Seguí por el pasillo, buscando a Pablo; lo encontré al final de ese tenebroso corredor subterráneo, casi sin luz. Una corriente congeladora hacía que aquello fuera más bien un refrigerador.

Mis pies y manos se fueron adormeciendo. Al comienzo me dolían; después, ya no los sentí más. El cansancio me iba venciendo. Primero me apoyé en la camilla, buscando el contacto de la cara de Pablo, no la sentía helada, y es que yo estaba tan helada como él. Era una terrible sensación de vacío, como si bajo mis pies se hubieran hundido todos los apoyos por donde yo caminaba. Este desamparo, ¿era un anticipo que me auguraba el futuro?

No sé cuándo me trajeron un asiento. Llegó Laura, la hermana de Pablo, allí se sentó, a mi lado, sus ojos enrojecidos; lloraba quedito. Más tarde llegó Teruca; creo que no hablamos de nada. La tristeza me había envuelto entera, como un gran silencio, no dejándome ni siquiera el escape del llanto. Era como un naufragio total. ¿Podría sobrevivir a esta sensación tan grande de vacío?

Una mano me toca el hombro, es como si despertara de una atroz pesadilla. Un relámpago de cruel lucidez me trae a la realidad. Había llegado el día. Miré a mi Pablo, su cara estaba hermosa, había quedado con una semisonrisa irónica. Miré también este pasillo, qué feo, qué desamparo tan grande.

Los primeros en llegar fueron los periodistas del país y del extranjero; en un momento me vi rodeada de gente, muchos amigos llegaron al mismo tiempo. Sólo en ese momento la clínica se percató de que era de mal gusto tener el cuerpo de este poeta, tan conocido, en ese pasillo oscuro y helado, con tres mujeres al lado, que estaban a punto de morir congeladas. Con la rapidez del rayo fue trasladado a un sitio acogedor. ¿Por qué no fue llevado allí la noche anterior? Enigmas que es mejor no tratar de resolver.

Llegaron las pompas que mi amiga Teresa Hamel había encargado por teléfono en la noche. El ataúd que llegó era de color gris, bastante feo, pero no era negro. Allí lo acomodé con mis manos. Arreglé su cabeza amada para que descansara cómodo.

Hasta ese momento yo no sentía todavía que la muerte nos había separado para siempre, él necesitaba todavía de mis cuidados.

Alguien se acercó a preguntarme: «¿Adónde lo llevamos?» «A su casa», le contesté. Hubo miradas de consternación, todos sabían el estado de la casa, pero no se atrevieron a contradecirme...

Nos dirigimos hacia el coche de las pompas que llevaría a Pablo. Yo iba bien tomada de su ataúd, me senté al lado del chofer. Éste me miró extrañado, parece que no es usual que la viuda vaya en este coche que lleva el ataúd, pero nadie dijo nada. Yo era una mujer de ojos secos que no lloraba, que se había convertido en una sonámbula, que iba cumpliendo su destino.

Llegamos a la casa. Aunque viviera mil años, nunca podría olvidar este momento. Si el mundo entero se hubiera puesto boca abajo, no me habría producido mayor asombro. Vidrios por todas partes, la puerta abierta, la escalera de entrada era un torrente de agua. Imposible entrar. Yo seguía sentada allí en el coche, ya casi no podía moverme. Un amigo viene a decirme que hay que pensar en llevarlo a otra parte; discuten, unos proponen una iglesia; otros, la Sociedad de Escritores. Yo me opuse con energía, Pablo entraría a su casa. Han tapado un canal, inundando la planta baja, pero arriba hay un living que es imposible inundar. La casa tiene otra entrada, es un portón de servicio que da a la calle Manzur. Le ruego al chofer, que mira todo esto con cara de asombro, que demos la vuelta y veamos la entrada por la otra calle. «Me tiene que esperar —dice—, se ha roto un neumático.» Yo pensé: Una broma de Pablo, que quiere quedarse en su casa. Esperamos que cambiaran el neumático, todavía discutiendo adónde llevarlo.

Llegamos al otro lado, el agua corría igual, pero era más ancho para pasar. Durante este tiempo, todos los vecinos ya sabían que había llegado Pablo y que la barbarie de estos días impedía que entrara a su casa. Me bajé. La solidaridad de ellos no podía fallarme; desolada, les digo: «Tenemos que pasar por aquí. ¿Cómo hacemos para llevarlo arriba?» «Yo tengo tablas en mi casa», dijo un muchacho. «Yo voy a buscar qué encuentro», dijo otro.

Con la ayuda de los amigos y vecinos se superó lo que al comienzo parecía imposible. Así entró en su casa Pablo, después de muerto. Yo iba detrás de su ataúd, tomada de su urna como para darme valor. No podría describir mi asombro al llegar arriba. ¿Qué se había hecho de esta casa que hasta hace tan poco era alegre y florida? ¿Qué había pasado? ¿Por qué esta destrucción? El ciclón de la furia la había azotado, habían arrasado el jardín, quebrando todo. ¿Por qué?

Entramos al living, acompañados por una música aterradora producida por nuestros pies al pisar los vidrios del suelo. Era como si el horror saliera a la superficie. En aquella casa transparente no quedó un vidrio intacto, montones de ellos por todas partes. Mi capacidad de asombro se había colmado; miraba todo aquello como desde fuera, como si le hubiera ocurrido a otra persona. En ese momento, había en mí indiferencia. Miraba estremecida esta casa destruida por una ola de odio.

Cuando entro al living, me detienen: «Tenemos que barrer —me dice alguien—, está inundado de cosas rotas y vidrios.» Yo avanzo, pisando los vidrios. «Así es mejor —les digo—. No barran ni hagan nada.» Y allí, frente a la chimenea, instalamos a Pablo. Hace mucho frío; será la falta de vidrios o lo desnudo de las paredes. ¿Qué se hizo de este living tan calentito, donde chisporroteaba la leña en la chimenea? ¿Qué se hizo de esta casa tan alegre, donde había siempre flores, risas y alegría? Como siempre, esto se lo pregunto a Pablo. Una semisonrisa irónica me contesta.

Acerco mi cara a su cabeza amada y sólo encuentro el frío contacto del vidrio. ¿Por qué yo no estoy en ese ataúd, a su lado? Y quién sabe si lo estoy. Tengo mucho frío. Alguien se acerca, le pido una silla, pero esta silla se demora mucho, creo que me voy a caer; me apoyo fuertemente en el ataúd, una voz me dice: «Ya viene la silla, la fueron a pedir prestada donde una vecina.» Todo era muy difícil de entender. ¿Cómo darme cuenta de que en una casa tan llena de todo no habían dejado ni una silla? Pero era así, se lo llevaron todo.

Venciendo el miedo, comenzaron a llegar muchos amigos. Mi casa estaba rodeada de fuerzas policiales. Los amigos que se atrevían a cruzarlas me contaron que andaban muchos por las calles vecinas, sin atreverse a entrar. Pensé que debía pedir que me retiraran esas fuerzas policiales. Le pedí a una amiga que me acompañara. En la misma puerta de mi casa había gran cantidad de carabineros. Pedí hablar con el oficial del grupo, o lo que fuera; nunca he sabido distinguir los galones de grados. Me dicen que tengo que hablar con el comisario, porque a ellos los han mandado a resguardar mi casa. Esto me sonó como la más grande de las ironías. ¿Qué resguardaban ahora, en esta casa, después que la habían saqueado y destruido? Les pedí el teléfono para hablar con el comisario y me fui donde una vecina. El teléfono de mi casa, por supuesto, había sido arrancado de raíz; por allí estaba, en el patio, lleno de barro. Por suerte pude comunicarme. Le pedí a este señor que retirara las fuerzas policiales de mi casa, que allí nada tenían que hacer y que amedrentaban a mis amigos, quienes no se atrevían a llegar a una casa que estaba llena de ametralladoras. Prometió acceder a mi deseo y lo cumplió a medias; la casa siguió resguardada, pero desde más lejos; los amigos pudieron llegar más aliviados, pero no sin miedo.

Estoy sentada al lado de Pablo en la pequeña silla que prestó la vecina. De repente, miro instintivamente hacia la puerta, vienen entrando unos uniformes que traen galones muy dorados y brillantes; los veo altos, muy altos. Miro a Pablo, debo irme; ellos me ven que subo lentamente las escaleras, hacia nuestro dormitorio. Las amigas me siguen: «No tengas miedo, Matilde, es un saludo de pésame de la Junta de Gobierno.» Ellas no se dan cuenta de que lo que a mí me hace huir es el miedo al abrazo. Yo prefiero su ramalazo de furia, ése que destruyó esta casa, y el que nos puede borrar como de una plumada a todos nosotros. No. Yo no recibo ese pésame.

Allí abajo, seguramente, han mirado a Pablo, se ve hermoso con su camisa a cuadros que tanto le gustaba. No, señores generales, no recibiré su pésame. Pablo no sería jamás amigo de ustedes, han tenido mucha suerte de que se muriera, sólo pudo escribir un capítulo en sus memorias, y yo haré que las conozca el mundo entero. Pablo los habría fustigado con su pluma. ¡Cómo habrían saltado con sus alfilerazos certeros! ¡Qué lástima! ¡Ay, qué lástima!

Ellos son responsables de toda la sangre que se está derramando ahora mismo en este país que está como crucificado.

No, señores generales, yo no recibiré su pésame.

Les pido a mis amigos escritores que les muestren los destrozos de esta casa.

Se han ido. Vuelvo al living, al lado de Pablo. La casa está llena de periodistas extranjeros con sus cámaras, me dicen muchas cosas que yo casi no oigo.

Todos los acontecimientos de ese día y esa noche son muy difíciles de contar, y fue más difícil aún vivirlos. Todo el día desfiló gente por esta casa, todo el día oí relatos de horror. «Señora, mataron a mi hijo —me dijo una pobre mujer angustiada a la que yo no conocía—, quiero que alguien me ayude para que me entreguen el cadáver, yo ahora sólo quiero enterrarlo.» Me mira con ojos de súplica, ella cree que yo puedo ayudarla. «Mire esta casa, señora —le digo—, yo no puedo hacer nada que no sea sufrir con ustedes.» Pienso en Víctor Jara, en cómo entregaron ese cadáver mutilado, y pienso, ¿cómo estará el hijo de esta pobre mujer? Una voz de hombre nos interrumpe en ese momento: «Toda la población donde vivo ha sido allanada; a mi mujer la golpearon porque levantó la cabeza para respirar cuando la tenían boca abajo. Se llevaron lo que encontraron; dicen que no podemos tener radios, todas se las llevan.» Otro hombre, moreno, nos mira con ojos duros y dice con voz enronquecida por la emoción: «No sería nada que lo mataran a uno, pero es que te hacen pedazos porque no confiesas lo que no sabes; nosotros sólo pensábamos en trabajar, tratábamos de arreglar este país, ¿qué de malo había en ello?» Yo los miro. ¿Cómo ayudarlos? ¿Quién puede ayudarlos?

Todo el día llega gente, miran a Pablo, lloran. Conversan. «Pobre muchacho —dice uno—, lo encontraron muerto a dos cuadras de la casa, después de que lo arrestaran. Su casa fue allanada, se llevaron lo que quisieron, son verdaderos saqueos.» Yo miro mi casa, eso sí que lo sé muy bien: son saqueos.

Otro dice: «Están entregando los cadáveres destrozados, algunos vienen en urnas cerradas, con prohibición de abrirlas. En el camión en que hacen los allanamientos siempre traen cadáveres.» Gran silencio. Flota un aire de espanto. El miedo comienza a entrar lentamente en nuestras almas. ¿Cómo viviremos en medio de tanta barbarie?

Las sombras de la noche llegan para hacer más difíciles estas horas. Poco a poco, la gente comienza a irse, se quedan conmigo algunos amigos. Por suerte, alguien tendió unos alambres y tuvimos luz. «¡Qué frío hace!», dice una voz.

Era una noche fría de septiembre. Yo, metida en el cuello de mi abrigo, lloro en silencio. Recordaba este living siempre calentito con esa chimenea que no se apagaba jamás. Los amigos conversan, me hace bien oírlos.

«¿Recuerdas —dice una voz— cuando Pablo, en sus comidas se pintaba esos bigotitos, se ponía un pequeño sombrero y recitaba "La botica"? ¡Qué gracia tenía y qué falta va a hacernos ahora!»

«¿Recuerdas los cumpleaños de Pablo en esta casa? ¡Qué alegres eran! Un año, un periodista se pu a contar a los invitados, y cuando llegó al doscientos no pudo más y desistió.» «Sí —dice otro—, fue un año en que muchos se quedaron para el desayuno. Tarde en la noche, Pablo desapareció; todos lo

23

buscaban, querían saber dónde estaba, y estaba en un rincón, el más escondido de la casa, con Matilde, muertos de la risa porque con tanta gente habían logrado estar solos.» ¡Cuánto bien me hicieron con esos recuerdos!

«¿Tendremos muchos militares en el entierro? ¿Qué crees tú?», oigo una voz, medio dormida. «Tendremos muchos, no te quepa duda, y quién sabe qué pueda pasar, yo vi muchos amigos que llegaron hasta la esquina y, al ver a los carabineros, se devolvieron; esas metralletas dan miedo porque las están usando sin escrúpulos.»

Sigue un gran silencio, será que cada uno de nosotros piensa en sus problemas.

«¿Ustedes creen que mañana vamos a poder sacar el ataúd por ese río que hay allí abajo?», les pregunto. «No te inquietes, los vecinos traerán más tablas. Todo el día han traído cosas.» Una señora llegó con una sopa, qué bien me hizo. Pero si hasta una botella de pisco tenemos. Y esa chica morena trajo café. Le dije: «¿Y cómo llegas aquí si hay toque de queda? No te vayan a meter una bala.» Ella se rió mucho y me dijo: «Me vengo arrastrando y paso casi por los pies de los policías que están por todas partes, me gusta hacerlos lesos.» Me dieron una taza de café. Qué bien me hizo, estaba congelada por dentro y por fuera.

Pierdo la noción del tiempo. Alguien se acerca y me dice: «Está amaneciendo.»

Va a comenzar a llegar la gente. ¿Cómo retrasar el momento de la separación? ¿Cómo será eso? Miro a Pablo y pienso que a él no le gusta estar solo, pero, ¿cómo evitarlo? ¿Cómo será esto de separarnos para siempre? Mis ojos lo buscarán por todas partes, mis manos se alargarán en vano, nunca más estarán entre las suyas, tengo miedo, ¿qué será de mí? ¿Cómo resistiré todo esto?

Las primeras luces del alba entran como una amenaza, llegó el día y llegará la hora.

Empieza a llegar mucha gente, unos lloran, me abrazan, me dicen muchas cosas que yo no oigo. Hay un sabor amargo en mi garganta, no puedo articular palabra. Todo pasa con una rapidez increíble.

Alguien me dice: «Debe salir, señora.» Yo no me muevo, y

allí me quedo. Comienzan a soldar el cajón, saltan chispas y pedacitos de plomo; todo lo veo, no siento nada, mis ojos están secos, me duelen. Creo que sólo deben reflejar sorpresa, sólo sorpresa. ¡Se soldaban los ataúdes, y yo no lo sabía! Allí donde estaba la cara de Pablo, ahora sólo encuentro una tapa de madera.

Muy pronto, todos se ponen en movimiento. Tengo miedo. La puerta del living se abrió de par en par, es decir, el marco. La puerta era también de vidrio y ahora no existe. Muchas manos se levantaron, había llegado el momento.

Mi corazón late a un ritmo tan acelerado que me produce un dolor físico, como de ahogo. Silenciosa, voy detrás de este ataúd; no siento los pies, sólo oigo el ruido de vidrios quebrados que se produce al pisarlos, y pasamos por esa puerta sin puerta.

El ataúd caminaba delante de mí, llevado por amigos que no recuerdo, porque sólo miraba este ataúd que habían tapado y ya no vería más su cara, quedó atrás esa pieza tan grande, tan fría, tan desnuda. Y ahora voy por este caminito de piedras, detrás de mi Pablo, que no me puede ni hablar, ni mirar, ni hacer un guiño gracioso para que yo no esté tan triste, pero yo sé que de algún modo me mira, y yo me he puesto un suéter rojo bajo mi abrigo azul, para no verme tan de luto, cosa que él detestaba.

Otra vez había que pasar el puente sobre el canal, uno de los que llevaban el ataúd se cayó al agua y quedó con media pierna mojada; qué trabajo, todo es tan difícil.

Miro por primera vez a mis amigos, son pocos los que han podido llegar. Subo en el automóvil que me ha enviado la embajada de México. Pienso en mi pobre chofer que ha desaparecido con mi coche, ¿dónde estará?, ¿qué suerte corre?

Nos ponemos en marcha; desde mi asiento, sigo mirando a Pablo que va delante de mí.

Llegamos a la plazoleta del cerro San Cristóbal. De todas las calles salen hombres, mujeres, sale el pueblo a unirse al cortejo, a decirle adiós a su poeta, al hombre que tanto pensó en ellos, que tanto luchó para que la igualdad reinara un día, para que se les hiciera justicia. De una humilde casa veo salir a una mujer con un ramo de flores, lleva un velo en la cabeza, viene llorando, dice muchas cosas que yo no oigo. Seguimos. De todas las calles sale gente que se suma al cortejo. También asoman carros con militares apuntando sus ametralladoras, pero allí se detienen, seguramente quieren asustarnos. No lo consiguen. Cada vez se une más y más gente a este cortejo y se elevan las voces enteras, gritando: «Pablo Neruda, presente, ahora y siempre.» Todos marchan, ajenos al mensaje de horror que quieren sembrar las ametralladoras apuntando en cada esquina. Miro hacia atrás, mi vista se pierde entre tanta gente. Muchas mujeres vienen llorando. Veo un hombre que me llama profundamente la atención, es de cara redonda, muy moreno, su boca crispada en un gesto doloroso, como gran contraste, trae su mano puesta en el pecho y en ella un clavel rojo, su mirada es dura como el acero, ése no llora, ése espera.

Vamos llegando al cementerio, somos muchos, los carros con militares también son muchos. Se acercan, es un entierro erizado de fusiles y ametralladoras. ¡Cuánto despliegue policial para los funerales del hombre más pacífico del mundo, para un poeta!

El pueblo sabe qué significa ese despliegue, ya han caído tantos, hay tanta sangre en las calles de Chile, y por esto es doblemente emocionante el valor de este pueblo que aquí va gritando: «Pablo Neruda, presente, ahora y siempre.»

Nunca podré olvidar este momento. Aquellas miradas en que se mezclan el dolor y la rebeldía. Cada uno de ellos siente el horror ante la suerte infligida a tantos amigos y parientes: apresados, escondidos, agonizando en las torturas. Y en este momento de oscuridad asfixiante, como un grito de liberación, se escucha: «Pablo Neruda, presente, ahora y siempre.» Este grito me trae un rayo de luz, de esperanza, éste es un pueblo vivo, tendrán mucho trabajo los que pretendan pisarlo con su bota. Señores militares, ésta es la voz del pueblo. Yo estoy segura de que todos tenemos miedo, pero es como cumplir con un destino. De repente, oigo una voz muy tímida que canta: «Arriba los pobres del mundo.» Muchas voces se unen a esa tímida voz: «De pie los esclavos sin pan.» ¿Nos ametrallarán?, comienzo a preguntarme. Los miro, todos van con la cabeza levantada, como desafiantes; es hermoso ver ese valor. Las lágrimas se secaron en mis ojos; en este momento, ha nacido dentro de mí algo muy fuerte, es la conciencia de que no estoy sola. Pablo me ha dejado una herencia, la de este pueblo. Y también levanto la cabeza. Este dolor aquí dentro es tan grande, pero no estoy sola. En este momento soy la mujer más acompañada del mundo.

Llegamos frente a una cripta completamente desconocida para mí, miro con horror su puerta de fierro. Hay algunos discursos, todos tímidos, nada se dice de este momento que estamos viviendo. Alguien me pregunta si ya dan por terminados los discursos. Llegó esta hora fatal a la que le tenía tanto miedo, su cuerpo caerá bajo esa fría losa. Ésa sí que es la separación definitiva. Todo se mueve, el ataúd avanza y en ese momento yo no soy consciente y entro al mausoleo tras él. Allí, dos hombres me miran, y yo los miro, no veo ningún hueco, ¿dónde lo enterrarán? Los miro con sorpresa. «Se olvidaron de cavar el hueco, señora —me dice uno de ellos—, pero mañana se hará. Esto sucede a menudo.» Hago un esfuerzo inmenso para comprender lo que están diciéndome. «Esto pasará a menudo —les digo—, pero yo a Pablo lo dejaré enterrado ahora mismo. Habrá que conseguir ladrillos, cemento y arena. Por favor, traigan todo lo que haga falta, esperaré.» Salgo. Apresurado, todo el mundo se ha ido. Me quedo frente a la cripta. Allí supe que el sufrimiento es algo físico, que me mordía produciendo un dolor frío. ¡Cuánto frío!

El destino no ha querido ahorrarme nada. Aquí estoy, esperando los ladrillos y el cemento para enterrar a mi Pablo.

No supe cuánto tiempo estuve allí, envuelta en mi sufrimiento. Llegaron los materiales, ¡qué alivio! Los enterradores eran fuertes, dinámicos. Ayudé a poner ladrillos. Los hombres me miraban, creo que dudaban de que mis facultades mentales estuvieran del todo sanas. A cada momento me decían: «Nosotros lo hacemos, señora.» Ellos no podían entender el premio que para mí significaba ayudarlos. Pablo quedó enterrado con muchas flores puestas en su tumba, por horas las estuve arreglando, escogí las de colores más vivos, las que no estaban marchitas.

Me quedé allí, haciendo todo lentamente, como si no tuviera que irme nunca. Ésta fue nuestra gran separación; siento una angustia, una sensación muy amarga. Lo dejo en esta tumba inhóspita, me pregunto por qué lo traje aquí, no me gusta su puerta de fierro, es como el símbolo de este tiempo, todos estamos detrás de una reja, nos miran, nos acechan, tenemos miedo.

Salgo, hay que poner llave a la puerta, esto me parece lo más escalofriante de todo. Miro la tumba de mi Pablo a través de la reja de fierro. Me quedo allí largamente. No recuerdo cómo salí del cementerio. Volví a la realidad al oír una voz solícita que me decía: «¿Adónde la llevo, señora?» Era el chofer de la embajada de México que me esperaba. «A mi casa», le contesté. Me miró con sorpresa: «¿A Márquez de la Plata?», me preguntó de nuevo. «Sí. A mi casa», le contesté sencillamente. Llegamos, le di las gracias y me bajé.

La puerta estaba abierta. Esta casa tan alegre, que yo tanto amaba, me pareció en este momento siniestra. Todo estaba mojado. Hacía tanto frío. Me fui donde una vecina, la vi asustada, mi aspecto debe haber sido desolador. Me arregló una pequeñita pieza y me acosté, qué bueno es poder llorar cuando nadie se entera.

Mi vecina había hecho esta pieza en un closet, era tan chiquita que cabía justo el catre, esto me hacía daño, sentía miedo, estos muros tan cerca de mí me apresaban. Vino la noche, yo la esperaba como una gran amiga; dormiría, estaba segura, porque mi cabeza estaba cansada, mis ojos semicerrados, casi no los abría, me dolían, las lágrimas habían aliviado mi alma, pero mis pobres ojos se sentían estropeados.

Con la idea de irme a la Isla al día siguiente, creí que dormiría. En cuanto oscureció, y cuando ya había toque de queda, se comenzó a oír el retumbar sordo y continuo de los disparos, tan cerca de las ventanas, que creíamos que podían llegar hasta nosotras. Éramos dos mujeres asustadas.

Ésta era una guerra, no me cabía la menor duda, pero los muertos que yo vi, en los días siguientes, eran de un solo lado. ¡Qué guerra tan desigual!

Por fin comenzó a amanecer, yo no sabía si había dormido o no. Allí estaba, como una pobre cosa metida entre las sábanas, todo me era desconocido, mi vista se encontró por todas partes con paredes, tan cerca de mí, que parecía que se cerrarían de repente. Angustiada, me levanté; mi amiga tampoco había podido dormir, me esperaba una taza de café caliente, era lo único que tomaba desde hacía días. Me hizo mucho bien. Mi amiga, animosa, trataba de darme valor, pero ella también tenía miedo. Vivía en aquella casita completamente sola.

Quería irme a la Isla ese mismo día, pero antes quise darle una última mirada a mi casa; sólo tuve que caminar unos cuantos metros. Frente a la puerta, la brigada Ramona Parra había escrito con grandes letras: «Bienvenido, Pablo Neruda.» Al otro costado, habían pintado un mural: eran muchas cabezas marchando muy unidas, como aladas. Estos murales habían sido pintados en los momentos en que Pablo regresaba a Chile, el año 1972, después de haber recibido el Premio Nobel, y allí habían quedado, intactos, alegres, ofreciendo ahora un contraste inmenso con esta casa con sus puertas destrozadas, desastilladas, abiertas. ¡Qué raro me pareció entrar a mi casa sin tener que buscar llave! Al entrar, me envolvieron un frío y una humedad muy grandes. El nivel del agua había bajado, dejando un barro oscuro que se mezclaba con los carbones del incendio. Entre al comedor. La puerta, que antes era de vidrio, ahora era un gran marco; por todas partes, destrozos. Miro las repisas blancas que se hicieron en este comedor para las cerámicas negras. Recuerdo nuestros viajes al Sur: todos los años pasábamos a Quinchamalí, allí las loceras nos conocían. Había unas muy viejecitas, sentadas en el suelo puliendo las figuras de greda. Nos quedábamos horas viéndolas trabajar. De sus sabias manos iban saliendo, como un milagro, los caballitos con su jinete al costado, la mujer con su guitarra, y tantas otras. Recuerdo que cuando ya habíamos visto todo, las loceras, con ojos de picardía, le abrían a Pablo un baúl de donde salía la sorpresa, era una pieza única que le habían hecho en el invierno. A veces, era un grupo de gente en una fiesta; otras, eran muchas cabezas de animalitos, un hombre afirmándose en su caballo y sosteniendo bien abrazada a su huasa, y tantas, y tantas otras. Para nosotros, ésos eran los tesoros más grandes que se pueden conseguir en la vida. No era lo que se hacía para vender, eran figuras hechas con amor, destinadas a Pablo, y que él sabía apreciar y agradecer. Haciendo contraste con estas figuras negras, habíamos traído a esta casa una colección de cerámicas de nuestro último viaje a Polonia. Fuimos a ver la exposición de un ceramista, sus figuras eran muy curiosas, muy pálidas, brillantes. Todas tenían como motivo un cisne, éste estaba en brazos de una niña, o alargando su cuello hacia el cielo, o en actitud de alimentarse, o con su hijo cisne en el lomo; lo curioso era que ninguna se repetía, era la obra de una imaginación privilegiada. Nosotros, que nos considerábamos especialistas en cisnes, estábamos impresionados. Pablo, en esos días, cobraba un libro recién salido. Le preguntó a nuestra intérprete si podía comprar toda la exposición, ella creyó que era una broma, no conocía a Pablo. Se hicieron las averiguaciones. Fuera de algunas figuras que el ceramista quería conservar, compramos todas las demás.

¡Qué fiesta cuando las desembalamos en Chile! ¿Dónde las pondríamos? En Santiago, pensamos al unísono, porque ahí estaban las figuras de nuestro Quinchamalí, que compitieran con ellas, si podían.

Aquí también habíamos traído hacía muy poco toda la colección de cuadros *naïf*. Nemesio Antúnez, que era en ese momento director de la Escuela de Bellas Artes, había conversado con Pablo para hacer una exposición de cuadros *naïf* en el museo. Había muchos, de los sitios más lejanos: de México, de Colombia, de Bujara, de Samarkanda, de Coronel, de Talcahuano; había grandes y chicos. De los grandes, luego del destrozo, quedaban los marcos. ¿Supo esta gente qué se llevaba? ¿Los destrozaron, o los tiene alguien en su casa? De cualquier manera, no pueden saber lo que tienen. Los de Samarkanda y Bujara los recuerdo con especial cariño, los encontramos en los mercados, eran de vivísimos colores, con palomas y flores, casi todos con marco de papel dorado, otros plateados, era difícil ubicarlos porque, con sus brillantes colores, opacaban los cuadros que se ponían cerca.

Ahora aquí, en este comedor, estoy viendo confundidos en el barro negro marcos destrozados, narices, piernas, cabezas mutiladas. Una que otra cabeza de cisne asoma de repente, los pedazos de caballos de greda se confunden. Todo ha sido roto por la ola de furia insensata que ha desolado esta casa. Todos los que ayer entraron a ella se llevaron un pedacito de recuerdo, sobre todo los de la televisión extranjera.

En este comedor quedó algo: la gran mesa, muy larga y de madera gruesa. Pablo la hizo fabricar dentro de la pieza. No cabía por ventanas ni puertas. Allí en medio del barro, la miré con ternura, como a una antigua conocida; muy estropeada, pero ahí estaba.

Pisando vidrios, haciendo a un lado somieres arrugados y quemados, subí al estudio. ¡Cuántos recuerdos! Estaba abierto, entré. Ésta era una pieza de trabajo, su mesa, allí estaba.

Al lado de la chimenea, un inmenso reloj; a éste no lo salvó su tamaño, se dieron el trabajo de destornillar toda su maquinaria, sus ruedecitas estaban esparcidas por la pieza y el jardín. Su gran esfera blasoné de color azul turquesa la habían golpeado con ensañamiento; un escalofrío recorre mi cuerpo, son locos. ¿Cuántos crímenes son capaces de cometer? Miré un cuadro antiguo que representaba una señora; era una pintura muy buena, atribuida a un alumno de Caravaggio, la dejaron con la cara destrozada, rompieron la tela cerca de la nariz. Todas las otras pinturas y los grabados de esta pieza se los llevaron. ¿Dónde están? No quiero saberlo.

Al lado de este estudio hay una pequeña pieza donde yo me refugiaba mientras Pablo trabajaba; allí leía, tocaba guitarra, o hacía cuentas, esas cuentas que tenía que estirar hasta el infinito. Allí nada quedó, todo había desaparecido. Estas piezas eran casi transparentes; no dejaron ni un vidrio.

Caminé lentamente mirando mi jardín, allí todo había sido plantado por mis manos, era mi pasión. Recuerdo un día en que llegó Pablo, pasó por mi lado sin decirme nada, y a la primera persona que encontró le preguntó: «¿Dónde está la señora?» «En el jardín», le contestaron.

Vino hacia mí, al mirarme se puso a reír. Yo siempre me embarraba la cara al subirme el pelo que me molestaba en los ojos. «La confundí con un muchacho —me dijo—, pensé que usted había tomado un jardinero.» Al poco tiempo, me hacía la «Oda a la jardinera». ¿Es posible un mayor premio?

Ahora miraba este jardín, todo él destrozado; arriba quebraron todo lo que pudieron, por suerte había árboles muy grandes a los que no lograron hacer nada, pero los de abajo no pudieron defenderse. Al tratar de incendiar la casa, esos árboles tomaron fuego rápidamente; fueron ellos los salvadores, porque sus llamas y el humo alertaron a los vecinos, quienes llamaron a los bomberos, que llegaron rápidamente. Allí estaban estos árboles con sus ganchos ennegrecidos, levantando sus muñones quemados como denunciando la barbarie: ellos eran los que protegían mis camelias y copihues, que alegremente trepaban por sus ramas. Ahora, yo trataba de buscarlos, hace tan poco estaban aquí, floridos, haciendo mi orgullo de jardinera.

Subo a nuestro dormitorio, allí está nuestro catre, también se salvó, por grande. El colchón, embarrado, parece como si lo hubiesen pisado mil años; un larguero del catre está quebrado, ¿cómo pudieron hacerlo? Eran muy firmes, ¡qué trabajo! En las murallas, nada. Recuerdo que aquí se hallaban unas pinturas que habíamos traído de Capri, eran rosas de distintos colores que compramos en un anticuario de Nápoles, eran muy alegres. En Capri había un enmarcador de cuadros muy hábil; Pablo diseñó unos marcos de espejos cortados que este artesano confeccionó con gran entusiasmo, eran como si vinieran de otra época. Allí en Capri nos acompañaron, y también en esta casa, como la continuación de esos recuerdos venturosos; me gustaba mirarlos. Ahora se habían ido, ¿adónde?

No sé cuánto tiempo me quedé allí, recordando, sufriendo; con mucha facilidad perdía la noción del tiempo. Bajé por el living, era un vacío completo, ni un vidro en las ventanas, algunas flores marchitas en el suelo me hablaban del funeral de Pablo. Ayer no más, aquí, había estado todo un día y una noche mirándolo por última vez. Mis manos comienzan a temblar.

Bajo al jardín, miro sus destrozos por última vez, quiero irme, irme pronto, pero mis pies están como clavados en este barro negro que estoy pisando. Con gran esfuerzo trato de coordinar mis ideas y me voy alejando de esta casa fantasma, miro su puerta, ¡qué raro me parece irme de esta casa tan querida y dejarla abierta! Miro el mural que está frente a esta puerta destrozada. «Bienvenido, Pablo Neruda.» Todo era como una pesadilla de ciencia ficción.

Vuelvo donde mi vecina, la veo asustada, uso su teléfono, me ha cobijado, y comprendo que esto le puede acarrear muchas dificultades, han venido a su casa a hacerle preguntas, debo irme y no comprometerla más. Mi chofer y mi coche siguen desaparecidos. Mi amigo y abogado Juan Agustín Figueroa sigue haciendo gestiones para saber su paradero. Le ruego me comunique a la Isla cualquier novedad.

Hablo a la embajada de México. El embajador se ha ido en el avión que debía llevarnos también a nosotros. Un encargado de la embajada me hace saber que se le ha encomendado solucionarme cualquier problema. Le pido que me mande a dejar a Isla Negra.

Me siento la mujer más triste y más desamparada del mundo. ¿De dónde sacaré fuerzas para restablecer el orden natural de las cosas? Esta caída ha sido demasiado brusca, si ayer no más vivía como envuelta en sueños. Ahora me falta todo, me faltan sus manos, llenas de mundo, que me sostenían. Ahora, a cada momento, viene a golpearme un mensaje de horror.

Voy por una carretera que parece desbocada y a cada momento hay registros y preguntas y miradas hostiles que hacen daño. Creo que si no hubiera ido en un automóvil diplomático no habría llegado.

3

LLEGADA A ISLA NEGRA

Voy llegando a la Isla Negra, lo que siento en este momento no lo puedo describir. Parece que voy hacia algo desconocido que me amenaza. Estoy angustiada.

Cuando se abrió el portón y entré, sentí que sólo en ese momento me daba cuenta de mi gran soledad; nunca antes supe, en esta casa, el significado de esa palabra. Me pareció que había un gran silencio.

Siento un miedo paralizante, algo me detiene. Allí en la entrada todo está igual y todo es diferente; de pronto, unos gemidos casi silenciosos, suaves, tiernos: es mi perra. *La Panda* se restriega en mis piernas invitándome a entrar, como dándome valor, consuelo, con su calor y ternura de perra. El jardín está todo florido. La naturaleza se ha vestido de fiesta, los árboles vestidos de verde nuevo. Todo está gritando alegremente: llegó la primavera; mis ojos miran esta fiesta de colores y algo muy adentro quiere protestar: No. No hay primavera, todo está oscuro, como una inmensa cárcel, no hay ventanas, no hay aire, no hay luz, el mundo es un pozo que se cierra y que me va estrangulando.

Entro lentamente a la casa. Las piezas son más grandes. Siento frío, es el frío de su ausencia que comienzo a sentir en toda su magnitud. Sigo caminando por la casa, llego a la «covacha», esta pieza pequeñita de trabajo con su mesa rústica. En su escritorio hay una presencia tan viva, su cuaderno semi abierto, lápices grandes, pequeños, y de tantos colores; en un florero, unas flores todavía vivas, las últimas que puse antes de partir; hace tan poco y parece que, desde ese momento, hubiera vivido una eternidad. En un pequeño marco, un retrato mío;

me estoy riendo, llena de felicidad. Todo esto parece tan lejano. Me siento en su escritorio y sigo mirando esta pieza. Tiene una colección de potes antiguos, grandes y pequeños. Los demás objetos son todos figuras de animales de todas clases. Muy a menudo lo oía decir: «En esta pieza tengo todos mis animalitos», y miraba con picardía dos retratos míos que había puesto, uno en su escritorio y el otro a la entrada, sobre el marco de la puerta, un dibujo que Glazunov, pintor ruso, me hizo en Moscú.

Entro a la biblioteca, un perfume de hierbas secas me recibe a la entrada. Él compraba en los mercados toda clase de hierbas aromáticas y las ponía dentro de los cajones, nunca antes percibí su aroma con tanta claridad; era como la presencia misma de Pablo, hoy me recibe como queriendo decir algo.

La Panda me sigue, me acompaña, a ratos pasa su suave cola por mis piernas para anunciar su presencia.

Nunca antes me di cuenta de que aquí se oía tanto silencio. Sin querer, busco su presencia. Una luz de tarde pone paz entre las cosas. Sigo mirando las paredes, sus libros, sus relojes, sus barcos, las figuras negras, y tantos objetos que me traen una inmensidad de recuerdos. Comprendí que aquí estaba Pablo, esperándome sin esperarme. Parecía aislada de todo, había entrado a un mundo de aturdimiento y extrañeza, todo lo que veía tenía ahora otra dimensión.

Seguí caminando poseída por una sensación inenarrable. Era allí donde Pablo más vivía. De esta biblioteca se ocupaba con verdadero amor. La había construido buscando puertas, ventanas, y haciendo luego sus propios diseños. Recuerdo su entusiasmo cuando la amueblaba con estos pobres muebles, casi todos hechos por su fantasía. Aquí estoy, junto a esta gran mesa a la que le puso como pie una rueda de carreta chancha, que son muy antiguas, muy primitivas, hechas en bloque, sin ejes; encima, un enorme vidrio. Todo estaba hecho con imaginación y amor; pasaba horas allí, la mayor parte del día, viendo sus libros. ¡Cómo los amaba y cuidaba!

Sigo caminando. Subo a mi dormitorio. Creo que tenía miedo de hacerlo. La madreselva florida trepa por la escalera. Arriba me recibe el mar. Siempre me pareció juguetón y alegre. Hoy, como que me asusta; golpea, ruge, me amenaza. Me dejo caer en éste, su sillón, estoy cansada.

La Panda hace notar su presencia; la acaricio, es mi gran amiga, sus ojos son tan hermosos.

Va cayendo la tarde. Una claridad rosada está incendiando el cielo y el mar, pero pronto se irá esta tarde que ha desplegado sus alas de colores y alegrías. Yo sólo pienso en que las sombras vendrán muy pronto. Una sensación indefinible de desamparo recorre mi cuerpo, me pregunto con espanto: ¿seré capaz de caminar por este sendero de tan indecible tristeza? Sigo mirando el mar.

Aquí, frente a mi ventana, apareció la estrella de la tarde. Nunca la miré con más devoción que ahora. Fue su primer regalo. Era nuestra primera cita amorosa, estábamos muy escondiditos, saboreando ese amor prohibido que nos acompañó tantos años. Pablo extendió su brazo y me dijo muy solemne: «¿Ve usted esa estrella?, es la primera que aparece, yo se la regalo para siempre, es suya, y cuando estemos separados, esa estrella nos unirá.»

En este momento, este regalo tiene una enorme significación, me pregunto si ahora Pablo la estará mirando y me estará mandando mensajes que yo no entiendo.

Luego recordé su segundo regalo, ése sí lo tenía en el bolsillo de mi abrigo. «Le traigo un regalo —me dijo, con un aire misterioso—. Déme su mano.» Y dejó caer en la mía una piedrecita de río, suave, pulida por el agua. La miré, la toqué asombrada; esta piedrecita, recibida de esa mano ablandada por la ternura, era la joya más preciada, era como parte de su mano, que con su suavidad y su tibieza entregaba un caudal inmenso de amor y pasión.

Las sombras de la noche vienen lentas, inexorables. Por todas partes, silencio.

Este dormitorio lo siento inmenso, y esta cama es tan grande. *La Panda* no se mueve de mi lado.

¿No será ésta una enorme pesadilla de la que me sacará una voz que me dirá: «Patoja floja, ¿hasta cuándo duerme?»» Con terror sigo pensando en la noche. Estoy como metida en un agujero inmenso, ¿cómo saldré de él? Las lágrimas resbalan lentamente, gotita a gotita, por mi cara. No me molestan, no, son buenas, me hacen bien, las dejo correr. Me gusta llorar, ahora que estoy sola. *La Panda* tiene su trompa húmeda apoyada en mis pies, ella es la única testigo de mi inmensa orfandad. No le contará a nadie que me ha visto llorar por horas, que no querría seguir viviendo, que tengo miedo. Es un miedo irracional. Estoy metida en este gran silencio, sólo interrumpido por las voces del mar que, a lo mejor, tratan de consolarme. Un tropel de ideas desbocadas acude a mi memoria, martirizando mi pobre cabeza como si quisiera hacerla explotar. Su enfermedad, su muerte, su entierro. Los pensamientos se hacen voces que me susurran alevosamente al oído: «Bájese, señora, hay que hacer un registro de la ambulancia.» «Hay que vestirlo, ¿dónde está la ropa?» «No insistas, Matilde, han tapado el canal, tu casa está inundada, no puedes entrar ahí a Pablo.»

Llegó la noche. Miro hacia las ventanas sin luz; de pronto, veo sus ojos. ¿Me estaré volviendo loca? Son sus ojos que me miran con una ternura indecible. Yo quiero tocarlo, avanzo, mi cabeza encontró sólo el frío vidrio de la ventana. Se encendió una luz y una voz me dijo: «Está muy oscuro, ¿dónde dejo esta valija, señora?»

Sí, llegó la noche, ¿y con quién voy a conversar? En las noches de luna abríamos las ventanas, apagábamos las luces y conversábamos, ¿de qué?, no lo recuerdo, pero era tan bueno sentir que nuestra voz la apagaba el sueño.

Sigo mirando el mar, sin ver ya nada.

Alguien entra a mi pieza para ofrecerme algo, ¿será muy tarde? Quise hablar, pero, ¿de qué?

«Hasta mañana —le dije—, no necesito nada, sólo deseo estar sola.» ¿Cuánto tiempo estuve allí, frente a la ventana? No podría saberlo; había perdido la noción del tiempo, mis pies dormidos y fríos me convidaban a moverlos.

Como una sonámbula salí de la pieza. Debe ser muy tarde, necesito caminar. Todo dormía en los alrededores mecido por el vaivén y el ruido de las olas. Salí, el aire fresco me haría bien. Flotaba una tenue neblina procedente del mar.

La casa me pareció fantasmal, imponente, confusa, como si fuera otra casa, la miraba hacia arriba, la encontré inmensa, recortada contra el cielo, alcanzada por los pinos que se habían vuelto negros, como amenazadores. Me senté en un asiento de piedra frente al mar, desde donde veíamos las puestas de sol. Cuántos recuerdos. Yo no sabía entonces cuán grande era mi felicidad. Ahora recorría inútilmente estos recuerdos para encontrar esa paz que ya nunca más disfrutaría. Porque, ¿cómo espantar los recuerdos de estos días, que me hacen tanto daño? ¿Cómo olvidar esa frondosa cosecha de muertos anónimos que allí no más y por todas partes se están enterrando, sin cruces, sin flores, sin lágrimas?

Ahora, en este mismo asiento de piedra, acurrucada en mi pánico, me siento hundida en un universo caótico y sin sentido, ¿cómo seguir viviendo, después de tantos años en que dormí con mi cabeza metida en su pecho, juntos, muy juntos, como un solo cuerpo? Hace horas que estoy aquí sentada sin moverme, la tristeza muerde, inmoviliza. Allá lejos, sólo sombras, mar y cielo se confunden, son una misma cosa. A la orilla llegan las olas blancas que parecen jugar. ¿Por qué el destino me quita de golpe todo lo que generosamente me diera? ¿Por qué tengo que afrontar sola esta vida que se ha vuelto de pronto tan áspera, tan inhumana?

Los pensamientos se agolpan, multitud de episodios de mi vida se barajan caprichosamente.

4

ENCUENTRO CON PABLO EN BERLÍN

Un recuerdo lejano viene a mi memoria.

Me veo llegando a París. Vengo de México, llena de sol, de alegría. Vengo a una cita de amor, íntima, secreta. Vengo llena de ilusiones. Vería a Pablo, aunque fuera por un corto tiempo, conocería con él esta ciudad que había estado siempre prendida en el aire de mis sueños.

Y aquí estoy, alborozada, esperando al lado de mis valijas. Pasan los minutos, que se me hacen muy largos. Se ha retrasado, pensaba, y seguía esperando. Traía un abrazo tan grande para mi Pablo, y allí, poco a poco, mis brazos extendidos se quedaron como huérfanos.

Pablo no vino.

Llamé un taxi, le di la dirección de la casa de Pablo, por el camino ya iba más optimista. No ha recibido mis telegramas, pensaba, y allá en la casa lo encontraré desprevenido, abrirá los ojos muy grandes, me mirará y me dirá: «Chilena atorrante.» La calle se llamaba Pierre Mille, él me había anunciado que allí, en el mismo edificio, había arrendado un departamento pequeño para mí.

Estaba confundida, nerviosa: soñando con nuestro encuentro, la noche anterior había dormido mal. Llegué a la calle Pierre Mille; frente al número indicado, el chofer sacó mis valijas y allí me quedé, frente a una casa de apariencia modesta, con un jardín desordenado. Bien podía ser una casa de Chillán.

El corazón me latía con fuerza. Yo no sabía que deseaba tanto este encuentro. Sorprendida, miro a la persona que me abre la puerta, es una antigua amiga, me gustó verla, vivía allí con su esposo. Sabían que yo llegaría, me contó que Pablo no podía entrar a Francia. Había una orden de expulsión en su contra, conseguida por González Videla a través de su embajador en París. Por suerte, Pablo tenía amigos que le hicieron saber que no debía volver a Francia porque sería expulsado.

Y aquí estoy con mi cita en París que tanto había soñado, frustrada por culpa de este tiranuelo que en forma tan tenaz perseguía a Pablo por donde quiera que fuese.

Mi amiga, que estaba muy contenta de verme, me mostró mi departamento, estaba encima del suyo. Era una pequeña buhardilla, me gustó mucho, sobre todo, no estaría tan sola.

Quise dormir, pero no pude, los nervios no me lo permitieron, era mejor salir y ver París.

Compré un mapa y un carnet de metro. Salí sola a conocer esta ciudad que me conquistaría desde el primer momento. Era verano, lo primero que hice fue recorrer el Sena, fascinada, caminaba infatigablemente. El atardecer de ese día me encontró en un *quai* de L'île Saint Louis. Fue un crepúsculo maravilloso, estaba asombrada con esta luz entre rosada y azul que duraba tantas horas, nunca me había imaginado que esto existía. En Chile, tan pronto se esconde el sol, a los pocos minutos es de noche.

Iba de asombro en asombro, qué ciudad con tanta belleza, había tanto que conocer, había que recorrerla para vivirla, mirarla y amarla.

Volví a mi departamento con la medianoche, todavía había en el cielo unas tenues luces del crepúsculo. Mi primer día en París había sido agotador; muy cansada, me acosté. Me quedé dormida en el acto, ¡qué bueno!

Al día siguiente, una sorpresa me esperaba. Muy temprano, un telegrama de Pablo me daba la bienvenida y me anunciaba un festival que habría en Berlín, allí sería nuestro encuentro. Esto me puso muy alegre, lo vería muy pronto.

Había algo de misterioso, indefinible, en esta amistad que duraba tantos años; nos encontrábamos, nos amábamos, nos reíamos locamente, ¿de qué?, no puedo recordarlo, creo que de todo, hasta de nosotros mismos, y, alegremente, nos separábamos sin hacernos promesas de ninguna especie; yo salía a volar por el mundo con esas alas que me había construido, me gustaba definirme como un pájaro libre, sin ataduras, mi patria no me hacía falta, la verdad es que me había dado bien poco. México ejercía sobre mí una fascinación muy grande, era el país que había elegido y al que volvería muy pronto.

Después de muchas dificultades para conseguir la visa alemana, llegué al festival cuando ya había comenzado. Pablo me mandaba telegramas, gracias a uno de ellos, conseguí la visa que me había sido negada. Yo no era una mujer política, no sabía nada de eso, venía como de otro mundo, nunca una inquietud de lucha me había rozado siquiera. Ahora, cuando miro esos años de mi vida, pienso en el vacío en que vivía; mi pequeña vida era el centro de mis afanes; había luchado para darme ese pequeño bienestar del que estaba tan orgullosa, y era alegre y me declaraba feliz. Vivía como en un espejismo, no me daba cuenta de que mi vida era vacía, inútil. Esa felicidad era una mentira que me había fabricado.

Llegué a Berlín. Los amigos que me esperaban me comunicaron que a esta hora Pablo debía estar en un teatro y que me rogaba ir inmediatamente. Yo estaba radiante. Llegué al teatro, allí estaba. Su cara se iluminó al verme, nos abrazamos y me dice: «Esto se acabó, yo no quiero separarme más de usted.» Esta frase nunca la he podido olvidar. No supe qué contestarle, el lugar en que me lo dijo no era muy apropiado para recibir una proposición como ésa. Además, yo estaba sorprendida de verlo, de estar en ese inmenso teatro lleno de juventud que gritaba, cantaba, era algo que me aturdía. Yo sólo miraba y, seguramente, reía, y le dije que sí. Sin saber bien lo que prometí, sin darle ninguna trascendencia, le dije que sí, sin pensarlo bien, sin sentirlo. En ese momento, me gustaba estar a su lado, me miraba y la expresión de su cara cambiaba entera; había ansiedad. Había algo que nosotros ignorábamos hasta ese momento: mucho amor. Ese bichito nos había picado al unísono, y transformaría esta amistad alegre, juguetona, que habíamos tomado como una travesura divertida, en una complicada lucha de sentimientos; nos traería sufrimientos, nos haría subir a la plenitud del gozo y también nos traería la aflicción, el desaliento. Si quisiera describir la emoción de esos momentos, no sabría cómo, el lenguaje adecuado no viene a mi lápiz, quizá no exista.

Allí conocí a Nazim Hikmet, entre el bullicio y la alegría; era un hombre fascinante, alto, rubio, muy hermoso, sus ojos

41

chispeaban, su boca siempre estaba pronta a la risa. Me miró largamente y después me dijo: «Te apruebo, te apruebo. Eres una chilenaza araucana, me gustas mucho.» Y con sus inmensas manos me levantó a la altura de su cabeza para darme un beso.

Todo esto me confundía. Hace una hora, yo venía volando en un avión, en las nubes; yo venía a una cita alegre, y ahora, metida en este teatro, conociendo tanta gente al mismo tiempo. Allí estaban Jorge Amado, Nicolás Guillén, uno de los amigos que Pablo más protegía, había pintores, músicos, de todas partes del mundo.

Yo cantaría al día siguiente, con guitarra, en el festival. Pedí a unos muchachos chilenos que, al final, salieran a bailar la cueca que cantaría.

En la noche me fui a mi hotel, no recuerdo su nombre, me costó mucho encontrar mi pieza, tenía muchos pasillos que parecían laberintos. Pablo me había dicho que en la pieza me esperaba un regalo. Abro la puerta y veo a Nazim Hikmet y a Pablo, se reían como dos niños haciendo una travesura. Nazim tomó a Pablo de la mano, y me dijo muy ceremoniosamente: «Señora, su regalo», y partió. Pablo me explicó que había ido a su hotel y le habían dicho a Delia, la esposa de Pablo, que había una reunión urgente del partido que duraría hasta el amanecer. Toda esta noche sería nuestra. Todo esto tenía un sabor especial, no eran sólo los sentidos que hablaban y hacían sonar sus mil campanas al unísono, había algo dulce, indefinible. Cuando sentí mi cabeza en su pecho y cerré los ojos para reposar, recuerdo que le dije: «Tienes olor a ternura.» «¡Cuidado! —me contestó—. Eso es poesía, no se me vaya a poner literata.»

El día siguiente era de muchos afanes. Actuaría el grupo chileno. Había jóvenes vestidos de huaso, todos estábamos orgullosos de ser chilenos. Fuimos muy aplaudidos. Hace poco, revisando las fotos de ese tiempo, encontré una en que están Nazim, Guillén y Pablo batiendo palmas a la cueca chilena. A Nazim le gustó verdaderamente nuestro baile nacional; felicitándonos, nos dijo: «Este baile tiene un señorío y una calidad que yo lo declaro el número uno de todos los bailes regionales que aquí se han presentado.» Para todos los chilenos, aquello fue muy halagador.

Y pasaron los días de ese festival siempre buscándonos, deseándonos; ese sabor a pecado, a estar mintiendo, a esconderse, a disimular, eran el acicate más grande para nuestro amor; esas miradas furtivas a través de una mesa, esa complicidad de cada minuto fue algo que hizo crecer el deseo de estar juntos, de tocarnos; y este deseo nos va devorando, nos va arrastrando a la convicción de que ya no podemos vivir separados, y yo por primera vez comienzo a angustiarme, a sentir que este amor no es sólo juguetón y alegre, no sólo nos trae momentos felices. Presiento que también nos traerá amarguras. Yo le tengo mucho miedo al sufrimiento, tengo deseos de huir ahora, todavía es tiempo. Todo esto es una confusión de ideas que se atraviesan en mi cabeza, haciéndome pensar en mil cosas al mismo tiempo. Tan pronto como quiero irme para cobijarme en mi vida, en mi trabajo en México, me quedo arrullada, dejándome llevar por este amor que me trae tanta felicidad. Todo esto es nuevo para mí. Hasta este momento, yo no sabía que ya no era la misma. Mi pequeña vida había quedado atrás, nunca más volvería a sentir esa paz vacía; mi vida se había llenado de inquietudes, de ilusiones y de un amor tan verdadero que me acompañaría hasta el fin de mis días.

El festival se terminaba y todo el mundo comenzaba a dispersarse.

Yo había recibido una invitación de Checoslovaquia. Allí cantaría en radio; está de más decir que Pablo también iría. Nos fuimos en automóvil de Berlín a Praga, donde Pablo tenía su residencia. Vivían en el castillo Dobrich, junto con Jorge Amado, su mujer y otros exiliados. Pero nosotros nos quedamos en la ciudad porque sólo estaríamos dos días, ya que teníamos una invitación a Rumania.

Después de una gran despedida que nos hicieron los amigos escritores, nos fuimos a Bucarest. Allí nos alojamos en una casa grande que se había arreglado para recibirnos. En la noche, llegaron muchos amigos rumanos a saludarnos, era el 28 de agosto de 1951. En un momento, Pablo se fue a un escritorio y volvió con un papelito que, subrepticiamente, me pasó. Me levanté y fui a mi pieza para leerlo, era el primer poema que me escribía, «Siempre»; esa noche, sin que él ni yo lo supiéramos, nacía su libro *Los versos del capitán*. Todo hacía presagiar que pasaríamos unos días muy felices.

Nos atendía una muchacha rumana encantadora que siempre nos sonreía y nos hablaba en rumano, nosotros no entendíamos nada.

El primer día, al desayuno, Pablo le pidió huevos y, para que entendiera que él quería dos, le levantó dos dedos de la mano. Ella, siempre riendo, se fue; nuestra sorpresa fue grande cuando llegó con una bandeja que traía once huevos fritos. Desde ese día, no podíamos mirarla sin reírnos.

Poco a poco, comenzó una gran desazón dentro de mí, no estaba segura de nada, navegaba en un mar de confusiones. Esta situación de hombre casado de Pablo la había visto siempre de lejos, no me inquietaba. Nunca tuve celos de Delia, la veía como una mamá o un hermana mayor que lo cuidaba solícita y cariñosa. Pero ahora vivíamos en la misma casa. Mi vida se había convertido en disimulo. Yo, que siempre aseguré que sólo los cobardes mentían porque no eran capaces de afrontar la verdad, me sentía empequeñecida. Todo esto me hacía daño y, como una protesta de mi estado nervioso, me enfermé de urticaria; como un gran collar, se adueñó de mi cuello y grandes ronchas rojas me hacían sufrir. Pablo estaba inquieto por mi urticaria; en la tarde de ese día entró a mi pieza sin decir una palabra, avanzó hacia mí, se inclinó y, levantando una mano con un papelito por sobre mi cabeza, me dijo: «Amor mío, tenga a bien aceptar mi modesto homenaje», y salió retrocediendo.

Me quedé riendo de esta ceremonia delicada, tierna, que sólo el amor es capaz de inventar. Era el poema «A tus pies». Al día siguiente me entregó otro papelito, «La reina». Me quedaba leyéndolos durante horas, saboreando cada palabra. A través de sus poemas él tocaba las fibras más íntimas, más insondables, las más desconocidas, incluso para mí misma. Estaba consciente del tesoro incalculable que recibía en ese momento y que sería mío para toda la vida.

Mi urticaria no cede; por suerte, hemos decidido hacer un viaje al mar, nos iremos a Constanza. Estoy feliz con la noticia, allí me mejoraré, me bañaré, tomaré sol. Estoy muy contenta.

Nos fuimos una mañana muy temprano. Éste es un hermoso país. Atravesamos campos, vimos mucha gente campesina, pero no nos detuvimos en ninguna parte. Llegamos al balneario de Constanza, a un hotel muy hermoso, las piezas eran como pequeñas cabañas independientes, unidas por un laberinto de corredores llenos de flores. Pedí ver un médico, mi urticaria me molestaba mucho. Cuando supo que esta urticaria persistía, a pesar de todos los medicamentos que me habían dado en Bucarest, me dijo: «Esto es nervioso, tiene que dormir, sólo dormir.» Comprendí por primera vez que mi equilibrio se había roto. Todo había tomado otra dimensión; ese amor alegre, juguetón, estaba a punto de transformarse en tragedia. Nuestros ojos se buscaban, nuestras manos querían tomarse y todo parecía separarnos, nunca estábamos solos. Intentábamos las comedias más audaces y siempre alguien llegaba a acompañarnos; todos nos amaban tanto, ¡qué horror!

Una tarde pedimos un coche para ir a un sitio cercano, a una hora determinada nos subiríamos al automóvil, le daríamos al chofer la orden de partir, era casi una fuga. Pero cuando llegamos al coche, vimos instalado a nuestro gran amigo, el poeta Beniuc, quien en ese momento era presidente de la Sociedad de Escritores. Subimos al coche y nos quedamos silenciosos, no veíamos el paisaje, no hablábamos. De repente, nos dimos un abrazo, besándonos; en ese momento, yo lloraba. Beniuc, el chofer, el paisaje, todo había desaparecido, sólo nosotros existíamos. Fue un estallido inconsciente, ya no podíamos dominar nuestras emociones. Íbamos como por una pendiente peligrosa, no podíamos detenernos. Nunca olvidaré la cara de Beniuc. Cuando logramos tomar conciencia de lo que habíamos hecho, lo miramos. Estaba silencioso. De repente, se puso a hablarnos nerviosamente, hablaba rápido; por suerte, con los nervios se le olvidó que con él hablábamos en francés, todo este discurso fue en rumano. Suerte para nosotros, no supimos qué nos dijo, no entendimos nada.

Esto no podía seguir, decidí irme a París. Hablé con Pablo. «Me voy —le dije—, yo no puedo continuar a tu lado. Estoy enferma, no sé qué tengo, mañana me voy.» Creo que a él le pasaba lo mismo. Nos miramos largo rato y, por fin, me dice: «¿Usted se da cuenta de que esto puede ser el fin?» «Sí. Esto es el fin —le digo con voz estrangulada—, ahora me voy. Tomaré algún calmante para dormir siesta, mañana me iré en tren a Bucarest.» Me alejé por unos pasillos llenos de flores, ¡qué alegres eran!, y yo, qué triste estaba.

Pensé dormir toda la tarde, quería dejar de pensar, pero olvidaba que dejar de pensar no es tan fácil.

Soñé que iba por un bosque con muchas raíces gruesas que salían de la tierra, el humus era resbaladizo, miles de plantas pequeñas, carceoláreas diminutas y de distintos colores me salían al paso con la belleza de sus hojas carnosas; me inclinaba para tomarlas, pero éstas se me alejaban y yo más me inclinaba. De pronto, me doy cuenta de que me invade un barro oscuro que me va tragando; en ese momento, diviso a Pablo que va con Nicolás Guillén, yo los llamo, pero ellos no oyen, este barro me va atrapando. De repente puedo moverme, lucho, pero no puedo salir.

Un golpe en la puerta, es Pablo que entra. Indignada, le digo: «¡Usted no me deja ni dormir tranquila! En este momento tenía una pesadilla horrible.» Le conté mi sueño, me miró con una sorpresa inmensa. «Cuando usted soñaba —me dice—, yo me paseaba con Nicolás, allá en la playa, donde había un barro oscuro; mi pie se metía en el barro mientras le contaba a Nicolás que usted había decidido que termináramos.» «Éste es un aviso —le dije—. Nunca más volveremos a vernos, esto se acabó para siempre.» En ese momento era muy desgraciada, mi piel también protestaba, a cada momento estaba más roja y más irritada. Yo pensaba en ese barro negro que quería tragarme, lo sentía sobre mí como una amenaza. Pablo, todo lo contrario, estaba radiante. Él sentía que nuestros pensamientos estaban encadenados, que nosotros ya no éramos dueños de nuestro destino. Así me lo dijo, pero yo como que no oía, entre la angustia de la pesadilla, el dolor de la separación, que de todas maneras sería muy pronto, y el fastidio de mi urticaria.

Comprendí que debía tomar una determinación. Le rogué a Pablo que me dejara, quería pasear sola por la orilla del mar. Recuerdo que era una tarde muy hermosa. Me saqué los zapatos. Mi estado nervioso me hacía caminar muy aprisa. Las pequeñas olas de la orilla jugaban con mis pies. Un tropel de pensamientos desordenados acudía a mi cabeza. Muy pronto el sol fue cayendo hasta perderse, dejando un silencio en una luz misteriosa de color violeta que me ayudó a poner un poco de paz en mi alma tan atormentada. Tenía que amordazar, encadenar este amor que había crecido a pesar mío. Debo desaparecer, me digo mil veces. Recuperaré mi equilibrio, yo no nací entendida en tinieblas, me gusta reír, cantar. Me hago el firme propósito de estar unos días en París y volver al sol de México. Pienso en mi pequeño departamento en la calle Reforma que me está esperando, en mi trabajo que tanto me gusta, en mis fines de semana en Cuernavaca, donde tanto disfruto; el viaje mismo es un placer. Recuerdo sus mercados pintorescos, llenos de todo lo humano que se puede apetecer. Estos mercados de París y de Europa son demasiado civilizados, la gente está apurada, no hay tiempo para ninguna convivencia humana.

En el fondo, me sigue gustando lo que encontraba en Chillán, sus mercados llenos de campesinos que llegaban en carretas, con sus sacos de papas, de cebollas, de carbón, de leña, de legumbres. México no es lo mismo, pero los mexicanos son gentes siempre dispuestas al diálogo, como si les gustara perder el tiempo.

Yo creo que mi vida está marcada por la niñez, transcurrida en Chillán, entre árboles, entre jardines desordenados donde las rosas y las camelias se mezclaban fraternalmente con las lechugas, los apios que se levantaban hermosos, solemnes, con sus tallos firmes, erectos, y, al lado de ellos, los ajos con sus tallos débiles, las cebollas nuevas que tanto nos gustaban, mezcladas con el cilandro, el perejil. Esto es lo que primará toda la vida; sólo puedo estar a gusto en un ambiente no convencional, y será por eso que me gusta México y en este momento su recuerdo es muy fuerte, y lo llamo con todas las fuerzas de mi alma para que venga en mi ayuda.

Comencé a idealizar mi vida en México. Esto me ayudaba a tranquilizarme. Con una resolución muy firme, volví a mi cabaña; hasta la urticaria parece que era más benigna, pero había lágrimas en mis ojos. Me iría definitivamente de la vida de Pablo...

Pablo decide partir también, al día siguiente, para Bucarest. Allí sería nuestra separación definitiva, él se iría a Checoslovaquia, donde vivía exiliado, yo a París y, de allí, a México.

Llegamos a Bucarest a la misma casa; nos recibió nuestra amiga rumana, a quien queríamos mucho, era maravillosamente cálida. Cuando entraba a mi pieza en la mañana trayéndome el desayuno, me contaba muchas cosas. Cómo me gustaba oírla, mirarla, no le entendía nada, era como escuchar una música.

Llegó el día que habíamos acordado para nuestra separación. Cada momento que pasaba hacía más insoportable esta idea. ¿Cuándo volveríamos a encontrarnos? El último día, nuestro sufrimiento era muy grande, nos mirábamos a los ojos, la angustia asomaba en ellos. Me pasó un sobre y me hizo prometerle que no lo abriría hasta llegar al tren.

La última noche, los amigos nos dieron una comida de despedida. Al día siguiente, muy temprano, Pablo partía a Praga y yo a París. Durante la comida, nuestras miradas se cruzaban, yo apartaba la vista, tenía miedo de ponerme a llorar; apenas pude, me levanté para irme. Pablo se ofreció para acompañarme, nos fuimos por unas callejuelas, por fin estábamos solos. Nuestras manos se apretaban, se decían muchas cosas que las palabras no eran capaces de decir, permanecimos mudos, besándonos, su boca temblaba, estábamos emocionados al máximo. «Esto es demasiado —me dice—. No podré soportarlo.» Mi sufrimiento tiene entonces deseos de gritar y un sollozo mío, grande, profundo, incontenible, apaga sus últimas palabras. Me arranqué de sus brazos y corrí y corrí; antes de dar vuelta en la esquina, miré hacia atrás: allá lejos, como un puntito en la oscuridad, estaba Pablo, en el mismo sitio, como si se hubiera quedado sin vida. Seguí corriendo hasta el hotel donde dormiría esa noche.

En ese momento sentí que estaba destrozada por dentro, algo incontenible subía y subía, ahogándome; tenía miedo. En mis manos, la carta de Pablo; no la abriría hasta llegar al tren. ¿Qué me decía? Para evitar abrirla, la puse en mi valija. Seguramente era su último adiós. Me sentía tan sola. ¿Qué hago?, me preguntaba. ¿Dónde encontraría mi paz perdida? Era verdad que quería separarme de Pablo, pero algo gritaba dentro de mí, me decía que no era posible, entonces, ¿qué hacer? ¿Si lo buscaba ahora mismo y le decía que no podía vivir sin él? ¡Qué locura! Entonces, se me comenzó a cerrar el mundo, las lágrimas bienhechoras vinieron a salvarme, lloré y lloré, por todo, por mi vida tan vacía, lloré por haber renunciado a la más grande ilusión de mi vida, por sentir tan fuertemente el peso de este amor, lloré por mi soledad, lloré por mis deseos insatisfechos, lloré por mi incapacidad de resignación y humildad para aceptar este amor como la vida me lo daba, lloré por la vida de trabajo y sacrificio que me había tocado vivir, lloré por no saber qué quería, lloré por esta cabeza calculadora que en este momento ahogaba lo que mi corazón pedía a gritos, lloré por Pablo, sobre todo por él, sabía cómo me quería y en este momento habría dado mi vida por hacerlo feliz. ¿Por qué tenía que separarme? ¿Estaba loca?

No sé cuándo dejé de llorar y cuándo me dormí. Fueron las primeras luces del alba las que me trajeron a la terrible realidad. Ya nada podía hacer. Pablo tomaba temprano su avión hacia Praga.

Muy pronto, llegó una amiga para acompañarme al tren. Era Yvette Yoid, inteligente periodista amiga nuestra que sabía de nuestro amor. Mientras ordenaba mis valijas, ella hacía mil reflexiones ingeniosas que yo agradecía, pero no logró sacarme de esa tristeza inmensa que, en ese momento, me aplastaba. Ansiaba irme pronto, quería estar sola, lo peor era el convencimiento íntimo de que todo lo había hecho mal, de que esto pesaría en toda mi vida. Yo, que he luchado siempre, ¿cómo no he podido defender este amor que es la parte más importante de mi vida?

Ahora, ¿qué puedo hacer? Pregunta quemante que no me atreví a hacérsela a mi amiga. Ella no entendería. Yo tampoco entendía. En mi cabeza, las ideas ya eran un nudo ciego.

Subo al compartimiento del tren. Las lágrimas corren por mi cara en forma independiente, ya no las seco ni trato de disimular, estoy como vencida, nada me importa. Contesto al saludo tierno de la mano de Yvette. El tren se pone en marcha. Saco mi carta, es el poema «El alfarero»:

> *Tus rodillas, tus senos,*
> *tu cintura*
> *faltan en mí como en el hueco*
> *de una tierra sedienta*
> *de la que desprendieron*
> *una forma,*
> *y juntos*
> *somos completos como un solo río,*
> *como una sola arena.*

Qué deseos de volver. Qué ansias de estar otra vez a su lado. El segundo papel trae el poema «La pródiga». Antes de llegar a Europa, yo había perdido un hijo a los tres meses de embarazo. Pablo creía que no me había cuidado, y ahora me reclamaba:

Yo te pregunto, ¿dónde está mi hijo?

¿No me esperaba en ti, reconociéndome,
y diciéndome: «Llámame para salir sobre la tierra
a continuar tus luchas y tus cantos»?

¡Devuélveme a mi hijo!

Nada me había importado tanto en toda mi vida como tener ese hijo. En este momento, me parece que fue otra mujer la que lo perdió. Cuando decidí, en México, tener un hijo de Pablo, sólo pensé en mí. Yo deseaba tanto un hijo, sería mío, pensé, sería de esa mujer sin ataduras, independiente. Necesitaba realizarme en ese hijo, quería desafiar al mundo, nadie sabría el nombre de su padre. Ahora, todo aquello que pensé en esos días de espera, de felicidad, cuando me sentí madre, me parece tan lejano. Nunca más podría pensar igual. Si ahora tuviera un hijo de Pablo, sería de los dos. Necesitaría su calor, su ternura para ese hijo. ¡Cómo me había cambiado este amor!: ya no era la misma.

Hace horas que estoy aquí, inmóvil, ajena a todo lo que pasa a mi alrededor, vuelta hacia la ventana con mi carta en la mano. ¡Qué deseos de morirme!

Miro el compartimiento donde viajo. Frente a mí hay una mujer que me mira asombrada, no sabe por qué lloro, en sus ojos hay bondad, me mira con curiosidad, su boca sonríe y, como hablando consigo misma, dice: «Pena d'amore.» Es una italiana, pienso. Aparté la vista, sólo quería estar sola, leer mil veces mis poemas, los sentía tan míos. «Nadie ve la alfombra de oro rojo / que pisas cuando pasas.» Hoy, pobre reina, aquí acurrucada y llorando, me sentía la más infeliz de los mortales.

Pronto comencé a oír la voz de mi compañera de camarote. No la miraba, pero oía su voz. Me contaba de su hija, se enamoró de un hombre que, según ella, no le convenía. Fue inútil convencerla; me decía que su hija era linda, inteligente; que ella no quería verla más. Pero ahora le había dado un nieto maravilloso, iba a verlos a menudo; me decía que era el niño más maravilloso, describía sus ojos, su pelo, su boca, la perfección de su nariz, no había en el mundo un bambino como éste. Y aseguraba que sería inteligente, porque sus ojos, cuando miraban, decían muchas cosas, y cuando reía era como los ángeles de la Capilla Sixtina. «¿Usted los conoce? Bueno, mi nieto es como ellos, igualito a ellos, sólo que no tiene alitas.»

Era una hermosa italiana, su cara reflejaba bondad, parecía la madre del mundo. No pude encerrarme en mi pena como yo quería; saltaba de un tema a otro, necesitaba hablar de su familia, de todo lo que le ocurría. Su marido siempre trabajó en el mar, embarcado en la marina mercante; ella sola crió a sus hijos, era duro ser la mujer de un marino. «¡Qué alegría, señora, cuando jubiló! Ya nunca más se iría de mi lado, se habían terminado mis noches de soledad, porque es en la noche cuando se siente la soledad, ¿verdad?» Yo temblaba. Ahora sabría lo que eran las noches y los días de soledad.

Ella sigue imperturbable; me cuenta cómo eran felices juntos. Estaban rejuvenecidos, reían, cantaban. Le brillaban los ojos y sus manos volaban, haciendo gestos que eran todavía más elocuentes que sus palabras. Y un día, la guerra, después la devaluación, y los ahorros de toda la vida no valían nada. Ahora su marido era viejo, pero tuvo que reembarcarse para poder ganar el pan; y otra vez estaba sola en las noches; pero como la Madona no la había olvidado, le dio un nieto como un rayo de sol. «No debo quejarme, porque siempre en la vida hay algo bueno. Busque usted, ahora que viene con una pena tan grande, busque en su vida, algo bueno debe haber. Dios no olvida nunca completamente.»

Y me miraba con ternura de madre, con sus ojos grandes, hermosos; tenía deseos de ayudarme, de consolarme. Yo no podía decirle mi pena, cómo describirle mi amor, cómo decirle que renunciaba a ser feliz, cómo hacerla entender que era inmensamente amada, y que había decidido huir a una vida vacía, en la que ningún calor de amor me esperaba. De repente, me di cuenta de que aquí llevaba seis poemas, seis tesoros, ¿por qué lloraba? Me levanté y le di un beso. «Dios la puso en este camarote —le dije—. Gracias por todo el bien que me ha hecho.» Ella estaba radiante, y en seguida me invitó a comer. Había traído muchas cosas y pensaba que sola no tendría apetito, pero ahora estaba muy contenta. Cuando hablaba de su marido y de sus nietos, era como si la rodearan, como si estuvieran allí mismo. Y, acto seguido, abrió un canasto de donde salía comida como para una gran familia. Yo no podía tragar, tenía la boca tan seca; le dije que quizá no podría probar bocado. Se rió, destapó una botella de «Barolo», y me dijo: «Esto le dará apetito, se sentirá mejor. Y yo seré feliz cuando usted esté en su patria, en su Chile, y se acuerde de esta italiana que la quiere como si fuera su bambina. ¡Si yo tuviera sus años! La vida le reserva tanta felicidad, y también penas, porque la vida es así, y mientras podamos aliviarlas, mejor.»

Ese vaso de vino fue como un bálsamo. Sentí que, calentito, se deslizaba por mi garganta; me dio fuerzas, me sentí mejor.

Esta madre del mundo tenía la sabiduría popular que da la vida. Ella compartía su pan, su vino, me convidaba a comer en su ilusión de la vida; no le importaba que yo no dijera nada, estaba feliz de que la escuchara, sabía que me estaba ayudando, que poco a poco me hacía entrar en su mundo de esperanza. Mis lágrimas se habían secado y aquí estaba, comiendo de su pan, tomando de su vino, entregada a esta conversación que el destino me había deparado.

Nos separamos como grandes amigas, nos dimos direcciones que se perdieron en el tiempo. Las dos sabíamos que era muy difícil que un día la vida nos reuniera de nuevo.

5

VUELVO A PARÍS POR SEGUNDA VEZ

Volví a París, al mismo pequeño departamento que quedaba como encaramado en un segundo piso de aquella casa de la calle Pierre Mille. Volví a las calles de París, todo me parecía distinto, todo lo miraba con una nueva dimensión.

Estaba jugando mi vida a la defensiva, tenía que olvidar para no sufrir. Lo peor era mi confusión, tan pronto me veía trabajando en México, mi imaginación volaba al lado de Pablo para decirle cuánto lo amaba.

Salía a vagar por las calles, me fascinaban sus tiendas, pero donde pasaba la mayor parte del día era caminando por sus *quais*, a la orilla del Sena.

Hoy estoy angustiada, ni un llamado, ni un telegrama de Pablo, nada. ¿Será verdad que es para siempre? Y paso el día entero pensando en lo mismo, y a nadie puedo contárselo. Una angustia muy grande se va apoderando de mí, han pasado días y días. Esta ciudad maravillosa parece que se une a mi pena, ya no es tan hermosa.

Estoy como anclada en los recuerdos. Entro, salgo, me acorazo. Hoy fui a la ópera para oír a Wagner en francés, me pareció debilitado y no me gustó nada, ¿o será que soy yo la debilitada?, porque ya casi no como, duermo mal.

Debo irme. Me lo digo todos los días, después de una noche en la que me he sentido llorar sin cesar. Debo hundir muy lejos este amor, enterrarlo, olvidarlo, para poder recomenzar mi vida, olvidarme de esos sueños, eran delirios, quimeras, locuras. Pero su imagen, que quiero olvidar, va calando cada vez más hondo dentro de mí. Mis solitarios paseos están siempre hostigados por su recuerdo.

Debo irme a México y no me decido, no puedo poner tanta distancia, no puedo cerrar la historia de este amor. Todos los días pienso: hoy me hablará por teléfono. Y aquí estoy, en una pequeña buhardilla. Ahora ya casi no salgo. A mis amigos los veo muy poco, no deben saber nada y tengo miedo a sus preguntas.

Estoy muy sola. Van pasando los días, los cuento uno a uno, será un mes que dura esta espera. ¿Y qué espero? Siempre dije que yo tenía un ángel bueno que me cuidaba noche y día, ¿adónde se habrá ido ahora?

Era necesario afrontar la realidad: había sido incapaz de retener este amor que la vida me había dado, le había tenido miedo a una vida de entrega y sacrificio, y aquí, en lo más profundo e íntimo de mí misma, seguía pensando que este amor era imposible, pero no tenía fuerzas para dejarlo vivir, y tampoco quería dejarlo morir.

Debo irme. Mañana será un mes que estoy aquí enclaustrada, esperando un telefonazo que no llega. Y salgo a buscar mis pasajes. Amanece un día nublado y triste. Estoy como debilitada. Había tomado una resolución, aquí estaban mis pasajes, me iría a México, a su sol, a su vida que era la mía.

Son las seis de la tarde y estoy tomando una taza de té. Me siento mejor, hoy iré a ver una pieza de teatro. Suena mi teléfono y esta vez sí que es su voz. Yo grito: «¡Mi amor!», y me callo, no soy capaz de seguir; él sólo me dice: «Mañana en la tarde no salga porque le llegará un paquete», y cuelga. ¿Un paquete? ¿Qué traerá ese paquete? Y siento muy dentro de mí una alegría inmensa, no he desaparecido de su vida, mañana recibiré un paquete.

Al día siguiente estoy esperando, ya nerviosa porque la tarde toca a su fin, y nada. Suena el timbre, casi instantáneamente estoy en la puerta y veo a nuestra amiga periodista Yvette, que vive en Checoslovaquia. Sorprendida, la hago pasar. «Ya sé —le digo— me traes un paquete.» Ella se ríe y me dice: «Yo soy el paquete, dame una taza de té. Estoy muy resfriada, Pablo me sacó de la cama y me embarcó en un avión, está como loco.» Y allí, tomando una taza de té, me va contando que Pablo no duerme, no come, no quiere ver a nadie, está violento, irreconocible; sus amigos, que saben el problema, han hablado con

Delia, la han convencido de irse a Chile, sola, para arreglar la vuelta de Pablo. Y, con su cara llena de felicidad, me dice: «Ella ha aceptado porque lo ha visto tan desesperado; ha prometido irse, y Pablo quiere quedarse viviendo contigo en alguna parte de Europa. Será lo mejor, viviendo juntos, verán si este amor es tan grande, tan verdadero, o puede ser que ustedes lo hayan inventado por los inconvenientes que tienen para estar juntos.»

Yo oía todo esto sin saber qué hacer. «Lo pensaré —le dije— y le contestaré.» Ella, que es alegre y liviana, rompió en una carcajada. «Nada de eso, amiga mía, tengo orden de empaquetarte y llegar contigo mañana a Ginebra en el avión número tanto, él estará esperando en un café que conocemos.» «Pero, aquí tengo mi pasaje para México —le digo—, yo no estoy segura, yo pensaba volver.» «Bueno, se lo dices a él en Ginebra.» Buena amiga me había mandado Pablo, yo sabía que mis argumentos serían inútiles. ¿Pero qué argumentos, si yo lo único que quería era estar a su lado como fuera, sin pedir nada, entregando mi vida, mi amor? No podía vivir separada de él.

En cuanto estuve sola me miré al espejo, me encontré fea, había enflaquecido de repente, mi piel estaba sin brillo, como helada. ¿Cómo me vestiría?, nada de lo que tenía me gustaba, yo quería deslumbrarlo, llegaría riendo. Las horas comenzaron a hacerse largas, leía y releía los versos que me había mandado. Sentía mis nervios tirantes, no podría dormir, el maldito insomnio, que tanto me martirizaba, se hacía presente de nuevo. Me había mandado el *Canto General*, ¡cómo lo admiraba! Me sentía tan pequeña a su lado. Estaba como nunca, llena de este amor tan grande. Seguí leyendo, no supe cuándo me quedé dormida. Pero al amanecer ya estaba despertando a Yvette, podríamos perder el avión, le decía, este camino de París al aeropuerto a veces se tranca. Son tus nervios, respondía mi amiga, llegaremos a tiempo a todas partes, y allí, en el café, encontraremos a Pablo, que tampoco habrá dormido esta noche.

Y todo lo demás, el viaje, el coche que nos esperaba, el aeropuerto, el avión, todo desapareció de mi mente.

Vamos entrando al café donde Pablo me espera. Está sentado en un rincón, en una mesa pequeñita. Me toma las manos, nos miramos y nos miramos, está enflaquecido, y aunque sus ojos brillan de felicidad y amor, hay un resto de tristeza en ellos. Las lágrimas corren por mis mejillas. Me está mirando y en esa mirada me dice todo, ninguna palabra sale de nuestros labios, sólo nos miramos. Yo, tanto que había pensado en deslumbrarlo con mi alegría, aquí estoy, tomada de sus manos, llorando esas lágrimas contenidas tanto tiempo, que ahora salen en forma independiente y corren por mis mejillas.

Me mira con profunda ternura, emocionado, me seca las lágrimas con su mano. Había sido necesaria nuestra separación, este nuevo encuentro, para saber cuánto significaba este amor en mi vida. Su voz secreta y apasionada seguía hablando: «Nunca más te quiero ver llorar, ese último sollozo de nuestra separación en Bucarest, me ha martirizado, día y noche lo oía; creí que me volvería loco.»

«Ahora tengo noticias maravillosas —me dice—. Nos iremos a Nyon, es un pequeño pueblo a la orilla del lago Leman. Estaremos allí unos días.» Esto sí era para mí el mismísimo paraíso, nadie nos conocería y estaríamos al fin solos.

Y allí mismo, en este pequeño café, no le importábamos a nadie; después de esta carrera frenética de angustias, encontrábamos nuestro cielo.

Tomados de la mano, mirándonos a los ojos como dos colegiales que hubieran descubierto el amor, nos fuimos a Nyon. Sería la primera vez que viviríamos solos.

6

NYON. LA CARTA EN EL CAMINO

Nyon es una pequeña ciudad abierta al cielo azul del lago Leman. Pablo, en ese tiempo, era un perseguido político. González Videla había conseguido convencer a muchos gobiernos de Europa de que era un comunista muy peligroso.

Para Pablo, todo esto era muy difícil de soportar. Amaba su país como nadie, vivía en su recuerdo, era como un árbol arrancado de su tierra. Estaba privado de su cielo, separado de su mar, de sus árboles, de sus pájaros que tanto amaba. Pero dondequiera que fuera estaba trabajando, publicando, no había un día que no golpeara al traidor con sus versos. Vivía en compacta solidaridad con sus ideas, en el único orden que él aceptaba: la verdad. Era como un raudal que corría por las tierras áridas del destierro y, lo más sorprendente de todo, es que nunca perdía su humor, era como un desafío.

Nyon era el refugio perfecto. Me parecía haber entrado a una zona de seguridad, donde se respira libertad y se vive fácilmente. Suiza nos dio una sensación de limpieza, de confianza en todo orden.

En el hotel no nos pidieron documentos. Pablo llenó una hoja con sus datos y eso fue todo. Nadie dudó que éramos marido y mujer. Nadie nos conocía y a nadie le importábamos.

Nos dieron una habitación con una terraza que daba al lago Leman. Yo traía muchas flores para adornarla, pedí floreros, me miraron sonrientes, creyeron que celebraba algún aniversario. Aquí, mirando el lago que estaba lleno de gaviotas, nos parecía estar soñando, todo había sido tan fácil.

Afuera se quedaron las angustias, las tristezas, las dudas de esos días infernales. Adiós vacilaciones. Adiós amenaza de vacío. Aquí estaba el florecer del día que marcaría mi vida. Algo infinitamente precioso me había sido dado. En este momento, sentía que me había sacado el premio mayor en la vida. Si me dieran a elegir un momento para revivir, sin titubeos elegiría éste.

Nuestro amor pudo estallar por fin en una carrera frenética; como un desgarrón inmenso, encontró su cielo. Después, quietud, silencio, serenidad recobrada. Nuestro amor comenzaba a hacer camino firme y seguro.

En la mañana nos fuimos a conocer el pueblo. Los recuerdos de esos días se atropellan en mi memoria con una claridad excepcionalmente radiante. Recuerdo sus calles, sus casas simples pero acogedoras, no era más que un pueblecito bajo el sol de media mañana, todo el conjunto parecía silencioso, las gentes eran corteses y alegres. Nos paramos en el escaparate de una tienda, había un saco sport rojo, de tela firme, con capuchón. Pablo lo miró y me lo compró. Yo quise probármelo, pero él, sonriendo, dijo: «Yo tengo sus medidas en mis ojos, en mis manos, le quedará muy bien.» Este blusón es mi mascota, hace treinta y un años que lo tengo y siempre me lo pongo. En la Isla Negra está como un testigo de esos días maravillosos. Ha sido indestructible, me lo pongo con pantalones, con faldas, siempre queda bien. También recuerdo que visitamos una casa de antigüedades, había una muñeca japonesa antigua, me la compró; me acompañó por muchos años; en el cambio de casa que hicimos de Santiago a Valparaíso no llegó. ¿Adónde se fue? Misterio. Nunca me pude conformar de haberla perdido.

Volvimos llenos de felicidad aquella mañana al hotel, todo nos parecía maravilloso, amándonos como dos adolescentes, a cada momento nos mirábamos y, con un estallido de risa, gritábamos: ¡Por fin solos!

En la noche nos fuimos a buscar un restaurante donde comer, encontramos uno. Buscamos con esmero una mesa en la cual no tuviéramos vecinos demasiado cerca, esperamos que vinieran a atendernos, pero en vez de eso, empezó un bullicio y un levantar de mesas y sillas. Era muy temprano, ¿por qué cerraban justo a la hora que nosotros llegábamos? Les pedimos que nos vendieran algo para llevar, tampoco podían, el restaurante había cerrado. ¿La puntualidad suiza nos dejaría esa noche sin comer?

Nos fuimos a nuestro hotel, allí también estaba todo cerrado, sin vida. La dueña se apiadó de estos inocentes y nos dio una bandeja con alimentos fríos y una jarra de vino. Todo arreglado. Recuerdo que la escalerita era muy pequeña, muy angosta y muy parada, no la podíamos subir con las bandejas porque un ataque de risa imposible de controlar nos tenía sentados en el suelo. Todo nos parecía gracioso, todo conmovía nuestro sentido del humor.

Después de mucho reírnos, decidimos subir de a uno y el otro lo sujetaba, pero fue peor. Allí, en medio de la escalera, nos quedamos riendo y riendo mucho tiempo. Llegó la señora del hotel, quien también se puso a reír al vernos, pero ella subió las bandejas en un segundo y nos pidió que nos riéramos bajito porque todo el hotel dormía.

En las tardes vagabundeábamos, siempre bañados por el suave y cálido aire de este lago apacible que supo darnos esa paz que necesitábamos para saber, por fin, que nuestro amor era indestructible.

Caminábamos hasta muy lejos, seguidos por las gaviotas que, graznando, revoloteaban por encima de nuestras cabezas, pidiéndonos migajas de pan que les llevábamos y que, poco a poco, se las íbamos dando. Haciendo un contraste inmenso con estas gaviotas, en el agua se mecían los cisnes con su majestad y señorío, pasábamos mucho tiempo mirándolos, era como si todo allí estuviera arreglado para hacernos tan felices. Paseando lentamente en este paisaje solitario y un poco frío, empezábamos a conocernos. Allí en Nyon no sólo desnudábamos nuestros cuerpos, sino también nuestras almas.

Allí, a la orilla del lago, vi a Pablo como ensimismado recordando su niñez, atormentada por su temperamento de poeta demasiado sensible para ser comprendido por la gente que lo rodeaba, sus lágrimas de niño solo que quería hacer suyos todos lo sufrimientos de los demás. Y estoy convencida que fue en aquel momento, oyendo sus confidencias de niño, cuando creció hasta el infinito mi amor por este hombre admirable que vi vivir y morir cerca de mí, sin que jamás me defraudara.

Descubrí en él esa curiosidad apasionada por todo ser vi-

viente. Me sentía muy pequeña ante su fuerza vital que, en este momento, me sostenía. Nunca antes sentí esta felicidad tan completa. Descubrí que era una glotona de ternura, Pablo sabía darla a manos llenas. Después de largas caminatas, llegábamos al hotel ebrios de fatiga, de ardor, de luz. Al entrar a nuestra habitación, gritábamos a coro: ¡Por fin solos!

Nos sentábamos en nuestra pequeña terraza, adornada ya a nuestro gusto. Habíamos comprado unos grabados antiguos, eran unas rosas muy grandes, de distintos colores, que habíamos puesto por todas partes. Eran seis grabados que adornaban nuestra terraza y nuestra pieza. Ésta fue nuestra primera casa, testigo de tanta felicidad.

Teníamos una pequeña mesa a la que habíamos comprado un hermoso mantel. Allí pedíamos nuestra cena y, como un recuerdo imborrable, se quedaron en mi memoria unos filetitos de pescado muy pequeños que traían en unas pailas metálicas simples y hermosas, en un anafe a velas que ponían en nuestra mesa, donde se terminaban de cocinar. Estábamos horas con estos filetitos de pescado, comiendo muy lentamente, siempre contándonos nuestra vida, ávidos por saberlo todo. Había allí una atmósfera propicia a todas las confidencias.

Nunca antes me había puesto a pensar en cómo había sido mi vida de niña. Y tengo que agradecer a esa avidez de Pablo por saberlo que, con sus preguntas, supo encender los recuerdos, los sueños de mi infancia. Un día, me dijo:

—Hábleme de su madre.

Yo trataba en ese momento de recordar su cara, sus gestos. Era muy delgada, ágil, usaba faldas largas, bien apretadas a la cintura, que la hacían verse muy esbelta. Usaba siempre un pelo recogido hacia atrás en un moño abundante. Era más bien seria, se imponía con una prestancia y una seguridad en sí misma. Todo el día estaba ocupada en los mil menesteres de la casa, cocinaba, lavaba, cuidaba de sus hortalizas que ella misma sembraba. Pero yo no recuerdo haberla visto jamás fatigada ni despeinada.

Cuando me despertaba en la mañana, recuerdo que me gustaba ver esa cara limpia, oliendo a jabón. Mi madre me contaba que cuando yo abría los ojos, una gran sonrisa iluminaba mi rostro. Y algunas veces me preguntó: «¿De qué te ríes?» Y yo siempre le decía lo mismo: «¡Es que estoy tan contenta!» Me sacaba de la cama y, con esa agua helada que parecía escarcha, me lavaba sin piedad; después, esa taza de té humeante con mi pan con manteca, no nos alcanzaba para mantequilla. No recuerdo grandes sufrimientos. La constante presencia de mi madre debe haber sido para mí un refugio seguro.

La vida nos había dado la pobreza que a veces es triste, pero a mí me dio el inmenso cariño de un hogar armonioso, alegre. Estoy segura de que nací con un tesoro de felicidad adentro, no necesité hermosos juguetes ni vestimentas deslumbrantes, ni hermosos zapatos; como yo no deseaba nada, así, todo lo tenía.

Mi madre se las ingeniaba para hacerme vestidos que yo encontraba maravillosos, no sé si lo eran, pero lo importante es que para mí no había en el mundo otros más lindos. Teñía los géneros más baratos y le salían unos colores hermosísimos. Recuerdo, no sé por qué, un vestido color naranja, eran unas bolsas harineras que había teñido, y en el ruedo y en el cuello les fue pasando hilitos verdes, azules y blancos. Nunca lo he olvidado.

En ese momento, Pablo, muerto de la risa, me interrumpió:

—¡A usted también la vestían con bolsas harineras! Todos los calzoncillos de mi infancia mi madre los hizo con bolsas harineras.

En otro relato que coincidíamos era en los zapatos. Nos compraban un par nuevo justo cuando el otro no podía ponerse más. Yo creo que todo el invierno debemos haber andado con zapatos mojados, porque, aunque en la noche los poníamos al lado del brasero, no creo que alcanzaran a secarse. Mi madre siempre me decía: «¡Cómo gastas zapatos!» Pablo pondría esa misma frase en un poema.

Yo me crié como hija única, fui de esas niñas que nacen cuando la madre se ha olvidado de la crianza de los hijos. Pero debe haber sido un gran consuelo para ella esta niña que la acompañaba en su viudez. Cuando murió mi padre, yo tenía un año. ¿Cómo será eso de querer a un hombre como padre? Yo no aprendí a decir papá. ¿Cómo será eso de saber que hay un padre y una madre que viven bajo un mismo techo?

Pablo se ríe y me dice:

—No sienta pena por no haberlo tenido, su madre llenó su vida de amor, de dedicación, de ternura. Los padres a veces son muy buenos, y otras veces llenan de temor el alma de sus hijos.

Me contaba que ellos sentían en la noche el pito del tren de su padre y desde ese momento la casa se conmocionaba para esperarlo, para que nada estuviera en desacuerdo con sus deseos.

Me contaba que él vivía muy encerrado en su pieza, era un devorador de libros, todo lo que podía conseguir lo leía, en forma indiscriminada.

—Para mi padre dinámico —me decía—, yo no era el ideal de hijo, este flacucho, débil, introvertido y silencioso niño, a quien con toda seguridad adoraba a su manera. A veces, leyendo un libro, la pena entraba en mi alma y lloraba solo, callado. Nunca tuve a nadie al lado para compartir mis pensamientos íntimos.

Nuestros recuerdos se entrecruzan, nuestra infancia, tan parecida y tan distinta. Tuvimos casi lo mismo y él fue un niño triste, atormentado por esa sensibilidad excesiva que lo hacía ver la vida con una intensidad abrumadora. Él recordaba el frío de su infancia como un sufrimiento atroz. Yo, en cambio, recordaba esos fríos en una forma vital, con felicidad; en Chillán, en esas noches frías, recuerdo un inmenso brasero que se encendía desde muy temprano en el patio, chisporroteaban los carbones hasta convertirse casi en ceniza para recibir esa inmensa tortilla que se adentraba en el rescoldo caliente y se iba levantando poco a poco bajo nuestras miradas ansiosas. Otro brasero, al lado, con carbones encendidos, nos daba su calor. De repente, los pregoneros que pasaban en la noche, así lloviera o tronara, gritaban: ¡Piñones y castañas calientitas! Era un ritual; al oír sus gritos, yo salía corriendo y él ya estaba en la puerta. Sonriendo, levantaba su farol para verme la cara, debe haberle divertido esa chiquilla que miraba ansiosamente todo. Y él actuaba como en un ritual: levantaba primero su manta de Castilla, aparecía un canasto grande, tapado con unos manteles muy blancos. Siempre sonriendo, separaba los manteles, un vaho caliente se escapaba de las castañas que casi me quemaban las manos. ¿Cómo podían conservar ese calor? Recibía mis centavos, se despedía, metía de nuevo su canasto bajo la manta de Castilla y, balanceando su farol, se iba bajo la lluvia que resbalaba por la manta sin mojarlo. ¡Castañas y piñones calientitos!, se iba cantando. Las castañas y el hombre se convidaban calor mutuamente.

Empezábamos entonces a jugar pares o nones, yo debo haber sido muy pequeña en ese tiempo; cuando iba perdiendo mis castañas, comenzaba a angustiarme y miraba a mi madre, quien, seguramente con trampas que yo no percibía, me hacía ganar rápidamente. Y la felicidad volvía a mi cara, terminábamos siempre riendo, pero la que ganaba se quedaba con dos castañas de más; por lo general, era yo la ganadora.

—¿Usted compraba castañas y piñones? —le pregunto a Pablo, que mira allá lejos, como soñando.

—No recuerdo si las compraba, pero me gustaba oír los pregones, están unidos a esas noches de lluvia de Temuco —me responde.

Y así, en el vértigo de los recuerdos, yo sigo hurgando en mi memoria, recordando esa infancia que, si la hubiera elegido, no le habría cambiado nada.

Mi primer colegio, naturalmente, fue una escuela pública. A la profesora que más recuerdo es a la de canto, la adoraba, me gustaba tanto cantar, y ella, creo que también me quería. Yo era la solista de la clase y las pequeñas partes que tenía que cantar las ensayaba mil veces en mi casa, lejos, debajo de los árboles. Recuerdo que me gustaba oír mi voz cuando se elevaba y se la llevaba el viento. En aquel tiempo, estaba muy lejos de pensar que sería con mi voz que me ganaría la vida, que serían mis alas para volar de un país a otro, ver el mundo, conocer otras ciudades y otras gentes, civilizarme y aprender muchas cosas que tanto me sirvieron para acompañar a Pablo en la vida.

—¿A usted le contaban cuentos? —me dice, como hablando consigo mismo.

—Sí, y muy hermosos, nunca los olvidé. Los cuentos de mi infancia se me quedaron muy grabados; además, nunca oí que a otra niña se los contaran.

Estoy segura de que mi madre los inventaba. Sólo ahora, cuando pienso en ella, creo que vivió una vida llena de insatisfacciones y que se fue refugiando en su imaginación. Desde muy pequeña, recuerdo que me convidaba a mirar la luna. Nunca dejamos de mirar la luna llena o el primer día de luna nueva, en que es sólo una rayita curva en el cielo. ¡Qué luna más grande y luminosa teníamos en Chillán! Todos los cuentos que ella me contaba tenían algo que ver con la luna.

Recuerdo sus cuentos, muy variados; siempre el personaje era una niña que tenía un ángel bueno, y ambos corrían aventuras por países lejanos, y llegaban a veces a unas selvas donde había monstruos y animales feroces, pero en el momento en que atacaban a esta niña, el ángel abría unas inmensas alas y se hacían invisibles y volaban por los aires a otras regiones, donde podían correr a la orilla del mar; cantaban y bailaban hasta caer agotados, y se dormían. Un día en que la niña iba llevada por este ángel, oyeron risas alegres y, de repente, en medio de un bosque, vieron unas rondas de niños que cantaban alegremente. Caen en esta ronda y toman parte en sus juegos, en sus cantos, se ríen, trepan a los árboles que tienen frutas y juguetes y flores. Todo lo bello que hay en el mundo está allí para que lo disfruten los niños; también hay muchos animalitos, conejos movedizos con su trompita brillante, muchos gatitos que juegan con perros de su tamaño... Este cuento era inagotable, siempre variado. Otras veces, llegaban al mar, salían unos peces a la orilla que, solícitos, los paseaban por entre las olas. Yo sólo conocía el mar por los dibujos que ella me enseñaba; siempre prometía llevarme.

Otro cuento era en una ciudad de gatitos en vez de gente, todos sus habitantes eran gatos, tenían unas casas pequeñitas que ellos mismos hacían, lo que más les costaba era tomar los clavos porque tienen sus manitas demasiado redondas, pero habían adquirido tal maestría que, entre todos, podían hacer una casa en pocas horas. Cuando nacía un gatito nuevo hacían grandes fiestas, sus casas estaban en un inmenso bosque, hacían unas rondas a través de los árboles y cantaban y jugaban a la luz de la luna que los miraba y, con esa gran boca que tiene, les sonreía. Cuando miro la luna, le veo la gran boca que mi madre me enseñó a ver; siempre sonríe.

La luna era la ciudad de los ángeles, de allí bajaban a proteger a todos los seres de la tierra. «Yo, que soy más grande —me decía mi madre—, tengo un ángel con alas enormes. Tú, que eres tan pequeñita, tienes un ángel juguetón, alegre, que se mueve detrás tuyo sin cesar. Los gatitos que viven en esas pequeñas casas en el bosque tienen unos ángeles más pequeños que el tuyo. Estos ángeles duermen al lado del ser que protegen. Cuando tú no quieres dormir temprano, tu ángel sufre, porque tiene sueño y no puede dormir mientras tú no duermes.»

¡Cómo hizo ella para meter tan dentro de mí la idea de este ángel! Ahora, todavía creo en él. Creo que unas alas me siguen por dondequiera que voy. Y ahora, mi ángel me trajo hasta aquí y me hace disfrutar de esta felicidad tan grande, tan grande, que tengo miedo. ¿Cómo es posible ser tan feliz?

A estas alturas de mi relato, yo miraba a Pablo y le decía:

—Siempre he creído en este ángel bueno. Ahora tiene que abrir mucho sus alas, porque tendrá que protegernos a los dos.

Pablo se reía con la vista perdida allá lejos, en el lago, quizá pensando en su infancia. Nunca le contaron cuentos al dormirse, su «mamadre», como él llamaba a su madrastra, que era la bondad misma, era una mujer demasiado simple, o demasiado ocupada en los quehaceres de una casa grande, destartalada, con hijos pequeños para los que tenía que cocinar, lavar, planchar, y ese marido exigente, autoritario y que jamás llegaba a la casa solo para comer. En Temuco me contaban los parientes de Pablo que, a veces, no llegaba ningún amigo para almorzar, quizá porque llovía demasiado; él tomaba su paraguas, salía a la puerta y, al primero que pasaba, lo convidaba para que lo acompañara en su mesa. Pablo heredó con fuerzas ese lado del carácter de su padre, era feliz cuando tenía su mesa llena de amigos.

Una tarde, estábamos mirando ese lago que tanto queríamos y, de repente, le pregunté:

—¿Qué es lo que más se grabó en su memoria cuando tenía entre siete y ocho años?

Se quedó pensando y, sin vacilar, me contestó:

—La primera vez que vi el mar. Fue una fascinación tan grande. Desde ese momento supe que nunca más podría vivir sin mirarlo. ¿Y usted? —me preguntó casi inmediatamente.

También sin vacilar, le contesté:

—Fue la primera vez que mi madre me entregó un surco de tierra para que lo sembrara yo sola. ¡Con qué cuidado lo hice! Había que dejar caer dos porotos y un grano de maíz y, cuando llegué al final del surco, me volví. ¡Con cuánto amor fui tapando esos granos con la tierra, bien desmenuzada por mis pequeñas manos!

Nos miramos y nos reímos largamente, éramos la pareja perfecta. Mis pies habían quedado clavados en esa tierra, en esos surcos, y todo lo que haría en la vida llevaría esa marca. En uno de sus sonetos, Pablo me diría:

> *Es de tierra tu corazón*
> *y tus manos son celestes...*

—Cuénteme más de su vida en Chillán —me dice, y yo sentí sonar todos los recuerdos de esos años, venían cantando, venían con deseos de ser escuchados, creo que nunca antes había hablado de ellos y, en ese momento, se atropellaban por salir de aquí, muy dentro, donde habían estado toda la vida con deseos de ser conocidos y nunca encontraron auditorio. Y ahora tenían al más maravilloso ser humano dispuesto a escucharlos, a celebrarlos uno por uno, a entenderlos. Debo haberlo mirado agradecida. Esa infancia lejana, para mí tremendamente presente, viene en recuerdos vivaces.

Sigo mirando el lago, pero, en vez de agua, veo mi casa de Chillán. Sus piezas eran grandes, muy altas, y tenía un corredor muy hermoso donde transcurría casi toda mi vida, allí estaba la casita de mi perro regalón, al que adoraba, se llamaba *Chap*, era inmenso, pesado, cuando jugaba con él, siempre andaba por los suelos. Teníamos lo indispensable para vivir con la más exigua simplicidad, producto del arriendo de la mitad de la casa que no nos hacía ninguna falta porque, aun así, todavía era muy grande.

Recuerdo que en mi casa había un hombre que mi madre llamaba Jarita, era muy pequeño, de color gris. Siempre andaba con pasitos cortos y rápidos, mi madre le daba una pieza, al fondo de la casa, para que viviera. Nunca le conocimos parientes, se ganaba unos centavos en el mercado, llevando canastos, era bueno, bondadoso. Yo lo quería mucho y le tenía gran admiración porque sabía arreglar la tierra para las siembras, los surcos eran tan derechitos... En cuanto éstos estaban hechos, nosotras con mi madre sembrábamos. Le cuento que ésas eran mis fiestas. Yo amaba sembrar. Cuando dejaba caer la tierra sobre esos granos, ya estaba pensando en los brotes tiernos que aparecerían muy pronto. Sembrábamos habas, ésas caían como sentadas en la tierra, eran muy distintas a los porotos. Me parecían muy serias, más importantes; los porotos, juguetones, caían a la tierra dando saltos. También sembrábamos arvejas y, lo que nunca pude hacer, fue sembrar trigo, ése sí que era un arte. Mi madre tomaba un puñado de trigo, levantaba su brazo y parecía que, junto con él, también volaría esa mano que, en ese momento, parecía tener alas. Este trigo caía como si grano a grano lo hubieran sembrado. Muchas veces quise imitarla, pero el puñado se me caía de golpe. Qué frustración sentía.

Mi deslumbramiento ante los brotes nuevos viene ahora a iluminar mi memoria. Nunca me he desprendido de esta sensación, de este deseo de sembrar. Cuando este trigo crecía, lo cosechábamos verde, mi madre lo golpeaba y sacábamos el soplillo.

—¿Qué? —me preguntó Pablo—. ¿Soplillo? Años que no escuchaba esa palabra, había salido de mi memoria, y qué hermosa es.

Aquí estaba la diferencia, Pablo recordaba la palabra por hermosa, yo la veía en una cazuela, o en los porotos que saciaban mi apetito.

Y sigo desempolvando de mi memoria sucesos de este tiempo que yo había dado por perdidos y que ahora, al contarlos, me iluminaban facetas oscuras de mi vida.

Lo más hermoso de todo, sigo diciéndole, eran los almácigos de cebollines. En unos cajones muy bien alineados que nuestro buen Jarita había confeccionado en forma perfecta, este cebollino se iba levantando en forma milagrosa. Primero eran unos puntitos verdes muy pequeños, muy débiles, que asomaban de la tierra; poco a poco, se van levantando muy derechos, yo los iba a mirar varias veces al día y casi crecían bajo mis miradas. Fueron mis soldaditos de la infancia; de los otros, tan de moda en ese tiempo y que todos los niños tenían, yo no tuve nunca, y puedo asegurar que no me hicieron falta.

Miro a Pablo, está serio. Me acaricia la cabeza con una mano muy blanda, pensando en esos soldaditos que no tuve. Yo me río, porque recuerdo algo que me hacía tan feliz.

—Ahora le voy a contar algo maravilloso —le digo.

En Chillán existía un sistema de acequias para regar. Como a tres cuadras de la casa, nos íbamos a levantar unas pequeñas compuertas que, al abrirse, dejaban escapar un chorro milagroso de agua que se venía alegre y alborotada por su cauce entre la calle y la vereda; venía como cantando con mis pies desnudos que saltaban con ella, disfrutando de la fiesta más hermosa que es posible tener en la vida. En mi casa había un portón grande por donde entraban, en tiempos de mi padre, las carretas con leña y carbón. Ahora entraba esta agua, dando saltos. Había que vigilarla porque era impulsiva y revoltosa, si se la dejaba sola, podía malograr todo nuestro trabajo; se la encauzaba sabiamente en pequeños chorros que iban a los sembrados, y el grueso pasaba a los árboles y a la laguna de los patos, los que, en cuanto veían el agua, batían sus alas arrastrándose encima. ¡Qué alegres se ponían! Alborotaban y gritaban y gritaban.

¡Qué fiestas más hermosas tuve yo en la infancia! La vida me colmó de felicidad. No teníamos nada, y teníamos tanto.

En esa casa inmensa había toda clase de árboles frutales que se doblaban por el peso de sus frutos. Yo llegaba del colegio y me colgaba de un árbol, era la manera de saciar mi apetito, y eso marcó toda mi vida. Ahora, cuando tengo hambre, siempre pienso en una manzana o en un buen racimo de uvas.

Pablo me interrumpe:

—¡No se le ocurra darme manzanas o uvas cuando yo tenga apetito!

Yo lo tranquilizo, no solamente comía frutas, las carnes andaban vivitas en esa casa. Había gallinas, gallinetas. Hoy nunca las veo. Pavos que eran muy delicados cuando pequeños, había que cuidarlos mucho, todo lo contrario de los patos, que eran los que más me divertían. En el fondo de la casa, mi madre había hecho hacer una laguna, allí nadaban el día entero, me gustaba mirarlos. Hacía unos pequeños botecitos de papel para que navegaran con ellos, pero éstos duraban muy poco.

Pablo, con la vista perdida allá lejos, en el lago, como ensimismado, como pensando en voz alta, me contaba de su niñez.

Los crepúsculos le daban una pena infinita. Su gran placer

era juntar coleópteros, bichitos, palos deformados por la humedad, que tienen formas caprichosas y muy raras, piedras con
vetas.

Con orgullo, me dice:

—Tenía una colección inmensa en mi pieza, ya no me cabían, eran mis tesoros. Me gustaba leer, sobre todo leer. Sufría
con todos los personajes, y me ponía a escribir. Siempre escri-
bí, eso me aliviaba. Me gustaban las noches de luna, pero me
ponía nostálgico, nunca alegre. Con mis compañeros del colegio,
con su alegría, sus risas, siempre me sentí ajeno, y cuando tomaba parte en algún juego, siempre llevaba las de perder, era
muy torpe, y es que no me gustaba jugar.

Y continúa recordando:

—Por suerte, mi padre, en las vacaciones, me llevaba en
su tren. Eso sí que me gustaba. Me hice amigo rápidamente de
los peones del tren, que se interesaban por todo lo que a mí
me gustaba. Me ayudaban a cazar mariposas, coleópteros.

Se recordaba de uno en especial, se llamaba Monge, tenía
una cicatriz que le cruzaba una mejilla.

—Pero no lo afeaba —me decía—, porque tenía los ojos de
mirada más hermosa que nunca he visto. Era tierno, siempre
dispuesto a sacrificar su hora de descanso para corretear conmigo por la selva, buscando mis tesoros. Nos íbamos muy calladitos, el humus apagaba nuestros pasos, y nos íbamos internan-
do, y había allí dentro una oscuridad con un color verde que
siempre he recordado. Allí dentro, éramos dueños del secreto
de los bosques. ¡Qué felicidad! Salía cargado de tesoros.

Una extraña nostalgia de la infancia nos invade a ambos,
no es tristeza, nos sentimos desbordados por el amor más grande. Estos días van pasando, quisiéramos detener las horas, que
corren demasiado rápido. Miro a Pablo, su mirada es de nostalgia. Debe estar pensando en el sur de Chile que tanto ama y
que en este momento no puede volver a ver. Lo siento triste.

Cambio de tema y, para distraerlo, le digo:

—Ahora le contaré algo que por años me hizo reír. Le contaré cómo y por qué Jarita, nuestro amigo y jardinero, se sepa-
ró de nosotras.

Él era muy descuidado en el vestir, mi madre era quien le
compraba alguna camisa o pantalones. A él le daba igual. Pero,

un día, mi madre lo encontró muy distinto, andaba muy limpio y se había comprado ropa nueva. A mí me traía dulces y una vez llegó con una docena de pasteles, que yo nunca veía, porque lo que no era estrictamente necesario, estaba prohibido para nosotras. Mi madre, muy intrigada, comenzó a ver que entraban señoras muy elegantes por el portón que daba a su pieza. Un día, no pudimos más de curiosidad y mi madre lo llamó. Nos sentamos en el corredor; recuerdo que, tomando una taza de té, le preguntó: «¿Vende usted alguna cosa, Jarita? ¿Qué vienen a buscar esas señoras que lo visitan?» Él se rió, parece que no sabía por dónde comenzar, y esta risa fue creciendo, y nosotras, al ver que no podía hablar, nos reíamos también. Por fin, mi madre le dijo: «Comience de una vez, Jarita, porque me estoy muriendo de curiosidad.»

«Doña Transitito —le respondió él—, se vienen a ver la suerte.» Mi madre, muy sorprendida, le preguntó qué sabía él de eso. «¿En qué se las ve? ¿En naipes?» Siempre riendo, Jarita le respondió que en una bola de vidrio, y dijo: «Les voy a contar desde el comienzo. Venía yo por la plaza de San Francisco cuando, de repente, veo algo que brilla en el pasto, era una bola de cristal grande, salían como luces de adentro. La venía mirando, cuando siento que me tocan el brazo. Era una señora que me preguntó que qué hacía yo con esa bola de cristal, y yo, por hacerle una broma, doña Transitito, le contesté que era una bola mágica y que en ella podía leer la suerte. La señora me exigió que le diera mi dirección y me dijo que en la tarde vendría a verse la suerte. Yo pensé que le diría cualquier cosa y que, seguramente, ella me daría un peso. Llegó puntual. A los pocos días, vino otra, y otra, porque dicen que todo les sale cierto. Me pagan, y yo cada día les cobro más caro, y se van felices. A lo mejor tengo ese don y no lo sabía.»

Todo ese relato fue matizado con grandes carcajadas de los tres. Y Jarita siguió: «Ahora, pienso que ya no puedo seguir en esa pieza, es muy chica; a veces, se me juntan hasta cinco señoras al mismo tiempo. Vi aquí cerca una casita adonde me iré. Pero vendré todos los días, porque yo a esta niña la quiero como a mis ojos», me dijo, mirándome con una ternura indecible que me hizo abrazarlo y besarlo.

Ya no reíamos tanto, se nos iba Jarita, nuestro fiel compañero, y todo por esa bola de cristal que había encontrado en el pasto. Ya muy seria, mi madre le dijo: «¿Y no cree que estafa a estas señoras? Yo creo que este trabajo no es honrado.» El buen Jarita de nuevo rompió a reír a carcajadas. «Si yo vendo felicidad, doña Transitito. A todas debe parecerles que les cobro muy poco, nadie se va triste, a todas les resuelvo sus problemas, soy muy honrado en eso, muy honrado», aseguraba, muerto de risa. A estas alturas de mi relato, Pablo se secaba las lágrimas de tanto reír.

—Puso una casita con sala de espera —continué—. Al comienzo, venía a vernos todos los días, después, se hizo más y más importante, iban a verlo hasta de los pueblos cercanos, no tenía tiempo para nada. En las noches de invierno, iba a comer castañas que ahora pagaba él. Me llevaba dulces, siempre distintos. Bendito sea, yo casi no conocía las golosinas.

»Recuerdo que llegó la Navidad. De él recibí la primera muñeca grande, hermosa. Cuando la vi, quedé como paralizada, estaba vestida tan elegante que casi no me atreví a tocarla. Ahora pienso en cuántas suertes habrá tenido que hacer para comprarla. Es curioso que ahora, después de tantos años, lo recuerde como si lo estuviera viendo. Hay ojos con alma, y Jarita tenía alma en los ojos, creo que eso fue lo esencial en su triunfo como vidente.

Y así, conversando, poquito a poquito, nos habíamos comido todo lo que había en la mesa. Era muy tarde, es decir, muy temprano, pronto comenzaría a amanecer. Teníamos un desorden general en nuestras horas de sueño, de comidas. Nunca mirábamos el reloj y así, en la mañana, bajábamos al comedor y, cuando todos estaban almorzando, nosotros pedíamos solamente un café, era nuestro desayuno.

La dueña era muy simpática, nos protegía; sonriendo, movía la cabeza. En las noches, nos dejaba comidas frías en nuestra habitación, era nuestro ángel. Además, pedíamos mucho pan extra, a todas horas, siempre pan, era para nuestras gaviotas, nuestro paseo obligado de todos los días. Hacíamos cosas tan simples, que nos colmaban de felicidad.

En la mañana, nos íbamos a un pequeño bar a tomar el aperitivo. Nos sentábamos afuera, en unas mesas, y nos llamaban profundamente la atención los pájaros, que se acercaban y tómaban las migajas de las mesas desocupadas, sin miedo, sin prisa.

La semana tocaba a su fin, teníamos que separarnos, yo volvería a París a buscar todo, a entregar mi departamento, y nos juntaríamos en Roma. Tenía allá unas amigas mexicanas, estudiantes de canto, que vivían en una pensión, me iría a vivir con ellas. Era tan hermoso pensar que pronto estaríamos juntos de nuevo, pero daba tristeza, era como la neblina que se mete por todas partes y, sin saber cómo, te envuelve, callada, inexorable. De repente, tomados de la mano, nos encontrábamos pensando en lo mismo. Era como si algo se tramara en el aire, era difícil salir de estos prolongados silencios, quién pudiera ignorar la tristeza del mundo que, en este momento, nos parecía tan cruel y despiadado. ¿Por qué nos separaba?

Nos levantamos en silencio y nos fuimos a caminar por la orilla del lago, nos despedíamos de nuestras compañeras inseparables, las gaviotas.

De pronto, Pablo me dice:

—Vamos al hotel, tengo que escribir.

Llegamos allí, pedimos una botella de vino y nos sentamos en nuestra pequeña terraza.

—Siéntese frente a mí —me dijo—, y si quiere conversar, hágalo, yo la escucharé.

Se puso a escribir rápido, llenaba hojas y hojas, como si las palabras se atropellaran en su cabeza y su mano no fuera lo suficientemente rápida como para escribirlas.

Terminó de escribir, metió todo en un sobre, y me dijo, riendo de satisfacción:

—Es para que la lea mañana, durante el viaje a París.

Era «La carta en el camino».

—No estaremos tristes —me dijo—, yo adoro su risa, creo que nunca me he reído más que en estos días a su lado, es éste el recuerdo que debe prevalecer. Pensemos en nuestra próxima cita. Te enseñaré Roma, iremos a sus museos, a sus iglesias, vagaremos por sus calles, olvidaremos que el mundo existe, siempre estaremos solos tú y yo sobre la tierra.

Hicimos un gran esfuerzo por estar contentos y para que esta despedida no fuera amarga. Pero, a pesar nuestro, todo gritaba dentro de nosotros que no queríamos separarnos.

Le dijimos adiós a Nyon y a su gente, a este pueblo que quedaría para siempre prendido a nuestra memoria. Esta gente nos pareció con un espíritu de perfección, de puntualidad y de gentileza, que hacen muy agradable la vida del extranjero, sobre todo de un extranjero perseguido como era Pablo. Para mí, la palabra Nyon es como una magia, es como si abriera una ventanita encantada a los recuerdos de felicidad más completos que viví. Allí encontré el camino y la orientación que yo necesitaba, salí de esa vacilación, se acabó la inseguridad que yo sentía que existía en mi vida. Allí supe lo que quería, aunque la nostalgia y la añoranza de mi vida anterior quedarían enredadas a todos mis recuerdos. No sé de qué modo, pero estarían allí.

Nunca he querido volver a Nyon, quiero conservar en mi recuerdo ese pueblecito provinciano del año 51. Con seguridad ahora todo es distinto, yo quiero seguir viéndolo pequeñito, con su lago lleno de gaviotas, quiero recordar ese hotelito con su angosta escalera casi vertical, quiero sus calles provincianas con pequeñas tiendas y su bar diminuto en aquella plazoleta, donde nos íbamos a sentar en las tardes a tomar nuestro Campari.

Llegó la hora y me marché en el tren. Allí en el andén se quedó mi Pablo con un pequeño sombrerito en la mano, diciéndome hasta muy pronto. No lo puedo evitar, tengo grandes deseos de llorar.

Saco mi carta de la cartera, son varias hojas con una letra grande, segura. La leo lentamente:

Adiós, pero conmigo
serás, irás adentro
de una gota de sangre que circule en mis venas
o fuera, beso que me abrasa el rostro
o cinturón de fuego en mi cintura.
Dulce mía, recibe
el gran amor que salió de mi vida
y que en ti no encontraba territorio
como el explorador perdido
en las islas del pan y de la miel.
Yo te encontré después
de la tormenta,

la lluvia lavó el aire
y en el agua
tus dulces pies brillaron como peces.

Adorada, me voy a mis combates.

Arañaré la tierra para hacerte una cueva
y allí tu Capitán
te esperará con flores en el lecho.

No puedo continuar, las lágrimas nublan mis ojos. Lo que sentí en ese momento es inexplicable, no podría definirlo, era de tanta felicidad, de tanta plenitud y, al mismo tiempo, estaba como perdida, sin apoyo, sentía una orfandad que jamás sentí antes. Mi vida será ahora tan distinta, siento que no me gustarán las mismas cosas, tendría que encontrar sola el camino y sola orientarme en él.

Sigo leyendo su carta:

No pienses más, mi dulce,
en el tormento
que pasó entre nosotros
como un rayo de fósforo
dejándonos tal vez su quemadura.
La paz llegó también porque regreso
a luchar a mi tierra,
y como tengo el corazón completo
con la parte de sangre que me diste
para siempre,
y como
llevo
las manos llenas de tu ser desnudo,
mírame,
mírame,
mírame por el mar, que voy radiante,
mírame por la noche que navego,
y mar y noche son los ojos tuyos.
No he salido de ti cuando me alejo.
Ahora voy a contarte:

mi tierra será tuya,
yo voy a conquistarla,
no sólo para dártela,
sino que para todos,
para todo mi pueblo.
Saldrá el ladrón de su torre algún día.
Y el invasor será expulsado.
Todos los frutos de la vida
crecerán en mis manos
acostumbrados antes a la pólvora.
Y sabré acariciar las nuevas flores
porque tú me enseñaste la ternura.
Dulce mía, adorada,
vendrás conmigo a luchar cuerpo a cuerpo
porque en mi corazón viven tus besos
como banderas rojas,
y si caigo, no sólo
me cubrirá la tierra
sino este gran amor que me trajiste
y que vivió circulando en mi sangre.
Vendrás conmigo,
en esa hora te espero,
en esa hora y en todas las horas,
en todas las horas te espero.
Y cuando venga la tristeza que odio
a golpear a tu puerta,
dile que yo te espero
y cuando la soledad quiera que cambies
la sortija en que está mi nombre escrito,
dile a la soledad que hable conmigo,
que yo debí marcharme
porque soy un soldado,
y que allí donde estoy,
bajo la lluvia o bajo
el fuego,
amor mío, te espero.

No puedo más, me pongo un pañuelo en la cara y sollozo quedito. Son lágrimas buenas, no son amargas, es como un baño, es sentirse nada ante la fastuosa presencia de lo recibido, de verse colmada de ternura, de placer, de amor, que sentía aquí muy adentro, algo se fundía ante el miedo de no tener la capacidad suficiente para responder a tan altos presentes.

Sigo leyendo, esta vez hasta el fin:

> Te espero en el desierto más duro
> y junto al limonero florecido,
> en todas las partes donde esté la vida,
> donde la primavera está naciendo,
> amor mío, te espero.
> Cuando te digan: «Ese hombre
> no te quiere», recuerda
> que mis pies están solos en esa noche, y busca
> los dulces y pequeños pies que adoro.
> Amor, cuando te digan
> que te olvidé, y aun cuando
> sea yo quien lo dice,
> cuando yo te lo diga,
> no me creas,
> ¿quién y cómo podrían
> cortarte de mi pecho
> y quién recibiría
> mi sangre
> cuando hacia ti me fuera desangrando?
> Pero tampoco puedo
> olvidar a mi pueblo.
> Voy a luchar en cada calle,
> detrás de cada piedra.
> Tu amor también me ayuda:
> es una flor cerrada
> que cada vez me llena con su aroma
> y que se abre de pronto
> dentro de mí como una gran estrella.
>
> Amor mío, es de noche.
>
> El agua negra, el mundo
> dormido, me rodean.

Vendrá luego la aurora,
y yo mientras tanto te escribo
para decirte: «Te amo.»
Para decirte: «Te amo», cuida,
limpia, levanta,
defiende
nuestro amor, alma mía.
Yo te lo dejo como si dejara
un puñado de tierra con semillas.
De nuestro amor nacerán vidas.
En nuestro amor beberán agua.
Tal vez llegará un día
en que un hombre
y una mujer, iguales
a nosotros,
tocarán este amor y aún tendrá fuerza
para quemar las manos que lo toquen.
¿Quiénes fuimos? ¿Qué importa?
Tocarán este fuego
y el fuego, dulce mía, dirá tu simple nombre
y el mío, el nombre
que tú sola supiste porque tú sola
sobre la tierra sabes
quién soy, y porque nadie me conoció como una,
como una sola de tus manos,
porque nadie
supo cómo, ni cuándo
mi corazón estuvo ardiendo:
tan sólo
tus grandes ojos pardos lo supieron,
tu ancha boca,
tu piel, tus pechos,
tu vientre, tus entrañas
y el alma tuya que yo desperté
para que se quedara
cantando hasta el fin de la vida.

Amor mío, te espero.

Adiós, amor, te espero.

Amor, amor, te espero.

Y así esta carta se termina
sin ninguna tristeza:
están firmes mis pies sobre la tierra,
mi mano escribe esta carta en el camino,
y en medio de la vida estaré
siempre
junto al amigo, frente al enemigo,
con tu nombre en la boca
y un beso que jamás
se apartó de la tuya.

Mi cabeza razona y razona, pero todo mi ser quiere gritar: ¿por qué tengo que irme?, ¿por qué?

Algo muy pequeñito y muy grande latía dentro de mí, era un hijo de Pablo que venía de Nyon, del lago con gaviotas. Yo no lo sabía. Más tarde, él le escribiría estos versos:

Ay hijo, ¿sabes, sabes
de dónde vienes?

De un lago con gaviotas
blancas y hambrientas.

Junto al agua de invierno
ella y yo levantamos
una fogata roja
gastándonos los labios
de besarnos el alma,
echando al fuego todo,
quemándonos la vida.
Así llegaste al mundo.
Pero ella para verme
y para verte un día
atravesó los mares
y yo para abrazar

su pequeña cintura
toda la tierra anduve,
con guerras y montañas,
con arenas y espinas.

Así llegaste al mundo.

De tantos sitios vienes,
del agua y de la tierra,
del fuego y de la nieve,
de tan lejos caminas
hacia nosotros dos,
desde el amor terrible
que nos ha encadenado,
que queremos saber
cómo eres, qué nos dices,
porque tú sabes más
del mundo que te dimos.

Como una gran tormenta
sacudimos nosotros
el árbol de la vida
hasta las más ocultas
fibras de las raíces
y apareces ahora
cantando en el follaje,
en la más alta rama
que contigo alcanzamos.

7

EN PARÍS, POR TERCERA VEZ

Llego a París por tercera vez, sé que nadie me espera y no me importa. Vengo cargada de tesoros, aprieto mi cartera muy fuerte, allí dentro vienen los papelitos con los versos de amor que Pablo me ha escrito. Vengo acompañada por este amor tan grande y por tantos y tantos recuerdos vividos en ese pueblito de Nyon. Esta palabra, Nyon, fue y seguirá siendo para mí una palabra mágica, la digo y la oigo y es como si se abriera una caja de sorpresas, saltan risas, besos, aparece el lago Leman meciendo sus cisnes y sus gaviotas hambrientas.

Y ahora, de nuevo en París, llegué a mi pequeño departamento, era un poco como volver a lo mío. Es curioso cómo se va sintiendo la sensación de hogar, donde se encuentra la ropa, la cama donde se ha dormido y esa pequeña cocina, adonde entré en seguida para hacerme una taza de café. Estaba alegre, me senté con mi taza de café al lado de una pequeña ventana de buhardilla.

Pienso, no sé por qué, en mi pequeño hogar en México; ese recuerdo, tan fuerte los primeros días, se iba desvaneciendo, ya era menos apremiante, lo sentía como un recuerdo que mi corazón quería extinguir, estaba reñido con mi felicidad presente. Ahora sólo contaba todo lo relacionado con Pablo, con mi amor. Parece que una mano poderosa mandaba mi destino. México se quedaría en mi recuerdo como perdido en el tiempo.

Pablo me había dado cantidad de direcciones de sus amigos para que los viera. Al único que fui a ver fue a Paul Éluard, había leído su poesía y lo había conocido en México, guardaba un hermoso recuerdo de él, sentía curiosidad por volver a verlo. Me recibieron una tarde que nunca olvidaré, había una semipenumbra en un rincón acogedor de la casa que daba la impresión de un desorden arreglado; cuadros colgados por todas partes. Allí nos sentamos con su mujer, Dominique, que hasta hoy es mi gran amiga; me pareció de una belleza exótica. Noté que me miraban con curiosidad. Yo les conté cómo estaba Pablo, que no podía venir a París porque había un decreto de expulsión (eso él lo sabía). «Lo vamos a arreglar muy pronto», me dijo. Había en él una hermosura impresionante, era alto, su cara de rasgos regulares, lo que más me llamaba la atención era el azul de sus ojos, nunca he visto otros parecidos. Pero, además de su belleza física, había en sus movimientos tanta armonía, en su sonrisa acogedora había tanta bondad; y sus ojos miraban suavecito, como acariciando; en ellos asomaba su ternura, su amor por el mundo entero. Comenzó a preguntar por Pablo, infinidad de detalles, como un hermano mayor. Yo contestaba sus preguntas también con sinceridad, sin hacer confesiones, pero sin mentir ni camuflar nada.

Comenzamos a hablar como viejos amigos, les conté del festival, hablamos de México. «¿Regresarás pronto?», me preguntó Dominique. «Iré primero a Roma —le contesté—, allí estaré con unas amigas mexicanas que quiero mucho y, a lo mejor, veo a Pablo, creo que irá a Italia a pasar unos días.» Me pareció que ellos se miraron, ¿sabían algo de nuestro amor?, por un momento me lo pregunté; era mejor no saberlo. Me despedí de ellos sintiéndolos muy cerca de mí.

Estuve unos días en París bastante contenta, vería a Pablo muy pronto, volveríamos a vivir juntos, este solo pensamiento me hacía sentir dichosa. Vi a todos mis amigos chilenos que estaban ahí en ese momento, sobre todo a Nemesio Antúnez y su mujer, Inés Figueroa. Un día, nunca lo olvidaré, llegué a su casa, pasé a su estudio y vi unos pescaditos a punto ya de descomponerse. Extrañada, le pregunté a Inés: «¿Y estos pescados?» «Los está pintando Nemesio», me dijo, como la cosa más natural del mundo.

Entraba poco a poco a este mundo en que había tanto que ver, tanto de qué asombrarse.

La impaciencia se fue apoderando de mí, no me dejaba disfrutar de nada, como si estuviera acelerada. Si salía a caminar, lo hacía muy rápido, muy pronto terminaba cansada, veía a las amigas y me despedía en seguida, como si tuviera mucho que hacer. En la noche no podía dormir.

Decidí irme a Roma y esperar allí a Pablo. Avisé a mis amigas mexicanas que llegaría y que quería alojarme en su misma pensión. Tenía mucha ilusión de volver a verlas, las quería mucho.

Me fui en tren, mi equipaje había aumentado. En París había comprado diferentes cosas para adornar nuestra casa, no sabía en ese momento dónde nos quedaríamos. Llevaba unas tazas muy lindas, un servicio color naranja, unas bandejas con pájaros pintados. Yo sabía que todo esto haría la felicidad de Pablo.

Llegué a Roma, mis amigas me estaban esperando. Eran tan alegres. Entre risas y bromas, me hablaban de la dueña de la pensión, ellas la llamaban Bámbola. Era algo gorda, redondita y muy hermosa. Me recibió con mucho cariño: «Esta noche —me dijo— haremos en tu honor un *risotto alla milanesa* y, para comenzar, una *mozarella in carozza*.»

Se comía en una mesa enorme, todos los pensionistas juntos; ella, en un extremo, como una gran mamá, servía unos inmensos platos de comida. Todos se reían, conversaban. Yo, que venía de sufrir esa soledad tan grande en París, me sentía alegre. La compañía de mis amigas me había devuelto mi vida de despreocupación, de alegría. «Vamos a hacer una fiesta —proponía Dora—. Matilde nos cocinará unos chupes que sólo ella sabe hacer, y otro día haremos comida mexicana, compraremos un guajolote y lo haremos con mole poblano.» Los italianos no entendían nada de estos nombres de comida, y les parecía todo exótico. En este momento, yo saboreaba el *risotto alla milanesa*, que me parecía delicioso; es un arroz que se cocina con vino, con queso, y, además, lleva pedazos de pollo. Mis amigas, que hacían chistes de todo, me decían: «Después del día que comemos pollo asado, siempre tenemos *risotto alla milanesa*; ahora te tocó en suerte.» Fue una comida muy alegre.

En la noche, cuando me iba a mi pieza, volvía la nostalgia de Pablo. ¿Cuándo llegará?, me preguntaba. De repente sonará el teléfono y oiré su voz. Y saldremos a vivir esta ciudad acogedora, amable, con sus gentes alegres, tan humanas.

Me siento bien en esta ciudad, la pensión queda en la Piazza del Popolo, allí todo es alegre, lleno de movimiento, de cafés, de negocios de todas clases, me pareció inmensa. Con mis amigas, nos íbamos muy a menudo a un café, teníamos tanto que conversar, tanto que recordar, a cada momento México estaba presente. Yo para ellas era una mexicana más, nos reíamos de todo, era un ambiente liviano, de alegría permanente. Yo conocía casi todo México, sus costumbres, sus comidas, adoraba todo lo grande que tiene ese país que no se parece a ningún otro. Con sus gentes, con su nacionalismo tan desarrollado, todos quieren ser indios, su gran orgullo del pasado los hace desear ser indios. Yo los admiraba, venía de un país en que se ha cultivado el menosprecio por el indio.

Y por fin llegó el día. Un telefonazo, era Pablo, había llegado. Respiré hondo, todo se transformaba, todo adquiría belleza, movimiento, luz. Vendría a buscarme en la tarde.

Estuve todo el día nerviosa, mis amigas, conocedoras de mi secreto, me hacían bromas. Me ponía un vestido, me lo sacaba, le agregaba un lazo o un cuello, pero nada, tampoco me gustaba. Se acercaba la hora, y yo estaba sin vestirme. Por fin, tocan el timbre, era Pablo. Me puse lo primero que encontré, sin peinarme, así no más, salí como una adolescente que había perdido, además del corazón, la cabeza.

Pablo estaba allí, parado con un ramito muy pequeño de flores, me miró, se sonrió, abrió su mano y me dio las flores. Lo amaba tanto, tanto. Mis amigas, detrás de mí, lo miraban. Nos tomamos de la mano y nos fuimos. Otra vez el mundo desaparecía para nosotros, estábamos solos sobre la tierra.

Llegué en la noche, muy tarde. Mis amigas me esperaban. «¿Por qué no lo presentaste?», me dijeron. «Se me olvidó —les dije con sinceridad—, ¿cómo quieren que yo recuerde semejante cosa?» Me dieron unos cuantos almohadonazos y se fueron a acostar. Me quedé sola, pero estaba tan acompañada.

Todos los días venía a buscarme, visitábamos los museos, las catedrales, vagábamos por las calles, sentándonos en sus cafés. Al tercer día, me dijo: «Hay un hombre que nos sigue a todas partes, nos vamos a divertir mucho, porque nos ingeniaremos para perdernos.» Para mí, era algo tan nuevo esto de que un hombre nos siguiera, era la ociosidad más grande, ¿por qué y para qué?, si no hay ningún secreto, voy siempre con el

mismo hombre, al que beso a cada minuto. Había entrado a ser
una perseguida política y ya nunca más dejaría de serlo. Esto
nos preocupaba muy poco, nos sentábamos en los cafés al aire
libre, hacíamos proyectos, conversábamos de mil cosas o nos
mirábamos a los ojos, callados, diciéndonos tanto.

Yo tenía el arte de conmover su sentido del humor con
reacciones naturales. Ahora pienso: ¿por qué nos reíamos tanto? ¿De qué?

Una felicidad me invadía, como savia nueva la sentía en mis
músculos, en mi piel. No quería nada sino vivir para este amor.
No rechazaba nada, que mi vida se ordenase en este camino,
que traiga lo que quiera, ya no había lugar para la duda, mi
cielo se había hecho transparente, nada nos separaría.

Y así, van pasando los días en esta ciudad que para mí era
tan acogedora y que era testigo de mi gran felicidad. No sabe-
mos todavía dónde buscaremos nuestro refugio. Pensamos en
alguna isla cercana. Pablo parte invitado a Nápoles y verá con
los amigos adónde nos iremos.

En la tarde del día siguiente de su partida, todos los diarios
traen la noticia: Pablo Neruda ha sido expulsado de Italia. Llegará a Roma hoy en la tarde. Llamé por teléfono al pintor Gutusso, era uno de los amigos que conocía nuestro secreto, para
saber a qué hora llegaría el tren que traería a Pablo de Nápoles. Los diarios de la tarde informaban todos los detalles.

Cuando llegué, era difícil entrar en aquella gran estación
de Roma. Estaba llena de gente. Nunca me imaginé que todos
venían a esperar a Pablo, pero así era. Sigo entrando, y viene
un muchacho con un carrito de valijas: «¿Qué pasa que hay
tanta gente?», le pregunto. «Arriva un poeta, arriva un poeta»,
me gritó lleno de entusiasmo. Yo estaba paralizada, mi cabeza no podía entender que en unas cuantas horas se movilizara
esta cantidad tan grande de gente. Con gran esfuerzo me acerqué al andén. Allí me vio mi amigo Gutusso, y me dijo: «No
te acerques demasiado al andén, aquí puede pasar cualquier
cosa. No te acerques a Pablo hasta que esté abajo.»

Muy pronto llegó el tren. Esa masa humana gritaba, cantaba, yo estaba aturdida, veo el brazo de Pablo, ése debe ser el
carro que lo trae. Efectivamente, baja Pablo, custodiado por
varios policías vestidos de civil, corro, me acerco por fin. Él me

sonríe, como diciéndome: «Vaya acostumbrándose, ésta es mi vida.» Trae muchas flores, me las entrega. Aquí yo lo pierdo, la gente se acerca, rodea a Pablo y a los policías, está como en un círculo humano que forcejea hasta quitárselo. Pablo está con sus amigos, pero llegan refuerzos con uniforme, acto seguido, comienza una verdadera batalla, hombres, mujeres, todos arremetían contra los policías, los hacían caer con zancadillas, había narices rotas, escenas increíbles, Elsa Morante, la escritora, con un paraguas fino pegaba con entusiasmo.

Llegué por fin donde estaba Pablo, lo tenían dos senadores, muchos amigos, y unos señores de la policía dispuestos a parlamentar. Se fueron a unas oficinas de la estación. Yo, afuera, me paseaba con mis brazos llenos de flores. Toda la gente también esperaba, unos cantaban, otros reían, otros gritaban en contra de la policía y yo, ahí, como un pollo que había roto el cascarón y por primera vez se asomaba a un mundo vital, a un mundo de lucha, de gente que piensa más allá de su pequeña vida. En esta pequeña batalla se jugaban muchas cosas que, para mí, en ese momento, pasaban desapercibidas. No se peleaba que Pablo se fuera o no, se peleaba el hecho de expulsar a un escritor que nada había hecho en Italia, que era perseguido por la tiranía de su país. Era una lucha contra la injusticia, contra todos los tiranos del mundo.

Al cabo de mucho tiempo, el senador anunció que Pablo no sería expulsado. Un estallido de alegría se oyó en la estación, todo ese pueblo inmenso se tomó de las manos, cantando. Yo estaba profundamente emocionada, miraba todo aquello como si hubiera nacido ayer. Le pidieron a Pablo salir por otra puerta para que la gente se dispersara. El senador les habló con voz alegre, a pesar de que tenía la nariz rota y se le hinchaba más y más a cada minuto. Gutusso vino a decirme que Pablo se iría al hotel Inghilterra, que lo llamara por teléfono. Regresé a mi pensión.

Me bullía en la cabeza todo lo que había visto, en ese momento era presa de una gran conmoción de pensamientos. Les conté a mis amigas todo lo que había pasado. Dora se quejaba amargamente por no haber ido. «¡Con lo bien que pego yo con el tacón del zapato!», me decía riendo.

En la noche, Pablo me llamó por teléfono. Se iba del hotel

porque a sus amigos les pareció peligroso dejarlo ahí. Si te sacan en la noche y te ponen en la frontera, nada podremos hacer, le dijeron. Se iba a la casa del senador, allí estaría seguro. Me rogaba que al día siguiente fuera a verlo. «Ven temprano —me dijo—. Quiero verte.» «No me parece que esté bien, pero iré», le dije. Lo encontré tranquilo, sonriente. «Todo ha pasado —me dice—. Nos quedaremos en Italia.»

Los diarios seguían hablando de este poeta chileno al que se le había hecho la ofensa de darle veinticuatro horas para dejar el país. En este momento tengo aquí un recorte de periódico de ese tiempo, todo esto pasó el 13 de enero de 1952. Al día siguiente, se publicó que el ministro del Interior declaraba que en la expulsión de Pablo Neruda no encontraba ningún motivo justificado, y que podía quedarse en el país. Nuestra alegría fue muy grande. Otra vez éramos libres de recorrer las calles de Roma.

Al día siguiente nos juntamos para celebrar nuestro triunfo. De repente, Pablo se detiene en una tienda de animales, en la ventana, durmiendo, estaba el perro más maravilloso que es posible soñar. Era muy chiquito, le tocamos el vidrio para despertarlo, nos miró somnoliento, al caminar, era como un botoncito manchado de café. Entramos a la tienda y salimos con nuestro perro. Le pusimos *Nyon*, en recuerdo de ese pueblito suizo donde fuimos tan felices. Lo llevé a mi pensión, de inmediato se adueñó del corazón de todos mis amigos.

En Capri vivía el escritor Erwin Cerio, dicen que estaba indignado por la medida del gobierno en contra de Pablo, y ofrecía su casa de Capri para el matrimonio Neruda. Nosotros, con nuestra mentalidad de «chilito», pensamos: ¿cómo reaccionará cuando sepa que no va con su esposa, sino con Matilde? Tenemos que hacérselo saber. Estábamos felices. La suerte estaba con nosotros. Para mí, era el comienzo de algo tan nuevo que a ratos me asustaba; viviríamos juntos, esa convivencia de Nyon, interrumpida tan pronto, ahora sería de meses.

Planeamos nuestro viaje. Nos iríamos de Roma separados. Nos encontraríamos en Nápoles, donde Pablo le telefonearía a Cerio para saludarlo y, como de paso, le diría que iría conmigo. Por fin llegó el día de nuestra partida. Pablo se había ido el día anterior a Nápoles. Era mi última noche en Roma, estaba muy nerviosa, llena de inquietudes, desembarcaría en terrenos desconocidos, eran muchas las cosas que tenía que aprender y, sobre todo, mi amor tenía que ser de absoluta entrega, desprovisto de todo orgullo, ¿sería yo capaz de continuar este camino? En estos pensamientos el tiempo se detenía y yo me preguntaba si de verdad estaba aquí, renunciando a todo, y veía con espanto que una parte de mí seguía agazapada detrás de un muro ciego y luchaba por salvar mi independencia, mi identidad individual. Reconocía los signos de una pasión, de una búsqueda, de una loca intensidad que me atraía irresistiblemente, pero, ¿sería yo capaz de responder a la exigente demanda que se me hacía con la misma intensidad y fuerza que necesitábamos para unirnos en una de las relaciones más delicadas, más deliciosamente hermosas, el amor?

Mientras hacía el equipaje, pensaba y pensaba, estaba sola con mi perro, que me miraba con unos ojitos mansos de sueño. Como estaba llena de pesimismo, le pregunté a *Nyon*: ¿Y si el señor Cerio no nos quiere, qué haremos? Él me contestó con un gruñido que me hizo reír mucho.

Era mejor dormir. Allá en Nápoles, Pablo estaría también pensando en mí. ¿Sería su cabeza un volcán de ideas cambiantes como la mía?

Amaneció. Llegó ese día tan esperado. Era una mañana alegre, llena de sol; con las sombras de la noche se habían ido esas nubes negras que la noche anterior amenazaban con hacer una tempestad en mi pobre cabeza.

Entré al bullicio de mis amigas de pensión, me hacían miles de bromas. Muchas de ellas me fueron a dejar, con gritos y agitando pañuelos las vi desaparecer; me despedía de mi gran familia. Estaba feliz, navegaba en la gloria. Era imposible pedirle más a la vida. Mi perro pequeñito se acurrucaba en mi pecho.

¡Qué largo se me hizo el trayecto de Roma a Nápoles! Tenía tantos deseos de llegar. En la estación me esperaba nuestra amiga Sara Alicatta. Hermosa, inteligente, alegre, para nosotros era más que una hermana. Me abrazó, diciéndome: «¡Qué contenta estoy de verte! Pablo ha estado insoportable, anoche me dijo: "¿Y si Matilde no viene?" Estaba con esa idea metida en la cabeza, no sabes cómo me hizo sufrir. Yo pensaba: "¿Qué hago con Pablo si Matilde no aparece?" Te quiere tanto, pero tiene celos, miedo de que de repente desaparezcas de su vida, como tantas veces lo has hecho.» Yo la miré sonriente: «La vida nos está amarrando —le contesté—, creo que esta vez nuestra unión es definitiva. Ojalá no me equivoque, porque conocer a Pablo como ahora lo conozco ha hecho de mí otra mujer, y creo que ya no encajo en mi vida anterior. Sería terrible para mí perderlo ahora.»

En ese momento llegamos a la pequeña bahía de donde salían los barquitos. Allí estaba Pablo, su cara radiante de felicidad. Y estoy en sus brazos, acurrucada en la embriaguez del amor. Mi primera pregunta fue: «¿Qué dijo Cerio? ¿Me acepta?» «No somos más que unos provincianos, cuando le dije que no venía con mi mujer sino con una amiga, se puso muy contento y me dijo: "Me alegro muchísimo, porque los matrimonios no hacen más que pelearse." Me ha anunciado que en la casa hay un hermoso ramo de flores esperándola.»

Nuestra buena amiga nos tenía todo preparado. Subimos al barco que nos llevaría a Capri. Entraba en ese momento a uno de los más hermosos períodos que me ha sido dado vivir.

El barco se puso en marcha, por mucho tiempo vimos la mano de Sara que, con su brazo levantado y sosteniendo un pañuelo, nos decía adiós. Nosotros, recogidos, mudos, disfrutábamos de esta felicidad tan íntima, tan nuestra, sentados en cubierta con un poco de frío que no sentíamos; con las manos tomadas, mirábamos la tarde que iba cayendo con colores suaves, una banda de azul delicado se confundía con el rosa. Yo hubiera querido guardar ese momento una eternidad, era como un regalo para los ojos y para el alma.

Pasamos mucho tiempo mudos, no nos atrevíamos a romper con la palabra este manto embrujador que nos cobijaba por fin.

Éramos simplemente felices.

8

EN CAPRI NOS CASA LA LUNA

Llegamos a esta hermosa isla en la noche, todo era misterioso para nosotros, sus calles estrechas, peatonales. La llegada a la plaza nos hizo exclamar al unísono: «¡Qué belleza!» Esta plaza parecía un escenario para representar una obra con ambiente mágico. Vamos viendo todo con avidez, con asombro. Seguimos caminando, tenemos prisa, nos espera nuestra casa, por fin tenemos casa y esto, que es tan simple para todo el mundo, para nosotros es una victoria, la hemos conseguido después de tantas batallas, hemos acariciado este sueño tantos años y ahora está aquí, delante de nosotros, y su puerta se abre y una cara bondadosa y amable nos da la bienvenida en italiano.

Pablo, con toda naturalidad, me toma en brazos y entra, me deposita al lado de una mesa en la que hay un hermoso ramo de flores con una tarjeta grande que dice: «Para Matilde, homenaje de Erwin Cerio.»

En este momento mi corazón late con fuerza. El hombre más amado y más admirado por mí me hace entrar en sus brazos, soy su novia, su esposa. Tengo delante mío el homenaje del gran escritor y patriarca de Capri, Erwin Cerio. En este momento, yo me siento una pequeñita chillaneja provinciana que comienza a romper el cascarón.

Pasamos al *living* y un grito sale de nuestros labios al unísono, hay una gran chimenea con un hermoso fuego que chisporrotea alegría. Junto a él, Erwin Cerio, todo vestido de blanco, alto, hermoso.

Pablo, en sus memorias, hablando de esta llegada, dice de Cerio: «En la penumbra se alzaba como la imagen del taita Dios de los cuentos infantiles.» Todo esto es como un hermoso sueño, estamos allí, abrazados, mirándonos sin decir nada. Cerio, riendo, se acercó a nosotros, nos tomó las manos dándonos la bienvenida, «están en su casa», nos dijo. Era una frase convencional, pero para nosotros tenía un significado inmenso. Estábamos en nuestra casa, realizábamos un sueño tanto tiempo acariciado, lo debemos haber mirado con una gratitud inmensa, él, siempre riendo, nos abrazó y se fue.

Amelia nos mira entre sorprendida y divertida. Le damos las gracias por habernos esperado. Era la empleada de la hija de Cerio que estaba de viaje y en esos días vendría a acompañarnos. Todo había sido preparado para hacernos la vida fácil y agradable. Nosotros lo único que queríamos era estar solos, y con nuestro escaso vocabulario italiano nos costó mucho hacer entender a Amelia que yo serviría la cena, que podía retirarse. Con su cara llena de risa, nos dijo: *Io me ne vado*, y se fue.

Por fin solos y en nuestra casa. Nuestra primera comida en ella, nuestra primera noche en ella. Sería tonto describirla, jamás llegaría a encontrar las palabras para dar la mínima idea de lo que fue. Solamente diré de aquella comida y de aquella noche: ¡qué fiesta!

Al día siguiente, dormida todavía, comienzo a oír unos pequeños golpecitos en la puerta y una voz, también suave, que me habla en italiano, a la que no entiendo nada. Hago un gran esfuerzo para despertar. Era nuestra Amelia, venía con una mesa de panecitos humeantes que había hecho ella misma, y con un café que olía a gloria. Le di las gracias. ¿Qué hacer? Había que levantarse. ¿Cómo podíamos dormir cuando Capri nos esperaba? ¿Cómo sería de día? Riendo, no sé por qué, nos sentamos a desayunar en esa mesa en que nada faltaba. La alegría desbordaba, nuestro perro correteaba por la casa, él también se sentía dichoso de tener espacio y jardín. Abrimos las ventanas, al fondo teníamos una pequeña terraza, abajo un bosque, y, muy a lo lejos, las rocas de la Marina Piccola, una playa. Íbamos de sorpresa en sorpresa, esta casa era un paraíso. Bajamos al bosque lleno de musgo, de pasto que, por suerte, nadie cuidaba y todo crecía en él con libertad.

Hacía frío, pronto subimos a abrigarnos para salir a conocer el pueblo.

Nos fuimos caminando, no había otro medio, sus calles muy

estrechas tenían un encanto especial, las casas, como incrusta-
das en ellas; sólo veíamos unas pequeñas tapias de piedra, sin
fachadas ostentosas, las grandes casas estaban más allá de esas
murallas.

Son nuestros primeros días en Capri, había tanto que ver,
tanto que admirar. Tuvimos que aprender a vivir en una isla,
todo era diferente.

Este Capri, con esta quietud de invierno, no tiene nada que
ver con el Capri lleno de turistas del verano. Ahora había quietud. Comenzamos a conocer a la gente que allí vivía permanen-
temente, gentes sencillas, confiadas, con deseos de ayudarnos.

Nos fuimos a la plaza, la noche anterior nos había parecido
un gran escenario, nos seguía pareciendo lo mismo rodeada de
cafés, toda llena de sillas y mesitas; varias calles salen de sus
costados irregulares. Son tan pequeñas que casi no se notan y,
como lo principal que atrae la vista, una iglesia pequeña, antigua, bella; a su costado, una gran escalinata: es una calle. Nos
sentamos para admirar mejor esta plaza. Cerio, nuestro amigo,
decía en uno de sus libros que esta plaza es la obra perfecta
de Dios. Creo que no exageraba. Había algo especial en ese ambiente de Capri, algo familiar, algo limpio, que hizo que nos
sintiéramos en nuestra casa desde el primer momento. En esa
plaza nos sentamos y muy pronto vino gente a saludarnos, los
mozos, el dueño de la librería, el dueño del café. Todos nos daban la bienvenida. A esta isla había llegado la noticia de la expulsión de Pablo, esto había hecho que todo el pueblo quisiera
conocernos y manifestarnos su simpatía. Para nosotros, recibir
este calor humano de los caprenses fue reconfortante, hizo que
desde el primer momento nos sintiéramos seguros. Comenzábamos a amar Capri.

Sus grandes hoteles estaban cerrados, pero quedaban unos
chiquitos muy hermosos, había restaurantes y tiendas maravillosas de comestibles, entramos a varias de ellas, si no teníamos
cuidado de ir allí mismo, quedaríamos arruinados, no había que
pagar, todo lo mandaban a la casa y a fines del mes mandaban
la cuenta. Era la vida en una isla, tan distinta, todo hecho para
gustar sin medida; desgraciadamente, nosotros teníamos que
andar con mucho cuidado. Juntando mi capital y el de Pablo,
podíamos vivir, pero sin ningún despilfarro.

Fueron pasando los días; en forma incansable conocíamos esta isla fabulosa, pronto nos conocían en todas partes. A los caprenses les gusta mucho dar títulos a la gente. A Pablo, no sé por qué, le dijeron «professore», poco a poco lo subieron de categoría y comenzaron a llamarlo «comendatore». Todo esto nos hacía mucha gracia. Nos reíamos el día entero, sobre todo de nosotros, que estábamos aprendiendo a vivir en una isla.

Su única gran desilusión fueron las playas quietas. Cuando llegamos a esa Marina Piccola, Pablo me dice, añorando tal vez su Isla Negra: «¡Si este mar rugiera! Aquí, sus aguas mansas llegan a la orilla casi silenciosas; además, no huele como nuestro mar.» La verdad es que no nos gustó nada. Para compensar esta desilusión estaban los farellones de Capri, cerca de nuestra casa. Son grandes rocas que se elevan a una inmensa altura. Allá abajo está el mar, impresiona mirarlo. Conservo muchas fotos de ese lugar, nos las tomábamos mutuamente. Pocas veces tuvimos a alguien que nos tomara fotos juntos.

A los dos días de estar en Capri, la Questura, o sea, la policía, nos rogaba que pasáramos con nuestros documentos por las oficinas. Fue una entrevista muy cordial, se ponían a nuestras órdenes para todo. Pablo les preguntó si tenía que dar aviso cuando fuéramos a Nápoles o a otra isla. Un rotundo no fue la respuesta. Sonriendo, Pablo me decía después: «¿Para qué quieren que avisemos, si en el momento mismo que salgamos de Capri ellos lo sabrán?»

Por lo menos allí en Capri nadie nos sigue, tenemos una sensación de libertad. Somos unos incansables viajeros dentro de la isla y en Anacapri, que está a mayor altura y es más grande aunque no tiene la belleza de Capri, paseamos en unos cochecitos con caballos, lentamente; andar en ellos es nuestra gran fiesta. Van pasando los días.

Un acontecimiento feliz viene a sacarnos de la paz de estos días plácidos, de ese peregrinar incansable. Yo estoy segura de estar embarazada. Nos recomiendan un viejo doctor que habita en Capri, es el doctor Proscilio. Me dice que está casi seguro de mi estado, pero que, de todas maneras, mandará un examen a Nápoles.

Hoy será un día con grandes noticias: llegará de Nápoles, por correo, el resultado de mi examen. Tengo la seguridad de que será positivo. Me quedé en el café de la plaza, Pablo fue al correo. Miraba con insistencia hacia donde él tenía que aparecer. Lo veo venir radiante, me levanto para preguntarle, pero no alcanzo a decir palabra, un beso largo, largo, me cerró la boca, nos reíamos, cantábamos, en la plaza nos miraban y nos reíamos felices con nuestro secreto. Decidimos celebrarlo. Tomamos unos aperitivos en la plaza, nos fuimos a nuestra casa, decidimos ir a comer a un restaurante. Nos despedimos de Amelia, que en ese momento se iba a su casa, y nos fuimos a celebrar este gran acontecimiento; cada vez estábamos más contentos, tomábamos esos vinos de la región, claros y suaves, parecen inofensivos pero no lo son tanto.

Tarde, muy tarde, cuando ya nadie quedaba en el restaurante, nos despedimos del personal, que eran nuestros amigos, y lentamente nos fuimos a nuestra casa. En la puerta estaba *Nyon*, ladrando y gimiendo. Era una noche muy fría, Pablo se buscó la llave en todos los bolsillos y no la tenía en ninguno. «Debe tenerla usted», me dice. La busqué en mi cartera, nada, la llave no estaba. Al otro lado de la puerta, *Nyon* lloraba, sabía que estábamos ahí. La llave no aparecía, me senté en el suelo y vacié mi cartera, no estaba. Pablo buscó por todas partes, no estaba. ¿Qué pudo haber pasado?, nos preguntábamos. «Pablo —le dije—, déjeme que yo busque en todos sus bolsillos, usted debe tenerla.» «Es inútil —me contestó—, ya la busqué en todos, dos veces.»

Hacía mucho frío y era muy tarde, teníamos que irnos a un hotel, ¿a cuál? ¿Nos abrirían a estas horas? Nos fuimos caminando al primero que encontramos, tocamos, estaba todo oscuro, salió un nochero malhumorado. Le pedimos una pieza, no nos conocía, estos extranjeros que, además, hablan pésimo italiano. Con dificultad, le explicamos que vivíamos en Capri, pero que nuestra llave se había perdido, que allí, detrás de la puerta, estaba nuestro *Nyon* llorando, esperándonos. Abrió los ojos muy grandes, ¡¿cómo?!, un niño llorando detrás de una puerta, y nosotros aquí tan tranquilos, muertos de risa, pidiendo una pieza para dormir. Dios mío, qué situación tan angustiosa, no podíamos hablar, la risa fue subiendo como una ola, nos reíamos y nos reíamos, y este nochero se ponía más y más furioso. Qué trabajo para convencer a este hombre que *Nyon* no era un niño, sino mi perro regalón. Después de mucho hablar, conseguimos una pieza que más parecía una heladera. Qué frío hacía, y pensar que en nuestra casa calentita nos esperaba el fuego que prendía Amelia antes de irse y que siempre encontrábamos encendido.

Por suerte, estábamos muy contentos y toda esta desgracia nos producía ataques de risa, que era lo que más había indignado a nuestro nochero. ¿Cómo alguien podía reírse tanto por haber perdido una llave?

Al otro día, Pablo se levantó y salió de la pieza para saber dónde estábamos; al poco rato, sentí en la puerta unos golpecitos muy suaves y una mano entró, sólo una mano que apuntaba con nuestra llave: estaba en uno de sus bolsillos.

Nos fuimos a nuestra casa imaginando qué habría pensado Amelia cuando, al entrar con el desayuno, no nos había encontrado. Efectivamente, nuestra Amelia ya había avisado de nuestra desaparición a la casa de Cerio, quien había comenzado a inquietarse.

Tuvimos que contar este cuento muchas veces, todo Capri supo que el matrimonio Neruda perdía las llaves de su casa y se iba a dormir a un hotel. Cuando llegamos al bar de la plaza, nuestra mesa se llenó de curiosos. ¿Cómo fue eso de irse a dormir a un hotel? Y comenzábamos de nuevo el cuento. Era como vivir en un pueblecito, todo hacía noticia, todos nos conocían, todos nos acompañaban.

Siempre he dicho que conocí la vida perfecta y, si existe un paraíso, debe ser como esta armonía de vida que me tocó en suerte vivir.

Y los meses fueron pasando. Pablo me mimaba, era amada. Además, este hijo que llegaría y cambiaría nuestra vida. Pero nada nos preocupaba, el hijo llegaría, yo sería la mamá, Pablo su papá, nada nos asustaba. Un día, Pablo me dijo: «En unos días más, cuando la luna esté llena, quiero que nos casemos, porque nos va a nacer un hijo y debemos estar casados. Haremos una fiesta y nos casará la luna, hoy mandaré a hacer el anillo que usted llevará toda su vida.» En Capri había un viejo joyero que nos hizo mi anillo, donde se lee: «Capri, 3 de mayo, 1952, Su Capitán.»

En Capri hay tejedoras a telar, hacen telas de fantasía maravillosas. Pablo me mandó a hacer una con listas negras y verdes, todo aquello con hilos dorados, éste sería mi traje de novia. La modista, una muchacha que veíamos a menudo, se quedó muy admirada cuando Pablo me dijo, en la última prueba: «Con ese vestido será usted una novia muy linda.» Todo esto que para nosotros era lo más natural del mundo, era la conversación obligada de Capri y estábamos catalogados como la pareja más excéntrica que había vivido allí.

Nuestra amiga Sara Alicatta, que estaba haciéndose una casa en Capri, venía muy seguido de Nápoles y oía todos los comentarios del *comendatore Neruda e la sua moglie.*

Cuando todo estuvo preparado, llegó el día elegido para nuestra ceremonia. Muy temprano, brindamos con Amelia y le dimos su tarde libre, necesitábamos estar solos. Pablo tenía todo preparado para hacer la decoración de la casa, yo me fui a la cocina, le hice un pato a *l'orange* y muchos platitos pequeños de pescados en diversas salsas y camarones de varias maneras.

Cuando todo estuvo listo, le entregué el menú y él me llevó a ver su decoración; al mirar todo aquello, sentí no poder más de felicidad, algo iba a estallar dentro de mí. Miré esos muros llenos de flores, de ramas, y en todas partes se leía *Matilde, te amo,* o *Te amo, Matilde,* con letras grandes, recortadas en papeles de todos colores. Nos abrazamos largamente. Salimos a la terraza. Una luna llena, brillante, había acudido a nuestra cita.

Allí, en la terraza, temblorosa de emoción, vestida con mi traje verde que daba luces, sentí que esa luz de la luna no era fría, había algo alrededor nuestro, un embrujo extraño. Allí, Pablo, muy serio, sin un asomo de broma, le pidió a la luna que nos casara. Le contó que no podíamos casarnos en la tierra, pero que ella, la musa de todos los poetas enamorados, nos casaría en ese momento, y que este matrimonio lo respetaríamos como el más sagrado. Tomó mi mano y me puso el anillo. Pablo me aseguró que la gran boca de la luna en ese momento se movía. Estaba dándonos su bendición, de eso estábamos bien seguros. Ya estábamos casados, nos besamos largo, largo, y después, tomados de la mano, desfilamos por toda la casa cantando el himno nupcial de Lohengrin, el que me traía recuerdos del coro del Municipal, donde había cantado para ganarme unos pesos cuando era alumna del conservatorio.

Cantábamos, bailábamos, nuestro perro *Nyon*, testigo de tanta felicidad, quería participar en alguna forma y nos seguía mientras bailábamos, enredándose en nuestros pies. La luna nos miraba, nos seguía a través de la ventana. Pablo me la señalaba, y me decía: «¿Le ve la bocota? La tiene tan grande como la suya, se está riendo.» Levantábamos nuestra copa y brindábamos con ella. ¡Qué luna tan hermosa! ¡Qué noche de felicidad tan completa!

¿Cómo se podía amar tanto? ¿Cómo se podía ser tan feliz? ¡Qué comida tan alegre! A cada momento, me decía: «Usted es la reina de la cocina. ¡Qué bien casado estoy!»

Grande fue nuestra sorpresa cuando vimos las primeras luces del día; había pasado la noche sin darnos cuenta. «¡Qué horror! —me dice Pablo—. ¡No vamos a tener noche de luna de miel!» Apresurados, y riéndonos como chicos, le pusimos un gran aviso a Amelia para que no nos despertara hasta que nosotros la llamáramos. Buen trabajo tendría en la cocina para limpiar el desorden de nuestra gran fiesta.

Después de esa noche, he ido a innumerables matrimonios de amigos y de parientes, creo poder asegurar que nadie ha tenido un matrimonio más verdadero y más feliz que el mío, el que bendijo la luna.

Durante largos años, mis sueños se poblaron con estos recuerdos; la fantasía que, sin duda, se agrega a través de los años, quizá los fue agrandando y embelleciendo.

Esto me lo hizo notar Pablo, en un momento en que estábamos comiendo, años después, en el pequeño departamento de Providencia, en Santiago. Yo le dije: «Los recuerdos de Capri son para mí como un paraíso perdido.» Él me miró con una dulce extrañeza y me aseguró que en nuestra vida tendríamos muchos paraísos, porque nosotros nos encargaríamos de que así fuera.

A muchos años de este matrimonio en que nos bendijo la luna, Pablo quedó viudo y nos volvimos a casar en 1966.*

Esta fiesta fue con invitados, con fotos, con comida, con

* Se refiere al primer matrimonio de Neruda, con María Antonieta Haagenar, realizado en Batavia (Java), el 6 de diciembre de 1930, cuando el poeta era cónsul de Chile.

mucha gente que brindaba por los novios. Nosotros, nerviosos, queríamos estar solos, queríamos resucitar aquella noche de nuestro primer matrimonio. Pero los momentos de gran felicidad nunca se dan de la misma manera.

Aquella noche de Capri no podía repetirse nunca más, fue única y se quedó en nuestro recuerdo.

9

CUENTOS DE MI VIDA

Pablo ha terminado *Los versos del capitán*. Hemos hablado con nuestros amigos de Nápoles para sacar una edición. Paolo Ricci fue el más entusiasta y el que más trabajó. Se hicieron cincuenta ejemplares, todos con el nombre de los suscriptores. Es un libro muy cuidado y muy hermoso; en la portada, una cabeza de la Medusa. Pablo me llama «chascona» porque siempre mi pelo se levanta desordenado; los italianos me decían «Medusa». Éste es un libro muy poco conocido, creo que en Chile no hay ninguno, excepto los que yo tengo. Hay uno que dice: «Neruda Urrutia», era para nuestro niño —o niña— que nacería. Pablo quería una niña: «Que se parezca a usted», me decía. Me reía, pero creo que muy dentro de mí estaba el deseo de tener un niño que fuera como Pablo.

En la mañana, esta casa se convierte en una oficina con bastante trabajo. Pablo está escribiendo mucho. Su libro *Las uvas y el viento* va creciendo poco a poco. Yo le saco la primera copia a máquina, él corrige, y, después, la definitiva. Soy feliz ayudándolo, siento que formo parte de su trabajo y esto me llena de orgullo.

Un día, me dijo:

—Hoy escribiré algo que a usted le va a gustar mucho, pero no se lo leeré hasta la tarde.

Durante todo el día me repite que será una sorpresa. Pienso mucho en qué puede ser, los poemas de amor nunca me los anuncia.

En la mañana se puso a escribir. Cuando terminó, había satisfacción en su cara.

Todo nos divertía. En las tardes, subíamos a un teleférico

donde me gustaba cantar. Mi voz tenía una resonancia única en esas alturas. Pablo ya conocía mi repertorio y sobre todo me pedía que le cantara canciones chilenas, siempre tenía presente su país.

Nos fascinaba ir a Nápoles, eran nuestros días de fiesta. Nos alojábamos en el departamento de nuestros amigos Alicatta, donde llegábamos cualquier día, a cualquier hora. Con Sara habíamos llegado a un acuerdo: le pedimos que nos diera el sofá de su *living* para dormir. Cuando se lo propusimos, se rió mucho, diciéndonos que no cabíamos y amaneceríamos en el suelo. Pero cuando se dio cuenta de que no usaríamos su dormitorio, accedió. Era un sofá muy angosto, pero largo, yo no sé cómo lo hacíamos, pero dormíamos en él con toda comodidad y, en las noches, nos dábamos las vueltas al unísono.

Amábamos ir a Nápoles, esta ciudad que no esconde sus miserias y cuyos diferentes semblantes se van descubriendo como si fuera una caja de sorpresas; se habla alto y, sobre todo, se canta. Todos cantan.

En esos días, en Nápoles se vivía un ambiente muy contrario a los norteamericanos. La flota se paseaba por los puertos de Italia, dejando no muy buenos recuerdos, sobre todo en las mujeres, que, después de oscurecer, no podían andar solas sin sentir las ofensas de estos *marines* que también querían imponer el amor con su fuerza bruta. Todo esto lo veíamos, y lo sufrimos una tarde en que, con Sara Alicatta, nos separamos un momento para comprar cigarrillos. Dos *marines* iban arrastrándonos al interior de un bar. Gritamos. Los *marines* vieron avanzar a dos hombrotes con cara de pocos amigos, eran Pablo y Mario Alicatta, el marido de Sara. Nos dejaron inmediatamente y arrancaron.

—¡Qué pena! —decía Mario—. ¡Con los deseos que tengo de pegarles!

Todo lo que vimos en ese tiempo fue su material para el capítulo «Italia» de *Las uvas y el viento*. Pienso que muchos poemas de este libro pueden parecer exagerados a la juventud de ahora, pero les aseguro que todo lo que Pablo escribe allí pasaba en Europa en ese momento, y nosotros lo vivimos. Además, en los periódicos de entonces se daban muchísimas de estas noticias.

Todos los viajes se terminaron de repente. Comencé a sentirme mal. El doctor Proscilio, al saber que había tenido ya una pérdida, me recomendó reposo por un tiempo.

Estos días de quietud forzada en que no podíamos salir a vagabundear, nos sentábamos en nuestra terraza y conversábamos de nuestras vidas. Pablo tenía avidez por conocerlo todo. Una tarde, sorpresivamente, me dijo:

—¿Cómo se llamaba su madre? ¿Cómo se llamaba su padre? Cuénteme algo de ellos. ¿Vivieron siempre en Chillán?

—Es una larga historia, creo que va a interesarle mucho. Mi padre se llamaba José Ángel, mi madre, María del Tránsito. En las lluviosas noches de Chillán, ella me contaba muchas historias que me emocionaban mucho, siempre estaba pidiéndole que me las contara de nuevo. Estos cuentos, contados por mi madre en las noches lluviosas de invierno, al calor del brasero, deben haberme causado mucha impresión, por eso, los recuerdo con gran nitidez.

Ella vivió en el campo, en Argentina, cerca de Chosmalal, un pueblo muy pequeño. Sus padres tenían plantaciones de tabaco. Era hija única. Se crió en ese campo. Me describía minuciosamente cómo eran las plantas de tabaco. «Hay unas hojas rubias que son las mejores. Desde muy pequeña, me hacía unos cigarros con estas hojas y aprendí a fumar», me decía. Cuando me contaba todo esto, allá en Chillán, compraba tabaco suelto y se hacía unos cigarros en hojas secas de choclo, esas que están pegadas a la mazorca y que son muy finas.

Mi madre recordaba a su padre como un hombre muy bondadoso y tierno, que amaba extraordinariamente los animales; si tenía uno enfermo, se levantaba varias veces durante la noche para verlo, y ellos parece que lo entendían, parece que le hablaban cuando se acercaba. Las casas estaban muy aisladas porque las extensiones de tierra eran enormes. Mi madre me contaba que su vida era muy tranquila y que su casa estaba llena de felicidad, hasta el día en que llegó la peste que mató a mucha gente y, entre ellos, a su padre. Desde ese momento, todo cambió. Recordaba ese momento como muy doloroso. Me decía que estaban muy aisladas y, por las noches, se sentían solas y tristes con su madre. En ese tiempo, mamá tendría unos ocho años. La vida siguió más o menos igual y se las fueron arreglando sin ese padre amado. En tiempos de cosecha, llegaban a la casa muchos compradores de tabaco. Entre ellos, llegó un día un hombre que a mi madre le pareció rudo y de inmediato sintió que no lo quería. Era un forastero que compraba tabaco en toda la región. Comenzó a ir muy seguido a su casa, aun cuando no había ya tabaco para comprar. Cuando llegaba, mi madre se escondía y, aunque se mostraba muy cariñoso con ella, no lo quería. En una de esas visitas se quedó allí, dueño de todo: de mi abuela, que se llamaba Santos, y del tabaco. Y tuvo que soportar a mi madre, que lo odiaba. Me pregunto cómo fue creciendo y soportando a ese hombre al que jamás dirigió la palabra; jamás tuvo un gesto amistoso para su padrastro, quien terminó odiándola tanto como ella a él. Mi madre decía que no era un hombre malo y que quería mucho a mi abuela, pero, cuando se emborrachaba, era un bruto desenfrenado. Cuando eso ocurría, ambas mujeres lo sabían porque desde lejos llegaba gritando y lloraba llamando a mi abuela. Entonces, tomaban unas mantas y se iban a dormir a los trigales, lejos de la casa, y allí, temblando de miedo y de frío, mi madre se quedaba dormida, apretada al cuerpo de mi abuela. Nunca pudo olvidar esas noches en que se sentían tan desamparadas y solas. Al amanecer, regresaban a la casa.

Una de esas noches en que sintieron su llanto allá lejos, fueron a esconderse a unos arbustos, pero él, en lugar de entrar en la casa, salió a buscarlas, rastreando todo el contorno a caballo. En la medida en que se acercaba, ambas temblaban de miedo. Mi abuela decidió entonces volver a la casa, ya que a ella no le haría daño, pero mandó a mi madre donde su madrina. Ésta vivía muy lejos, la noche estaba negra, no se veía nada. En cuanto mi abuela se fue, mi madre vio llegar al hombre, quien arremetió contra los arbustos que la ocultaban, mientras lloraba y gritaba. En esos días había muerto un anciano que quería mucho a mamá, se llamaba Mateo. Temblando de miedo entre esos arbustos, mi madre rogaba al ánima bendita de don Mateo que la protegiera de ese bruto, que no la encontrara. Muy cerca suyo sintió las patas del caballo y la huasca que caía sobre las ramas, mientras una voz entrecortada y ronca de furia gritaba: «¡Sale, o te mato!» El miedo la tenía paralizada, inmóvil, camuflada como un arbusto más. Por fin, esa amenaza terrible se alejó, y mi madre, a tientas, cayéndose mil veces, caminó hasta la casa de su madrina. Medio desmayada y casi al amanecer llegó donde estas buenas gentes que, con una compasión infinita, la abrigaron y la hicieron dormir. Al otro día, tenía los pies ampollados, todo el cuerpo le dolía, como si le hubiera pegado el borracho de su padrastro. Pasó una semana, y mi abuela fue a buscarla, diciéndole que el padrastro había jurado que nunca más bebería. Aunque ninguna de las dos le creía, mi madre volvió a su casa, ése era su destino.

Y así fue creciendo mi madre, muy infeliz, con mi abuela, a quien adoraba, y con ese hombre que odiaba con todas las fuerzas de su alma.

A estas alturas de mi relato, miro a Pablo, que está muy interesado.

—Otro día le contaré cómo se fue mi madre de su casa.

—No, quiero saberlo ahora mismo —me dijo Pablo.

Estábamos en nuestra terraza de Capri y comenzaba a refrescar.

—Vamos adentro —me dice—. Hagamos un fuego y me sigue contando.

—Hagamos una fiesta —le propuse—. Pongamos en el rescoldo una tortilla, es lo que yo comía en Chillán.

—¡Mire qué pulchen tan blanco hace esta leña! —le comento, removiendo el fuego.

—¿Cómo dice? Esa palabra, pulchen, no la oía desde la infancia, y qué linda es —me dice, añorando su país que le han quitado.

Me fui a la cocina a preparar la tortilla y volví con ella, envuelta en un mantel. Pusimos una mesa cerca de la chimenea e hicimos fuego. ¡Qué felicidad más completa me regalaba la vida!

—Cuénteme. Cuénteme, ¿cómo se casó su madre? —me dice ansioso. Me gustaba su curiosidad y hurgaba en mi memoria detalles que me había contado mi madre.

—Siempre le gustó columpiarse. Ponía unos cordeles en los ganchos de los árboles y se columpiaba fuerte, fuerte; a veces llegaba hasta las mismas ramas de los árboles. Riendo, me decía que era su placer favorito, que incluso cuando ya estaba grande, no dejaba de columpiarse.

Una tarde en que se columpiaba, llegó a la casa un señor maduro, podía tener la edad de su padre; era rubio, de ojos muy azules. Miró con curiosidad a esta niña y, acercándose a ella, quiso tomarle la mano. Pero mi madre, esquiva y salvaje, se alejó corriendo. El extraño siguió yendo a la casa, conversaba con el padrastro y con su madre, comenzó a llevarle regalos y trataba de acercarse a ella, pero todo era inútil. Sin embargo, su cara bondadosa y una sonrisa que nunca perdía se la fueron ganando y comenzó a aceptarle algunos regalos.

Mi abuela entonces comenzó a hablarle de este hombre, que parecía tan bueno y que quería casarse con ella. Era viudo. Sus hijos, ya grandes, vivían en Chile.

Mi madre me contaba que en ese momento este señor sólo le inspiraba respeto. ¿Cómo podría casarse con él? Pero, en la primera borrachera del padrastro (que ya eran más a lo lejos, pero igualmente brutales), dijo que sí. Era la forma de irse de esa casa en la que tanto sufría. Tendría su propio hogar. Y se casó. Se fue con este señor al que nunca tuteó.

Cuando mi madre me contó esto, en seguida le pregunté si lo había amado y cómo había sido ese matrimonio. Se demoró en responderme, tal vez buscaba una respuesta que no me perturbara. Y me dijo: «Creo que fue amor lo que nació de esa unión tan desigual. Era un hombre muy hermoso. Me sentí siempre protegida, amada. Comenzaron a nacer los niños. Yo habría vivido en un hogar muy feliz, de no haber sido por las soledades terribles. Esa región del sur de Argentina era muy salvaje y desolada.»

En ese tiempo había bandas de cuatreros que entraban a las casas y robaban y mataban sin discriminación. Mi padre negociaba con oro. Allí cerca había unas minas que explotaban unos gringos, como les decían los del lugar. Un día, estos gringos amanecieron degollados, parece que se defendieron como pudieron, según las huellas de sangre que había en toda la pieza. Comenzó entonces la intranquilidad. Seguramente, ellos sabían que en nuestra casa a veces había oro, y cualquier día irían a asesinarnos. Tanto era el miedo que habían sembrado los cuatreros, que mi madre no quería dormir en la casa y, por la noche, se iba con mantas y sus dos hijos a dormir entre los arbustos. Contándome esto, mi madre me decía: «Era muy curioso, me casé

103

sólo para tener un hogar tranquilo. Le pedía tan poco a la vida, sólo tranquilidad, y ésta me era negada. Estaba muerta de miedo.» Y, para colmo, hasta allí llegó también la peste, la misma que se había llevado a mi abuelo, y murió su hija de un año.

Habían pasado muchos años de todo eso cuando me relataba esa etapa de su vida, pero aun así, me decía que nada era comparable al dolor de perder un hijo. «Siempre veo su carita, tan linda, congestionada por la fiebre y el ahogo, porque con esa peste mueren ahogados, no pueden respirar.»

A mí me estremecía todo aquello, podía ver el dolor de mi madre, recordando la agonía de su pequeña. Con el tiempo, sus temores se agrandaron hasta convertirse casi en una enfermedad. Había perdido su alegría y los deseos de vivir. Sólo quería irse a Chile. Mi padre trataba en vano de hacerla desistir de esa idea y, como la adoraba, comenzó a vender todo y a preparar ese viaje sin gran entusiasmo. Tenía un hermano en Chile que se había quedado en Parral, donde había comprado tierras. El entusiasmo de mi madre por el viaje entusiasmó a los empleados que trabajaban en su casa y fue creciendo la caravana. Los acompañarían tres familias que también vendieron todo lo que tenían. Y, por fin, llegó el día de la partida. Dejó todo sin ninguna tristeza, detrás de esa cordillera que atravesaría estaban todas sus ilusiones. Estaba segura de que allí encontraría lo que buscaba: tranquilidad para vivir, cuidando a sus hijos y su casa.

El fuego se ha consumido, dejando un rescoldo maravilloso para meter mi tortilla que está a nuestro lado, fragante, envuelta en un mantel. Pablo me dice:

—Siga, siga. ¿Cómo fue la llegada a Chillán?

—La tortilla no puede esperar —le digo—, el rescoldo se enfría muy pronto. —Separo esas cenizas, le hago un lecho a mi tortilla, la tapo, y encima le pongo las pequeñas brasas que ha dejado la leña.

—Esto es un rito —me dice Pablo—. Usted es una santa de la cocina.

Me siento agradecida de la vida, que allí me está entregando tanta felicidad. Nunca nadie me había preguntado quién había sido mi padre, qué había hecho mi madre, qué tuve cuando niña. Yo no le había interesado a nadie en esa forma, y me siento feliz de relatar por vez primera estos recuerdos que aquí, en mi cabeza, habían dormido tantos años. Y mientras veo cómo sube mi tortilla y su fragancia llena la pieza, sigo con mi relato.

—La travesía de la cordillera duró muchos días. Mi padre llevaba al niño, y mi madre a la pequeña, que todavía no cumplía un año, muy arropada en mantillas y pañales. En ese tiempo, a los pobres bebés los cubrían con tantos pañales que los dejaban hechos unos pequeños fardos, sin ningún movimiento. Cambiaban de mulas muy seguido, porque se cansaban; pero a mi madre casi no se la cambiaban, porque era muy delgada y no pesaba mucho. Sin embargo, en un momento en que la mula tenía que subir, de seguro ya estaba cansada porque, en lugar de hacerlo, comenzó a retroceder. Por sujetar a la niña, mi madre perdió el equilibrio y cayó. La niña saltó de sus brazos y rodó hacia abajo. Angustiada, mi madre la veía caer, cubierta de sangre. Todos bajaron a buscar a la pequeña. Lo que mi madre había creído que era sangre, era la mantilla roja que la cubría, ella no tenía ni un rasguño.

Con miles de peripecias y después de varios días de viaje, llegaron por un paso hasta Pinto; al lado estaba Coihueco, ¡por fin Chile! Allí acamparon. Era un pequeño pueblo donde se vendían buenas tierras con campos con agua, hermosos. Los amigos se entusiasmaron con ellas y se quedaron. Mi padre también quería quedarse, pero mi madre no quiso saber nada de campo, viviría en una ciudad, quería llegar hasta Chillán. Más tarde, reconocería su error, pero ya sería demasiado tarde.

Llegaron a Chillán, a mi madre le pareció que llegaba al mismísimo paraíso, de allí no se movería. ¡Vivir en una ciudad, con casas pegadas una al lado de la otra, donde había vida, donde había gente, donde todo bullía! Estaba contenta, se reía, cantaba. Mi padre estaba feliz al ver que mamá había recuperado su alegría, eso era lo que él más amaba. Buscaron casa; por supuesto, mi madre la buscó en el corazón mismo del pueblo, a tres cuadras de la plaza principal. Allí se compraron una inmensa casa, con jardines y muchos árboles frutales. Mi padre comenzó a trabajar en un ramo completamente nuevo, puso una bodega de frutos del país, se hizo comerciante y no había nacido para eso. Si bien aquello le daba para vivir, nunca saldría a flote, pues no era un verdadero comerciante.

Mi madre inició su vida en Chillán haciendo lo mismo que en su casa de Argentina. Hizo una huerta, sembró papas, trigo; en todo el cerco, sembró alcachofas, y convirtió ese inmenso sitio en su campo productor, pero jamás descuidó el jardín; en esa casa vi las variedades de rosas más grandes y bellas; las madreselvas trepaban y cubrían un gran corredor, donde se desarrollaba toda la vida de la casa.

Y así fueron transcurriendo los años, en esa paz provinciana. Mi madre tuvo cinco hijos; cuando ya creía que no tendría ninguno más y los otros estaban grandes, nací yo. Siempre oí decir a mi madre: «Éste es el conchito.»

Cuando yo tenía un año, murió mi padre. Aunque aún eran jóvenes, mis hermanos ya estaban grandes y, alegremente, comenzaron a hacer vida independiente; Santiago los atraía, y se fueron. Todos los recuerdos de mi infancia son con mi madre, sola, yo era como hija única.

La bodega de frutos del país se acabó y terminamos arrendando la mitad de la casa, que era muy grande; con ese dinero vivíamos muy estrechamente.

Mi tortilla debe estar lista. La descubro y veo que está dorada y humeante. Voy sacando poco a poco las cenizas. Pablo contempla todo esto con asombro, al verla cubierta de cenizas, no dan ganas de comérsela. Traigo unos manteles y la limpio prolijamente. Ahora está brillante. Con un cuchillo, voy sacándole pequeñas partes quemadas, la doy vueltas sobre el mantel y, por fin, la envuelvo y la llevo a la mesa. ¡Qué fiesta! ¡Qué recuerdos!

Cuando ya todo estaba listo, llamamos a Olivito, aquella caprense maravillosa que nos acompañaba durante algunas horas del día. Nunca la sentíamos llegar y Pablo me decía que, al caminar, parecía hacerlo en unas ruedecitas silenciosas. Era tan suave; la queríamos tanto que Pablo le puso Olivito.

Al ver todo lo que teníamos en la mesa, no podía creerlo: «¡Y lo ha hecho la señora!», gritaba. Casi se cae, junto con una sopera humeante que traía en las manos. Cortamos un pedazo de mi tortilla, estaba tan caliente que casi no podíamos tomarla; le puse un poco de mantequilla que se derritió en seguida, y les serví a Pablo y a Olivito. Se puede ser feliz con tan poco... La comida de esa noche fue muy alegre.

—Mañana me sigue contando por qué dejaron esa casa de Chillán —me dijo Pablo.

Y la vida sigue su curso en esa quietud forzada por el reposo que debía guardar. Pablo se mueve todo el día, sale de compras en la mañana y siempre está dándome pequeños regalos. ¡Cuánto lo amo!

Nuestra vida se limitaba. Hacíamos fuego y leíamos mucho. Regañaba a *Nyon* que, inquieto, correteaba por toda la casa, extrañando sus largos paseos. Una tarde de sábado, se declaró independiente y escapó. Era muy tarde y no volvía. Al día siguiente, tampoco. Le contamos esto a nuestro amigo Cerio y, cuál no sería nuestra sorpresa cuando, muy seguido, empezamos a oír en la radio la noticia de que se encontraba extraviado *il cane* del poeta Pablo Neruda; lo describían cuidadosamente y pedían informar a la «Cassetta d'Arturo». Nuestro perro se había hecho famoso. En la noche del domingo, llegó con una corbata anudada en su collar. Seguramente se lo llevaban y logró escapar. Al entrar a la casa, se volvió loco de alegría, iba hacia Pablo, después hacia mí y, cuando logró tranquilizarse, tomaba agua y más agua. Muy emocionados, lo mirábamos. Pablo me dijo:

—Qué lástima que no sepa hablar. Nos perdemos el relato de sus aventuras que, a juzgar por su aspecto, han sido terribles.

Desde ese día le tuvimos mucha envidia: se hizo muy famoso.

La noche en que regresó nuestro perro, volvió también la tranquilidad a nuestra casa. Olivito se despide, un gran fuego arde en nuestra chimenea, y Pablo me dice:

—Cuénteme por qué se fueron a Santiago, por qué dejaron su casa de Chillán.

—Mi madre quería que entrara a la Normal, que fuera profesora; también yo lo deseaba. Todos mis hermanos estaban trabajando en Santiago; el mayor estaba casado y tenía dos hijos. Era natural que quisiera reunirse con ellos. El verano anterior habíamos ido a Santiago por unos días y yo había quedado deslumbrada, me gustaba el ruido de la locomoción eléctrica, y encontré que había tanta luz, tanta gente.

Sin pensarlo mucho, mi madre puso en venta la casa, encontrando inmediatamente comprador, un abogado. Los días pasaron rápidamente entre nuestros preparativos de viaje y la firma de las escrituras. A medida que se acercaba el momento de mi partida de esa casa, se fue acabando mi alegría: ya no correteoría más por sus jardines, no me subiría más a sus árboles. Fui poniéndome muy triste, y el día que la dejé lloraba y lloraba. Mi madre, en cambio, dejó esa casa entre nostálgica y contenta. La esperanza de reunirse al fin con sus hijos la hacía feliz; su vida en Chillán, con toda seguridad, era bien monótona y solitaria.

Partimos a Santiago. Entraba yo a una nueva vida.

Mi madre creía llevar mucho dinero y pensaba comprarse una casa. Yo le pedía una que tuviera árboles, jardín, un gran parrón, y un corredor para la casa de mi perro. Estaba pidiéndole una casa exacta a la que habíamos dejado en Chillán. Muy pronto, en Santiago nos golpeó la realidad. Sólo pudimos comprar un sitio en la calle Lira, a la altura del 1 900; al frente, había un gran potrero lleno de pasto, llegaba hasta Maestranza, el antiguo nombre de la calle Portugal. Allí hicimos una casita de tres piezas, una casita de pobres, pero muy pronto era un bosque de arbustos y de flores. Recuerdo que tenía una reja, había como un antejardín, y esta reja estaba tapada de suspiros grandes, hermosos, y, por todas partes, plantas y flores; en un rincón muy pequeño teníamos orégano, cilantro, perejil, menta, yerbabuena, toronjil... Todo esto daba un olor a campo y a vida. Yo tenía trece años. Y así fue transcurriendo mi vida, en una casa muy pobre.

En cuanto llegué a Santiago me inscribí en la Normal y di los exámenes. Estaba segura de que quedaría, era estudiosa y siempre sabía todo lo que me preguntaban. Mi primera amargura fue al ver las listas. Estaba entre las aprobadas, pero las vacantes eran pocas y no había sido favorecida en el sorteo. A los pocos días de aquello, mi madre se encontró con una señora que habíamos conocido en la Normal, cuya hija había sido aceptada. Le contó que yo no había quedado, a pesar de haber dado un buen examen, que no había tenido suerte en el sorteo.

Al oírla, esta señora le dijo: «¡Pamplinas! Debería haberse buscado una cuña, aquí no se entra si no se es apuntalado. Mi hija es flojísima, pero yo sabía que quedaría, me lo habían asegurado.» No podíamos entender que en Santiago había que buscar cuñas. Éramos tan solas, tan indefensas. ¿Dónde estaban esas cuñas? ¿Cómo conseguirlas? ¡Qué misterios tenía la capital!

Con muy buen humor, Pablo se pone a reír con mi cuento, y yo suelto la carcajada al verlo reír con tantas ganas.

—¡Pero qué bueno que no entrara en la Normal! —me dice—. Usted habría sido una profesora insoportable, no la habría encontrado, y no cantaría.

—Sí —le contesto—. Pero en ese momento mi desorientación era muy grande.

»Luego tuve amigas en el barrio y, una de ellas, asistía a un instituto comercial; como yo ya no tenía dónde inscribirme y, para entrar a la Normal, debía esperar un año, me fui a ese instituto, y fue muy bueno, porque al poco tiempo entré a trabajar.

»Para conseguir mi primer empleo me puse tres años de más, aún no tenía edad para trabajar. ¡Qué emoción cuando recibí mi primer sueldo! Me pareció tanto dinero. Tuve cantidades de empleos, en una cooperativa, en el correo, en el Seguro Obrero, donde ganaba un poco más y pude darme el lujo de estudiar canto en forma particular con Consuelo de Guzmán, la primera esposa de Juan Guzmán Cruchaga, de quien tenía dos hijos; ella vivía con la hija y él, con el hijo. Ahora está casado otra vez y vive en Colombia.

—Lo conozco mucho —me dice Pablo—, y también conozco a Raquel, su segunda mujer. A la primera, nunca la conocí.

—Tengo mucha curiosidad por conocerlo como persona —le dijo a Pablo—. Dígame cómo es ese ser apasionado, violento. He leído las cartas que mandaba a Consuelo. Cuando se separaron, ella se fue a los Estados Unidos.

Consuelo tenía un cofrecito lleno de cartas, las más apasionadas y hermosas que una mujer puede recibir. Me las pasó una tarde en su casa y las leí todas. Salí a buscar los libros de Guzmán Cruchaga para leerlos, pero en ningún poema encontré la pasión de las cartas. Me gustaron tanto, que jamás he podido olvidarlas.

En los momentos en que escribo estos recuerdos, tanto tiempo después de habérselos contado a Pablo, cuando Juan Guzmán Cruchaga ya está muerto, me pregunto: ¿Dónde está Consuelo? ¿Dónde está el cofrecito con esos tesoros de cartas?

—¿Por qué no te conocí entonces? —me dice Pablo—. Yo ya estaba en Santiago. ¡Qué gran amiga habrías sido para mí!

Lo miro sonriendo.

—Creo que habría sido todo lo contrario, tú eras un romántico, y yo siempre tuve una alegría desbordante. Te habría parecido frívola y tonta. Esta alegría me llegaba sin motivos justificados. Cuando tú mirabas los crepúsculos de Maruri con deseos de llorar, yo me reía de todo. Era un muchacha pobre que trabajaba para vivir, pero tenía un tesoro de alegría casi exagerado. A fines del mes, siempre terminaba sin dinero para la locomoción y del centro de Santiago me iba a pie hasta mi casa, nueve cuadras pasado avenida Matta. Tenía una amiga que se llamaba Cristina, con ella hacía estas largas caminatas, siempre riendo. Recuerdo que pasábamos por las ventanas de las pastelerías y nos daban ataques de risa porque teníamos tantos deseos de comernos un pastel y no teníamos dinero para comprarlo. Siempre estaba riendo. Para mí, todo era gracioso. Cuando iba al cine, lógicamente íbamos donde pagábamos menos, y nunca tuve deseos de estar abajo, en la platea. Con Cristina viví esas aventuras. Ella es rubia, muy linda. Cuando volvamos a Chile se la presentaré. Ahora está casada y tiene hijos. Cuando, más tarde, nos encontrábamos, hablábamos de esa época y le aseguro que lo añorábamos todo. Si me dieran a elegir una adolescencia, elegiría la misma que tuve, sin agregarle nada, y no crea que lo digo como un desafío, yo siempre fui muy feliz.

Ya estaba aprendiendo mis primeras romanzas de ópera cuando Consuelo fue nombrada profesora del conservatorio. Me tenía mucho cariño y me recomendó entrar al conservatorio, porque allí recibiría clases completas de música, que tanta falta me hacían. Y así lo hice. Trabajaba y estudiaba. A los pocos años, por casualidad, me encontré con Tomás Gatica Martínez y con Consuelo. Planeaban formar una sección musical en el Instituto de Extensión Cultural, yo, medio en broma, medio en serio, les dije que era la única capaz de hacerlo. Parece que a

Tomás le divirtió mi desparpajo y mi seguridad. Me citó para el día siguiente, y así comencé a trabajar en algo que verdaderamente me gustaba. Allí conocí a todos los escritores de esa época, los viejos y los jóvenes. Todos llegaban al instituto. Aprendí mucho y, aunque ganaba muy poco, estaba contenta y seguía estudiando en el Conservatorio. Pero un día fusionaron el Instituto de Extensión Cultural y la Dirección de Informaciones y Cultura. El director, que acababa de llegar de los Estados Unidos, era Aníbal Jara, y me dijo que el jefe de la sección musical sería un señor Garrido y que me pusiera a sus órdenes. Era natural que Garrido, un músico brillante, estuviera de jefe y yo fuese su subalterna, pero ya bullía algo dentro de mi cabeza: quería conocer el mundo. El canto sería mis alas, quería volar, y ése era el momento. Sin pensarlo mucho, presenté mi renuncia.

Miro a Pablo. Está entre nostálgico y divertido con mis confidencias.

—¡Qué curioso! —me dice—. Yo pertenecí al Instituto de Extensión Cultural cuando se fundó, también estaba D'Halmar. Teníamos verdaderos deseos de trabajar, pero un día Tomás nos puso un libro a la entrada, en el que teníamos que firmar y poner la hora de llegada. Fue tanta nuestra sorpresa y tanto lo que nos reíamos, que todos los días escribíamos bromas en el libro. Pero renunciamos. Estas medidas burocráticas nos hicieron reír mucho, pero no nos gustaron. ¿Por qué no la conocí entonces? ¿Por qué no llegó usted un poco antes?

Pienso que no habría sido lo mismo. Yo quería ser independiente, eso estaba por sobre todo en mi vida. No quería ataduras de ninguna especie. Después de la muerte de mi madre, me propuse que nada me ataría. Amaba mi independencia, quería conquistar el mundo. Y, para esto, sólo contaba con ese ángel bueno en el que me había hecho creer mi madre. En la vida no tenía nada, y lo tuve todo.

—Hay dos amigos que fueron decisivos en mi vida, Blanca Hauser y Armando Carvajal. ¿Recuerda cuando nos conocimos?

—Sí, lo recuerdo —dice Pablo, parándose para avivar el fuego que, alegre, arde en la chimenea.

Nos quedamos silenciosos. Viene muy vivo a mi recuerdo ese día en el Parque Forestal. Estábamos sentados y, entre nosotros, Blanca Hauser, mi amiga del alma. Miré a Pablo de perfil y me pareció que jamás había visto ojos iguales a los suyos. Le pregunté a Blanca que quién estaba a su lado, y me contestó: «¡Ignorante! Es Pablo Neruda.» Lo miré con más detenimiento, ¡qué ojos curiosos, si parece que miran hacia adentro! Siento deseos de que me mire a mí. En ese momento, vuelve la cara, me mira, yo lo miro. Al poco rato, habla algo con Blanca. Después, ésta me dice, por lo bajo: «Pablo me ha preguntado que quién eres tú.» Estaba llena de felicidad: había preguntado por mí, y a mi memoria venían sus versos, sus poemas que yo había leído. Cuando terminó el concierto del parque, nos invitó para el día siguiente a su casa, a la hora del té.

—¿En qué piensa? —me interrumpe Pablo.

—En cómo nos conocimos. En las casualidades. Yo creo en el destino. Si aquel día uno de nosotros no va a ese concierto, tal vez nunca nos habríamos amado. Si Blanca no hubiera estado entre nosotros, tampoco se habría producido este acercamiento.

Seguimos hablando de Blanca y de Armando. Cuando nos conocimos con Pablo, yo vivía con ellos, en espera de que me entregaran el departamento de Monjitas que Pablo conoció. Viví muchas veces en su casa. Sus hijos eran pequeños y por las mañanas me despertaban a almohadonazos. Yo los correteaba por toda la casa, haciendo un barullo infernal. Estos amigos me dieron su protección de hermanos toda la vida.

—Serán nuestros amigos en Chile; para mí, son como toda mi familia. Me han dado tanto en la vida. En el teatro Municipal, nunca se me ocurrió siquiera pagar una entrada, siempre entré por la puerta de los artistas; a veces, el portero me decía, refiriéndose a Blanca: «Su hermana ya está adentro.»

Ésa es una característica en mi vida: todo llegaba a mi destino sin que yo lo buscara. Allí en el Municipal, gracias a la ayuda de Armando Carvajal, cantaba en la temporada de ópera y me ganaba unos pesos. En dos temporadas canté en el coro, también hice partes chicas en *Sor Angélica*, en *Manón*, en un *Lohengrin* donde cantaba Melchior, hice uno de los pajes, nos elegían por las piernas, salíamos con mallas y unas pelucas rubias insoportables. Tengo una foto con Melchior de esa temporada, se la mostraré en Chile. Pablo me interrumpe, diciéndome que no quiere ver esa foto. No le gusta nada que haya lucido las piernas en el Municipal. Me río de sus protestas.

No le gusta la ópera, nunca pudo soportarla; si le ponía algún disco de romanzas de ópera, tenía varios, comenzaba a reírse. Yo me ponía furiosa, pero terminaba riéndome con él. Esto mató mi afición por la ópera, hasta hoy día.

Debe ser muy tarde, el fuego va extinguiéndose. Nos hemos quedado silenciosos, pensando, perdidos en ese tiempo. *Nyon* da un salto sobre nosotros y descompone ese momento nostálgico. Volvemos a la realidad.

Cuando ya iba quedándome dormida, mientras Pablo leía (nunca supe hasta qué hora lo hacía), me dijo:

—Mañana me cuenta de ese viaje al Perú. ¿Qué hizo allá?

—Una película que se llamó *La lunareja*, dicen que es muy mala, no la vi terminada, pues tenía que viajar a México —le contesté riendo, y me quedé dormida.

Pero al día siguiente no podría contarle nada. Un hada maléfica, celosa de tanta felicidad que allí en la Cassetta d'Arturo se respiraba, hizo que me agravara. Todo fue inútil y perdí a mi hijo tan amado, tan deseado, que ya tenía infinidad de nombres hermosos, que tenía un libro de *Los versos del capitán*, Neruda Urrutia. Tantas ilusiones se habían desvanecido como el humo. Una sombra se extendió entonces a nuestro alrededor y amenazaba con envolvernos en tristeza y nerviosismo.

Estaba en cama, con fiebre, el médico aseguraba que era un trastorno nervioso, que todo pasaría. Pablo estaba preocupado. De repente, se puso a escribir. Yo lo miraba. Su fisonomía cambiaba, sus ojos brillantes eran de esperanza, de triunfo. Cuando terminó, me dijo:

—En este día en que nos hemos sentido derrotados, le voy a dar a usted un hijo, acaba de nacer, se llamará *Las uvas y el viento*.

Era un día de febrero de 1952.

Dos días después, llegaban de Nápoles nuevos habitantes a esta casa: una jaula con cuatro cacatúas que a mi perro no le gustaron nada y las olfateaba celoso. Éstas conversaban, peleaban, se arrullaban. Sucedían tantas cosas allí en su pequeño mundo. Pablo no podía haber elegido regalo más hermoso.

Hoy es el tercer día que estoy en cama. La cabeza me arde. Al despertar, lo primero que veo es un cartel con letras recortadas en distintos colores, que dice: «Te amo, Matilde.»

Pablo me dice:

—Estoy preparando todo para ir a Venecia, quiero ser yo quien se la muestre, no se parece a ninguna otra ciudad, allí todo es diferente.

Yo le sonreía. Sabía que hacía esfuerzos por darme ánimos. La gran esperanza que se me había derrumbado me aplastaba, no podía reaccionar. Pero él, inconmovible, inventaba juegos todo el día. Fue a comprar unos naipes chiquitos y jugábamos a «la carga de la burra». Aquí en mi álbum veo pegada una de sus cartas. ¡Cuántos recuerdos me trae!

Al cuarto día, a pesar de la prohibición de mi viejo doctor Proscilio, me levanté. A Pablo se le iluminó la cara de felicidad. Abrazándome, me decía:

—¡He tenido tanto miedo! No pierda su alegría, es lo único que yo no podría soportar.

Siento que su vida va entrando a la mía. Su dolor y el amor iban amarrando nuestras vidas. Siempre había creído que, después de la gran desgracia de perder a mi madre, en 1935, nunca más volvería a sufrir tanto.

Comenzaba a sentir una dulce dependencia, a amar aquello que siempre odié: estar sujeta a algo o a alguien que coartara mi libertad. Pero ahora todo era distinto. En la vida de cada día, Pablo era para mí la luz, la fiesta. Yo me preguntaba, ¿cómo se produce el amor? ¿Por qué?

10

VIAJE A NIZA

Otra preocupación vendría a sumarse a esta pena. Mi visa de tres meses para estar en Capri tocaba a su fin.

Pablo me dijo:

—Aquí no le van a renovar su permanencia, estarán felices de no hacerlo, porque, si usted se va, ellos saben que yo no puedo quedarme.

Faltaban diez días para que se venciera mi visa. ¿Cómo hacerlo para que en Capri no se dieran cuenta que yo salía del país? Esbozamos un plan cuidadosamente. Iría a Niza a renovar mi visa, después, me iría a Roma y allí haría el trámite de permanencia porque, después que se entraba en Italia, había que ir a la Questura a inscribir la visa, y sólo en ese momento estaba todo en regla.

Nos fuimos muy temprano a Nápoles, éste era un viaje que no llamaba la atención, lo hacíamos siempre, sólo con un pequeño bolso de mano. Nos fuimos directamente a la estación, llegamos a Nápoles y, como siempre, éramos seguidos, nos fuimos a casa de Sara, allá siempre almorzábamos y salíamos en la tarde. Pero esta vez Pablo se quedó, yo me cambié de abrigo, me puse un turbante y unos anteojos que sólo eran el armazón y parecían anteojos de vidrio blanco. Pablo me miró y me dio su visto bueno, diciéndome:

—Si yo la veo en la calle en esa facha no la reconozco.

En un taxi me fui a la estación y tomé un tren a Roma. Llegaría en la tarde.

Me fui a ver a mis amigas mexicanas. Estaba contenta, pensaba: «¡Qué sorpresa se van a llevar cuando me vean llegar!» Esa noche tenía que dormir allí, porque mi tren salía al otro día temprano. Pregunté por Dora, ésta salió, cariñosa, pero con misterio; me sacó a la calle y me dijo:

—Vamos a aquel café, tengo que explicarte algo.

Yo estaba más que intrigada porque no quiso que dejara mi pequeño bolso de mano. Eran más o menos las ocho de la noche. Nos sentamos. Le conté de mi vida en Capri, de mi felicidad.

—¿Por qué no has ido a verme? —le dije—. Cada vez que te he invitado tienes pretextos.

Se puso muy confundida, y me respondió:

—Tengo que decírtelo todo. Cuando tú te fuiste de la casa, vino la policía, habló con la Bámbola casi toda una mañana; ella, después, me contó que le revisaron todas sus cuentas, le dijeron que en su casa se había alojado un *pesce grosso comunista*. Ella no tenía patente para recibir pensionistas, la verdad es que tenía tan pocos, era como una familia. Ha tenido que pagar multas, la tuvieron muy afligida. A nosotras nos revisaron nuestros pasaportes, y sólo porque éramos estudiantes no nos expulsaron. Nos dijeron que si un día tú venías a Roma, teníamos que dar cuenta inmediatamente. Por eso me asusté tanto cuando te vi, porque la Bámbola seguro que da cuenta, como se lo pidieron.

¡Yo, un *pesce grosso comunista*! A pesar de la gravedad de la situación, me hizo reír.

—¡Pero tú no puedes creer eso! Hemos vivido a diario juntas en México, sabes que yo no tengo nada que ver con el partido comunista ni con ningún otro.

Nada contaba ahora. Si mi viaje hubiera sido normal, me habría ido a un hotel, pero no podía, los hoteles daban los nombres de sus huéspedes a la policía y yo estaba segura de que si se enteraban, no podría entrar.

—No te inquietes —le dije a mi pobre amiga asustada—. ¿Te atreves a ir a comer con este *pesce grosso*?

—¡De todas maneras! —me contestó—. Voy a buscar mi coche y avisaré que vuelvo tarde.

Muy pronto estuvo de vuelta, nos fuimos alegremente, reíamos, hablábamos de mil cosas al mismo tiempo.

—En todas las cartas que recibimos de México nos preguntan por ti, Matilde, ¿cuándo vuelves?

—Parece que no volveré —le dije—. Me iré a Chile con Pablo, no quiero hacer otra cosa, lo quiero demasiado.

Ella hizo un mohín de desaprobación.

—Vas a sufrir demasiado —me dijo—, porque, cuando se quiere a un hombre, se le quiere enterito; yo no podría compartir un amor.

Yo no podía explicarle que no compartía nada. Pablo y yo éramos un solo cuerpo, una sola alma.

Pasaban las horas lentas, lentas. A medianoche, le dije que se fuera y que me dejara en la estación. Allí me quedaría, leyendo un libro que había traído.

La vi alejarse con pena. Le había traído trastornos a su vida y a nuestra Bámbola, como le decían, tan humana, tan generosa; ni siquiera podría ir a explicarle, a darle un beso, a decirle que la quería mucho y que habría dado algo de mí misma por ahorrarle esos malos ratos sufridos por causa mía.

Entré a la estación, estaba silenciosa, vacía, desierta; busqué un sitio donde sentarme a leer. En la gran estación, todos los asientos eran de cemento, sin respaldo. Hacía frío, me comencé a pasear rápido para entrar en calor, más lentamente después, y terminé en un asiento de piedra y cemento, tan frío. Sentada allí, en aquella estación tan grande, siniestra, tan sola, miraba el reloj, las horas no caminaban. Pensaba en Pablo, jamás se imaginaría, pensaba yo, que estoy aquí en esta estación, sola, con frío. Pronto, ya no pude más y comencé a pasearme de nuevo.

Oí un transmisor de telégrafo y, por el ruido, me fui buscando la oficina, allí tenía que haber un ser humano. Serían las tres de la mañana, mi tren salía a las siete.

En un rincón, detrás de una columna, había luz. Me asomé, y había un hombre de edad madura. Se extrañó de verme y me preguntó que qué deseaba, si ningún tren salía a esa hora. Le respondí que me habían informado mal.

—Me dijeron que mi tren a Niza partía a medianoche —le dije con cara de inocente.

—Váyase a su casa, señora, su tren sale a las siete de la mañana —me dijo el hombre.

Le respondí que ya no valía la pena, porque vivía demasiado lejos, casi fuera de Roma.

—Voy a esperar aquí en la estación, no falta mucho —agregué.

El hombre me miró y movió la cabeza, diciéndome:

—Falta bastante, y los últimos minutos son los más largos.

—Caminaré un poco —le dije—, es bueno para el frío.

—Pero mejor es una taza de café —me contestó el buen hombre, y sacó un termo de su pequeño escritorio—. Siéntese, esta estación es la más helada del mundo.

A sorbitos pequeños me fui tomando esa taza de café humeante. Mi ángel bueno se había hecho presente. ¡Qué buena puede ser una taza de café!

Tímidamente primero, comenzamos a conversar. Yo le hablaba de México, de sus mercados, de su gente, de cómo eran las costumbres. Él estaba convencido de que yo era mexicana, pero yo no se lo había dicho.

Fueron pasando las horas, por fin, llegó la hora de tomar el tren. Sólo subí en el último momento, tenía miedo de que me buscaran. En los compartimientos busqué uno en donde hubiera otra mujer. ¡Qué alivio cuando el tren se puso en marcha! Mi compañera era una italiana muy parecida a nuestra Bámbola. Me puse a leer. Pronto, los ojos se me cerraron, con un pañuelo en la cabeza dormí varias horas. Cuando desperté, encontré la mirada de mi compañera.

—Traía sueño —me dijo—, ha dormido toda la mañana.

—Sí —mentí—. Me levanté muy temprano.

Ya estaba tranquila. Conversamos. Conocí toda su vida y la de sus hijos. Llegué a Niza sin ninguna novedad. Tomé un taxi y le pedí que me llevara a un hotel que quedara central. Allí me esperaba el placer de un baño caliente y una buena cama, tenía que descansar mucho, el día siguiente sería muy movido.

Me levanté muy temprano y me fui al consulado, había dejado Italia el día anterior y quería entrar de nuevo. Estaba inquieta, pensaba que me harían muchas preguntas, pero no fue así. Estaban acostumbrados, esto lo hacían miles de extranjeros. De allí me fui al hotel, pagué, tomé mi maletín y partí al aeropuerto. Tomaría el primer avión a Roma. Tuve mucha suerte. Llegaría a Roma con tiempo suficiente para arreglar mi visto bueno en la Questura, pero tenía que andar muy rápido. Me bajaría del avión y, como no tenía sino mi maletín, no esperaría nada y tomaría un taxi directamente a la Questura. Allí llegué en los últimos momentos, ya los funcionarios no querían atenderme. «Vuelva mañana, o en la próxima semana —me decían—, no tiene ningún apuro.» Les dije que debía salir ese mismo día de Roma, al campo, y no quería regresar. Tanto les rogué, que me dieron el visto bueno. Ya estaba dentro de Itallia, con todas las de la ley, nadie podría impedir que me quedara. Salí tan feliz por las calles de Roma, tomé un taxi y me dirigí a la estación. Llevaba un paquete grande, grande, con todo lo que pude comprar para mi amigo telegrafista. Allí estaba, me miró con sorpresa, le entregué el paquete, le di un beso, y corrí a tomar el tren para Nápoles. Si no me ayudan, lo pierdo. Iba sin pasaje, lo compré al subir al tren. Qué feliz me sentía y qué orgullosa. Todo lo había hecho tan bien.

Cuando llegué a Nápoles eran más o menos las nueve de la noche. Llamé a Pablo.

—¡Cómo! —me dice—. ¿Ya llegó? Váyase a un hotel y mañana temprano se viene.

Creía que le hablaba desde Roma.

—Estoy en Nápoles, voy en un taxi —le dije.

Estaba en la calle, esperándome con un ramo de flores un poco marchitas, eran las que tenía Sara en su comedor.

—¿Trae la visa y el visto bueno? —fue su primera pregunta.

—Todo lo traigo —le contestaba, ahogada en ese abrazo largo, largo. Ya no estaba sola, ya no tenía frío. Ahora era la mujer más feliz del mundo.

A Sara le parecía imposible. ¡Cómo había podido hacer este largo viaje de ida y vuelta en tan poco tiempo! Les conté todo. Lo del *pesce grosso comunista* los hizo reír mucho. Mi espera de toda la noche en esa estación tan fría. Cuando llegué a ese punto, Sara miró a Pablo. Me contó que lo llevaron a comer con algunos amigos a la orilla del mar, donde hay mucha alegría con los conjuntos napolitanos que tocan y cantan con tanto entusiasmo. Pero Pablo estaba inquieto. Ya muy tarde, le había dicho a Sara: «Algo le pasa a Matilde, siento una intranquilidad muy grande. Algo le está pasando. Ni un momento puedo separar mi pensamiento de ella, algo le ocurre.» En la noche, lo sintió levantarse varias veces. Sara se levantó muy temprano para darle desayuno, y Pablo volvió a decirle: «No he podido dormir, algo le pasa a Matilde.»

Varias veces en la vida nos pasó lo mismo. A la distancia, se anudaban nuestros pensamientos, transmitiéndonos señales de angustia o de gran alegría.

Regresamos inmediatamente a Capri. A la mañana siguiente, me mandaron llamar de la Questura, diciendo que llevara mi pasaporte. Lo hojearon cuidadosamente. Cuando vieron mi visa, observamos la sorpresa de sus ojos. Tomaron mi pasaporte y fueron adentro, donde se demoraron mucho tiempo. Regresaron, sonrientes como siempre. «Todo en regla, señora», me dijeron. Los saludamos y nos fuimos contentos, muy contentos. Habíamos logrado una victoria colosal. Habíamos burlado a esta policía que parecía ser la más eficaz del mundo.

Después de dos días de haber vuelto a Capri, no sabían que yo había salido del país. Nos pareció increíble. El dios del amor estaba con nosotros, protegiéndonos.

11

VENECIA

Una tarde, por fin, salimos para Nápoles. Íbamos rumbo a Venecia. ¡Qué suerte la mía llevar a Pablo de *cicerone*! Este viaje lo habíamos planeado con esmero, habíamos hecho reservaciones, llevábamos mapas de turismo. Nada nos podía fallar.

En Nápoles nos despedimos de Sara, quien nos fue a dejar al tren, riendo siempre. «Cuidado —nos decía—, no se vayan a caer al canal.» Su última pregunta no alcanzamos a contestarla: «¿Saben nadar?»

En nuestro compartimiento del tren sólo iba un joven, distraído leyendo. Nosotros, como siempre, conversando y riéndonos. Sacamos nuestro mapa para ver qué ciudades atravesaríamos. «Pasaremos por Bolonia —me dice Pablo—, la ciudad donde vivió tantos años el abate Molina, después de haber sido desterrado de Chile.»

—Cuénteme más de él —le digo.

Pablo se puso muy serio, con su mirada perdida allá en el paisaje cambiante que nos daba el tren. Comenzó a contarme la odisea que vivió este gran hombre, a quien él tanto admiraba.

—Hace muchos años, fue en 1767. Nunca he entendido mejor que ahora el dolor de los desterrados; es un sufrimiento constante, está presente en cada minuto de la vida.

»Este hombre le había entregado a Chile su vida de investigador inteligente. Amaba nuestro país. En el momento en que lo expulsaron de Chile, ya tenía su manuscrito de la *Historia natural de Chile*. Lo sacó escondido bajo las tapas de otro libro. Pero llegó a Callao, donde hubo un registro minucioso, y se lo requisaron. ¿Se imagina lo que sintió ese hombre en ese momento? Perdía su país que tanto amaba, y perdía su manuscrito que, seguramente, eran años de trabajo.

Pablo estaba serio, visiblemente emocionado con estos recuerdos que me contaba.

—Y hay algo muy curioso en esta historia —continúa—. Después de diez años, recuperó su manuscrito y lo publicó en 1782, quince años después, parece que muy cambiado. Tenía entonces más preparación, seguramente se habría seguido documentando sobre el tema. Murió cuando tenía permiso para entrar a Chile —me dice, conmovido.

Llegábamos a Bolonia. Salimos al pasillo. Antes de llegar a la estación, ya estábamos acodados en una ventanilla para ver lo que pudiéramos de esta ciudad. El tren entra lentamente.

Pablo me sigue hablando del abate Molina. En ese momento, oímos a lo lejos: «¡Neruda!» Alguien lo ha llamado. Pablo me mira, y dice:

—¿Oyó?

—Sí —le contesto—, alguien dijo su nombre.

Pablo, con la rapidez de pensamiento que le habían dado tantos años de persecución, me dice:

—Vuelva al compartimiento, déjeme solo, nos busca la policía.

Yo miro hacia fuera, hay un gran movimiento en el carro que está antes del nuestro. Vemos un señor que da órdenes a varios hombres que, con mucha rapidez, se dispersan y comienzan a subir a los vagones.

Cuando viajo, tengo la costumbre de colgar un pañuelo grande en mi cartera, me ha servido siempre para salvar innumerables dificultades. Instintivamente, lo tomo y me amarro la cabeza para tapar mi cabellera roja; entro en mi compartimiento y me siento junto al señor que va leyendo y que ni siquiera se ha apercibido de que el tren está detenido. Llamo su atención y le digo que estamos en Bolonia. Le sigo conversando, mientras saco un *rouge* de mi cartera y, con toda familiaridad, me pinto los labios cuidadosamente. En ese momento entran dos hombres en el compartimiento, miran a mi acompañante, de estatura muy pequeña, muy joven, con anteojos de miope, el reverso de Pablo. A mí ni me miraron, todo pasaba muy rápidamente. Salieron.

Pablo se quedó en la misma ventanilla, inclinado hacia afuera, tampoco repararon en él; el tiempo se les terminaba: buscaban a una pareja que jamás se separaba.

Muy pronto sonó la señal de partida y el tren se puso en movimiento. Pablo, asomado a la ventanilla, los vio bajar. Regresó feliz.

—El abate Molina se hizo presente —me dijo.

Y era verdad. Si nosotros hubiéramos estado en el compartimiento, habríamos sido reconocidos.

En cuanto llegamos a Venecia, Pablo habló a Roma a sus amigos, avisándoles qué pasaba. A las pocas horas teníamos la contestación: no seríamos molestados, ya sabían dónde estábamos. Todo aquel despliegue fue porque en Capri no supieron adónde nos dirigíamos. Siempre la incansable policía. Para ellos era un peligro muy grande esta pareja misteriosa que vivía y que se amaba.

En la mañana, llenos de felicidad, nos fuimos a tomar desayuno a un café de la plaza San Marcos; teníamos apetito y fue un gran desayuno. Después, tomados de la mano, nos fuimos caminando a descubrir Venecia. Todo era nuevo para mí.

De repente, nos enfrentó una cara iracunda que movía las manos, los ojos, la boca, en forma desmesurada, y nos increpaba duramente. No habíamos pagado la cuenta; acostumbrados en Capri a consumir y a retirarnos, se nos había olvidado que aquí teníamos que pagar. Nos miramos, y soltamos la carcajada al unísono. Era tan cómico ver a este pobre mozo tan enojado con estos isleños que habían olvidado las costumbres de la ciudad. Volvimos muchas veces a este mismo café, donde el mismo mesero nos recibía, ahora siempre riendo.

Todo en Venecia era tan nuevo para mí. Eso de caminar tomando embarcaciones con estos gondoleros amables, siempre dispuestos a conversar con el extranjero, que tenían la sabiduría de adivinar cuándo era una pareja de enamorados, y bogaban lento, lento...

Al abrir mi diario para buscar mis recuerdos y poder escribir sobre nuestro viaje a Venecia, encontré sólo esto: «Agua, agua y agua. Felicidad, felicidad y felicidad.» No es mucho, pero yo creo que es todo.

Fue una semana como de sueño. Pablo se sabía todos los

nombres de los grandes edificios, era como andar con una pequeña enciclopedia al lado. Nos tocó la suerte de ver la Bienal de ese año. ¡Cuántos descubrimientos para mí! Era un mundo que se abría de repente en todo su esplendor. ¡Cuánta felicidad, cuánta alegría! No me cansaba de admirar a este hombre sabio, culto, calmado, que en ningún momento me hizo notar mi ignorancia.

—¡Qué poco sé del mundo! —le dije en un momento—. Yo creía que era mucho más pequeño, y ahora se agranda y se agranda, me asustan sus dimensiones.

Él se ríe y me cuenta de la primera vez que llegó a París:

—Yo era tan bobo. Todo lo había aprendido en los libros, pero al llegar allí supe que no sabía nada, todo lo tenía que descubrir.

Como yo, ahora, que iba de sorpresa en sorpresa. Todo para mí era tan nuevo. Los días pasados en Venecia fueron inolvidables.

Después, volvimos muchas veces, pero fue ese primer viaje el que se prendió a mis recuerdos, y allí se quedó para que yo lo gozara toda la vida.

Teníamos que volver a Capri.

Cuando llegamos a nuestra casa de la Via Tragara, a nuestro perro le dio un ataque de locura. Al vernos, corría y saltaba sin descanso; me pareció que había crecido. Amelia nos contaba que el pobre había sufrido mucho; los dos primeros días no pudo sacarlo de la puerta y no quería comer, estuvo siempre echadito, como escuchando; dijo que la entristecía verlo. Una noche en que fue a dejarle su comida, la siguió con una mirada tan triste que pensó llevarlo a su casa, pero no quiso seguirla.

—Él sólo quiere la compañía de ustedes —dijo.

La primavera se había desencadenado, por todas partes flores, sol, alegría. Por todas partes, destellos no imaginados, aromas de plantas y flores. Todo era un manantial de nueva vida. Toda la isla se llenaba de fragancias. Toda la isla florecía.

Los turistas comenzaron a llegar, y nosotros comprendimos que teníamos que entregar esa casa grande y maravillosa que, seguramente, arrendaban en verano.

Nos pusimos a buscar una casa pequeña que pudiéramos

pagar. Con la ayuda de tantos amigos en Capri, conseguimos una casa lindísima, estaba al lado de unas ruinas cubiertas de vegetación, la casa tenía un *living* con un suelo color turquesa. Estaba en la calle Gli Campi, 7. La primera vez que la vimos, la miramos por la ventana, y ese suelo nos hechizó. Tuvimos que esperar a la dueña, que vivía en Nápoles. Teníamos tanto miedo de que no quisiera arrendarla a esta pareja de extranjeros, pero nos equivocamos: en Capri todos nos querían, y dieron informes favorables de nosotros.

Quisimos despedirnos de esa hermosa casa de la Via Tragara. Aquel día, Pablo había terminado un largo poema a China para su libro *Las uvas y el viento*, que seguía creciendo.

Había mucho que celebrar. Hablamos por teléfono a Nápoles con nuestra amiga Sara Alicatta, queríamos que vinieran muchos amigos.

Sacamos el escritorio de Pablo para agrandar el comedor. Sus papeles quedaron en cualquier parte. Olivito se encargó de todo. Yo recuerdo haber visto un canasto de papeles que Pablo tenía bajo su escritorio, lleno de cuadernos. No le di ninguna importancia.

Era una reunión de amigos, pero a cada momento se agrandaba el número de invitados. Olivito, con su andar en rueditas, todo lo solucionaba. El día señalado, nuestra casa se llenó de jubiloso bullicio. Había cineastas, pintores, escritores, gente de teatro. Nuestra comida les parecía exótica. Las bandejas con empanadas fritas (que quedaron deliciosas) iban y venían de la cocina en que freían tres personas, y no daban abasto, todos querían más y más empanadas.

En sus fiestas, Pablo sabía encender una fantasía que sólo él podía inventar. Siempre había tanta confraternidad, animación, alegría. Nuestra despedida de la «Cassetta d'Arturo» fue un éxito.

Para volver a la normalidad, después de esta fiesta nos fuimos todo el día a Anacapri, dejando a Olivito esa guerra.

Al día siguiente, Pablo se fue a su escritorio a trabajar. No encontraba su trabajo. Yo le decía: «Estará en cualquier parte, todo cambió de lugar.» Los tres nos pusimos a buscar, el trabajo no apareció, y en la tarde ya perdimos la esperanza de encontrarlo, se había perdido todo el capítulo de China, que era muy largo y muy hermoso. Por suerte, «El hombre invisible» estaba metido entre unos libros. También se perdió el original de «Un día azul», pero de éste tenía copia. Pablo estaba desolado, era un largo poema, le parecía imposible escribirlo de nuevo, yo me sentía culpable por no haber cuidado su trabajo, era mi primera falta grave en esta convivencia que me esmeraba en hacer perfecta.

Perdimos la esperanza de encontrarlo y le sugiero a Pablo escribirlo de nuevo.

—No será lo mismo —me dice—, yo no puedo escribir un poema dos veces.

Yo recordaba algunos versos que me habían impresionado mucho, eran tan pocos, pero recordaba cómo estaba estructurado.

—Yo le voy a contar el poema —le digo—. Así podrá escribirlo.

Esto le hizo gracia, y me dijo:

—Lo que usted me dice es un disparate, pero a lo mejor resulta. Cuéntemelo.

Pasaron muchos días y, cuando estuvimos convencidos de que no aparecerían y que Olivito los había mandado a la basura con los restos de la fiesta, Pablo lo escribió de nuevo, pero siempre nos preguntábamos ¿cómo sería el otro?

Entregamos la Cassetta d'Arturo a nuestro benefactor y amigo Cerio y nos trasladamos a aquella casa de la calle Gli Campi que adoramos desde el primer día. Pensamos que nuestra vida sería plácida, tranquila como hasta ahora, pero nos equivocamos. Después de un mes de estar en esa casa, llegó definitivamente el verano. Capri, como por encanto, cambió de fisonomía, se llenó de turistas, de ruidos. Los muchachos que iban a dejarnos las provisiones y que se quedaban conversando de mil cosas, ahora andaban corriendo; todos tenían una actividad febril: vender, vender.

Y casi nadie miraba esta isla fragante; por todas partes, flores, con un sol que las envolvía en una pureza azul, el aire siempre transparente y ligero. Salíamos todos los días a caminar, siempre terminábamos al otro extremo, recogíamos flores, semillas. Pero hasta esto ya estaba siendo difícil, en Capri los turistas preguntaban qué había para ver en la isla y, ante nues-

126

"En aquel sitio de embriagadora belleza
nuestro amor se acrecentó.
No pudimos ya nunca más separarnos."

Pablo Neruda, Confieso que he vivido.
Montaje del fotógrafo Antonio Quintana, 1952,
de Pablo y Matilde en Capri.

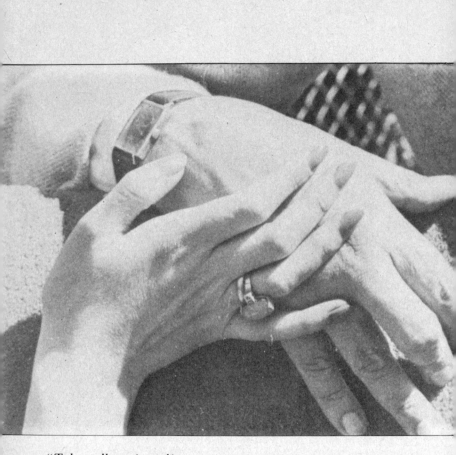

"*Tal vez llegará un día*
en que un hombre
y una mujer, iguales
a nosotros,
tocarán este amor y aún tendrá fuerza
para quemar las manos que lo toquen..."

Carta de Pablo a Matilde al despedirla en Nyon. 1951
Manos de Pablo y Matilde.

"*No quiero que vacilen tu risa ni tus pasos,*
no quiero que se muera mi herencia
de alegría..."

Soneto XCIV, Cien sonetos de amor, Pablo Neruda

"...En lo alto de este portón hay una campana
de la que cuelga un cordel para llamar.
Cuando el portón se abre y entro, siento una
ráfaga de aire marino que parece palpitar
por entre los pinos y me trae como regalo
el siseo de las olas."

Matilde y Pablo bajo la campana en su casa de Isla Negra.

"...yo no nací entendida en tinieblas,
me gusta reír, cantar."

Matilde le habla a Pablo

"Una inesperada variedad de colores me cautiva
y regala la vista. Son las flores silvestres,
el sol cae a raudales sobre ellas, haciéndolas
rejuvenecer todos los años... Más allá,
y casi ahí mismo, el mar, la playa, el cielo,
todo fundido como en un abrazo perfecto."

Matilde y Pablo en Isla Negra

"Allí comienza el jardín, como descuidado y salvaje; es el que nos gustaba y que yo sigo cultivando de igual forma."

Matilde y Pablo en el jardín de Isla Negra.

"...Pero tuve siempre confianza en el hombre.
No perdí jamás la esperanza. Por eso tal vez
he llegado hasta aquí con mi poesía, y también
con mi bandera."

(Del discurso pronunciado por Pablo Neruda
en ocasión de recibir el Premio Nobel
de Literatura)

Matilde y Pablo celebran durante la recepción posterior
a la entrega del Nobel, diciembre 1971.

tro espanto, nos dimos cuenta de que allí les decían que en la isla estaba un poeta chileno muy famoso. Llegaban a nuestra casa, interrumpían nuestros paseos, empezamos a sentirnos asediados. Esta isla maravillosa ya no era la misma, aquella paz que habíamos vivido se había esfumado, teníamos que dejar aquella casa tan linda, que tanto nos gustaba, y a nuestra Olivito, que nos cuidaba con esmero.

Nos fuimos a Ischia para ver la posibilidad de buscar un refugio, no nos gustó para vivir. Pero allí nos señalaron un pequeño rincón que se llama Sant'Angelo, era como una caleta de pescadores. Había un pequeño hotel a la orilla misma del mar. Decidimos irnos a este pequeño rincón que no tenía turismo.

Se terminó nuestra estadía en la isla de Capri, a la que aprendimos a amar, y cuyo recuerdo flotaría siempre en toda nuestra vida. Veríamos sus calles, su mar tranquilo, la generosidad de su gente, esa vida de pequeña aldea de invierno. Y también recordaríamos el estallido del verano, esa playa llena de ruido, de vivos colores, de personajes excéntricos que rivalizaban en vestimentas atrevidas. Todo esto hacía que se respirara tanta vida, tanta alegría, tanta belleza.

Le dijimos adiós a Capri, a todo lo que para nosotros había significado. Nos despedimos de nuestros amigos, de Cerio. En esos días, habíamos asistido a su matrimonio, tenía cerca de ochenta años y se casó con su secretaria, que era muy joven. Yo creo que ésta lo amaba. Era tan hermoso, tan inteligente, dondequiera que aparecía llamaba la atención, siempre vestido de blanco, de imponente figura.

A todo le dijimos adiós. Nuestra Olivito lloraba, creo que por dentro yo también lloraba. Desde la cubierta del barco, la vimos con su mano levantada hasta que fue sólo un puntito negro.

En Capri todo se da con generosidad, en los sentimientos, en el amor de la gente, en el sol, en las flores, en la naturaleza. Le dijimos adiós a esta isla donde Pablo escribió tantos poemas. A menudo leo estudios sobre ellos, y muchos de los estudiosos creen que cuando Pablo se refiere a la isla de Capri, es la Isla Negra. Nuestra estadía en Capri fue por muchos años nuestro secreto. Hoy, este secreto ya no tiene sentido.

Es increíble cómo, a través de los años, los acontecimientos adquieren otras dimensiones. Todo cambia, todo se transforma.

La estadía de Pablo en Capri fue fructífera, no dejó de trabajar ni un solo día. Allí terminó *Los versos del capitán*, que había comenzado en agosto de 1951, en Bucarest y siguió a bordo del Transiberiano, en China, Praga, Viena y Suiza. Durante nuestra estadía en Capri escribió «Tu risa», «La noche en la isla», «El viento en la isla», «Tus manos», «Tú venías», «La rama robada», «Bella», «Pequeña América» y «Odas y Germinaciones».

Además, escribió muchos poemas que forman parte de *Las uvas y el viento*, entre otros, «Regresó la sirena», «Las uvas de Europa» y «La pasajera de Capri».

En Sant'Angelo, nuestro modesto hotelito estaba como enclavado en la altura de un roquerío, junto al mar. El mismo día que llegamos comenzamos a conocer la vida de los pescadores. Al atardecer, los veíamos salir en sus botes, internándose en el mar y, en la noche, allá, muy lejos, veíamos unas lucecitas que subían y bajaban. Al amanecer llegaban las mujeres con unas cestas. Lentamente, los botes iban acercándose a la playa. Veíamos unas tazas humeantes de café que los hombres bebían mientras seguía la faena. Hombres, mujeres, niños, todos tiraban de las redes. El primer día nos aprontábamos para ver saltar toneladas de peces, pero grande fue nuestra desilusión cuando esas enormes redes llegaron a la playa: sólo unos cuantos peces traían esos hombres que habían pasado toda la noche en el mar.

A los pocos días, ya los conocíamos a todos, conocíamos a sus mujeres, a sus niños.

En Sant'Angelo hay unas pequeñas playas, muy bajas. Allí descubrí que Pablo no sabía nadar. Me puse muy contenta con esta noticia: ¡por fin yo podía enseñarle algo! En las tardes, nos íbamos a una playa que era como una laguna, cerca de unas termas. Ahí aprendió primero a flotar, y después me acompañaba al lado, nadando; yo tenía que estar alerta, porque me hacía trampa, se iba caminando con un pie en tierra y parecía que estaba nadando. Flojo por naturaleza, no le gustaba hacer ejercicios, pero nadar sí le gustó, cuando pudo dar las primeras brazadas se sintió feliz. Y, sin perder ni un día, nos íbamos a nadar.

En esta tranquilidad, en este pueblo de pescadores, llegó la noticia: Pablo podía entrar a Chile, debía regresar, el tiranuelo estaba en su último año de mandato y ya su fuerza para perseguir se había anulado. Pablo tenía una invitación para asistir a un congreso de escritores, en Alemania, y debía ir. Hicimos nuestro plan. Pablo se iría a Alemania, regresaría y, juntos, nos iríamos a Ginebra para arreglar nuestro viaje a Chile. Nos iríamos lo más pronto que pudiéramos. Yo partiría con él a Roma, para que nuestra separación fuera más corta.

Pero todo este programa tan bien planeado tuvo que cambiar. Nosotros habíamos anunciado en el hotel que viajaríamos a Roma y volveríamos; pedimos que nos guardaran la pieza, ya que solamente estaríamos una noche fuera. El día de la partida nos fuimos a la playa y, a nuestro regreso, la dueña del hotel nos dijo que unos señores de la Questura habían ido a preguntar por Pablo.

—Tenemos que cambiar todo nuestro viaje —me dice Pablo—. Cuando yo salga a Alemania, no me dejarán entrar a Italia, estoy seguro. Usted tiene que hacerlo todo sola. Se irá a Capri a cambiar dinero. —Nos habían llegado unos cheques, y allí todos nos conocían—. Tienen que darle dólares. Después, viajará a Nápoles, a Roma, y nos juntaremos en Ginebra, ahí arreglaremos nuestro viaje hacia Chile, nos iremos en barco. Estaremos comunicándonos.

Y allí, en una hoja de papel, estaba nuestro plan. Fácil de escribir, pero qué difícil de llevar a cabo.

En mi diario, este viaje a Ginebra, pasando por Nápoles y Roma, tiene la palabra «catastrófico».

Pablo tomó un autobús para dirigirse a Ischia, de allí tomaría el barquito para Nápoles. Lo fui a dejar al autobús. Cuando ya iba a subir, me dijo:

—Yo creo que ya se sabe nuestro preparativo de viaje, y me parece que un policía me sigue. —Yo pensé que no era posible. Y continuó diciéndome—: Cuando el bus vaya a partir, me voy a bajar bruscamente y, si se baja alguien conmigo, ése es el que me sigue.

Así lo hizo. Tan pronto como él se bajó, lo siguió un muchacho. Pablo se acercó donde yo estaba, como diciéndome algo y, en el momento mismo en que el ómnibus se puso en movimiento, subió. El muchacho subió tras él: iba custodiado. En mi diario recuerdo esto con una sola frase: «Policía. ¡Ay, la policía, qué ociosa y despistada es!»

Habíamos comprado tantas cosas para adornar nuestras casas en Capri, que teníamos catorce valijas. Pablo sólo se llevó una pequeña con lo más necesario. Yo tenía que viajar en barco a Nápoles, de allí a Roma, y de ahí a Ginebra. Además, con mi perro, que tenía una vitalidad terrible, acostumbrado a los espacios. No sabía cómo lo dominaría en el tren.

En Europa, nadie viaja con catorce valijas y, además, un perro. En Sant'Angelo, sola, mirando esas casas pobres y el mar, me hice un plan de viaje. Primero iría a Capri para cambiar dinero, además, quería despedirme de todos mis amigos. Todos los días, muy temprano, salía una barcaza y regresaba en la tarde; sin decirle nada a nadie, me fui en aquella barcaza. Pasé un día muy hermoso en Capri, me despedía de cada lugar. Aquel sueño había terminado, ahora estaba sola como siempre. Añoraría toda la vida los meses pasados en esta isla.

En la tarde, regresé en la misma barcaza, pero el tiempo había cambiado y grandes olas empezaron a levantarse, yo veía la preocupación en el rostro de quienes la manejaban. La barcaza estaba muy liviana, sólo ocho personas regresábamos a Sant'Angelo. Muy pronto, las olas comenzaron a mojarnos, se extendió una gran lona encima de nosotros, el agua nos chorreaba por todas partes; unos golpes secos que se oían a ratos por debajo de la embarcación, nos daban miedo. ¿Llegaríamos?

Todos íbamos silenciosos, los que conducían juraban para desahogarse. Nosotros, con la espalda tensa, tratábamos de ver en esa oscuridad amenazante. De repente, veíamos una montaña de agua, se levantaba y, cuando creíamos que nos tragaría, esta mole nos elevaba y nos dejaba caer con un golpe seco, que lo sentíamos hasta el alma. Seguíamos, todo el tiempo salpicados por una lluvia persistente y por el agua de las olas. Pronto, a todos nos pasaron unos tarros y unos baldes, había que sacar el agua que se juntaba ya en forma alarmante en el fondo de la embarcación. Eso nos sirvió para entrar en calor. Hacía mucho frío con esas ropas mojadas y, sobre todo, por el miedo.

Todos teníamos mucho miedo. Y aquel viaje que sólo era de algunas horas, duró toda la noche, fue como una agonía muy larga. Con las primeras luces del alba, llegamos a Sant'Angelo. Desde la orilla vimos el hotel. ¡Qué raro! Estaba todo iluminado.

Jamás pensé que era yo la causante de este despliegue. La policía había ido a hablar conmigo, y yo había desaparecido sin decir adónde iba, ni si volvería. Esta señora tenía que ser muy peligrosa, ese *pesce grosso comunista*. ¿Adónde había ido? ¿Qué cita tenía en Capri, y con quién? Todas estas preguntas se las habían hecho a los dueños del hotel, que estaban muy asustados y les decían: «Ella tiene que volver, porque adora a su perro, y aquí está.» Yo también venía asustada, pero de haber pasado toda la noche en ese mar embravecido que, de milagro, no nos dio vuelta la barcaza tan indefensa, tan pequeña, tan liviana.

Quise subir rápidamente a mi pieza para abrigarme, los policías se acercaron a hablar conmigo. «No contestaré ninguna pregunta —les dije—, mientras no esté en condiciones. Debo ir a cambiarme, y bajaré a tomar una taza de café bien caliente con ustedes, si es posible.» Esto último, lo dije a la dueña del hotel que, hasta ese momento había sido mi amiga y ahora me miraba con cara de pregunta. Ella tampoco entendía nada, y con amabilidad me dijo: «Lo voy a preparar, señora.»

Me cambié de ropa y bajé. Ya no tenía ni sueño ni cansancio. Estaba furiosa. También mi perro manifestaba su desacuerdo, les ladraba, no los quería nada.

Nos sentamos cerca de una ventana, pensaba en Pablo, qué fardo tan pesado me había echado a mis espaldas y qué poco preparada estaba para llevarlo. Antes de que ellos preguntaran nada, les pregunté yo:

—Díganme, ¿en este país, los turistas tienen que dar cuenta a la Questura cuando se mueven de una ciudad a otra? En Capri, donde viví largo tiempo, pregunté si tenía que hacerlo, dada la situación de Pablo Neruda, y nos dijeron que éramos libres de ir adonde quisiéramos. ¿Por qué ahora esta conmoción?

—Queríamos saber del *signore* Pablo Neruda. ¿Dónde está? —me respondieron.

—Pablo salió hace dos días de Italia, y si quiere saber detalles, pregúntele al policía que subió con él al autobús, y que debe haberlo acompañado hasta la frontera. Yo me voy mañana mismo de este país, y diré a todo el mundo que el fascismo aquí sigue vivo.

—Señora, usted no debe hablar de fascismo, no sabe lo que es eso.

—Sí, lo sé, porque en este momento lo estoy viviendo. Después de una noche en que creíamos morir tragados por el mar, yo he llegado aquí, mojada, temblando de miedo y de frío, y en vez de meterme en una cama, he tenido que bajar para hablar con ustedes con la cabeza mojada. Ustedes me han violentado, ¿no era eso lo que hacía el fascismo?

Los policías eran muy jóvenes, comprendieron que con esta señora iracunda no podían conversar, y se fueron muy amables, muy corteses. Yo estaba tensa. ¿Qué hacer? Me fui a mi pieza con mi perro. Tenía un telegrama de Pablo. Vi sobre mi velador *Los versos del capitán*. En la portada, la cabeza de la medusa. Abrí el libro al azar, y leí:

> *Y ahora a mi lado caminando*
> *ves que conmigo va la vida*
> *y que detrás está la muerte.*
> *Ya no puedes volver a bailar*
> *con tu traje de seda en la sala.*
> *Te vas a romper los zapatos*
> *pero vas a crecer en la marcha.*
> *Tienes que andar sobre las espinas*
> *dejando gotitas de sangre.*
> *Bésame de nuevo, querida.*
> *Limpia ese fusil, camarada.*

Comenzaba a entender. Hablé por teléfono con mis amigos de Nápoles, les hablé de mi problema de viaje y de mis catorce valijas. Sara, riendo mucho, me dijo: «Veremos qué se hace. Te esperamos mañana.» Yo partiría muy temprano para llegar a Nápoles y seguir viaje a Roma el mismo día. Tenía que sacar certificados de mi perro para poder embarcarlo hacia Chile. Les pedí que me reservaran pieza en el hotel D'Inghilterra, por lo menos allí me conocían y, si llegaba la policía a buscarme, no les iba a extrañar.

Me despedí de Sant'Angelo, de sus pescadores, de su gente sencilla, de los dueños del hotel, que me querían mucho pero que, de seguro, se alegraron de que esta pareja conflictiva se fuera. Nadie quería complicaciones.

Llegué a Nápoles. Sara tenía ya casi todo arreglado para el traslado de mi equipaje a la estación. Quise seguir ese mismo día a Roma. Estaba muy complicada. Le pedí que me despidiera de mis amigos Paolo Ricci, Piera, su mujer, de Mario Alicatta, y de tantos otros.

Cuando voy subiendo al tren, Sara me dice: «No te pasará nada porque vas custodiada. Dos policías te siguen.» Mi cara debe haber sido de espanto y, cuando le dije: «¿Ellos creen que yo soy comunista?», mi buena amiga se ríe y se ríe. «Eres tan comunista como un recién nacido —me dice—. Pero ellos no lo saben. Es mejor que te crean ese *pesce grosso comunista*, así te respetarán más.»

El tren partió, yo iba como clavada en mi asiento, los dos policías estaban sentados en mi compartimiento. Cuando me levantaba para pasearme por el pasillo, ellos también salían. ¡Qué fastidio! ¡Y qué largo sería este viaje!

Después del primer momento, me tranquilicé, miré a los muchachos, eran alegres, me ofrecieron una bebida que acepté. Comenzaron a hacerle cariños a mi perro, y se entabló una conversación entre nosotros. Les hablé con mucha inocencia de mis catorce valijas que traía en el compartimiento de equipaje. «Nosotros le ayudaremos», me dijeron, lo que de inmediato acepté gustosa. Y, desde ese momento, se convirtieron en mis ángeles guardianes. En Roma se bajaron, hablaron con los encargados del equipaje, lo pusieron en dos inmensos coches de arriendo y, sin ningún problema, muy pronto estuve instalada en el hotel D'Inghilterra.

Pensé que ser custodiada no era tan malo. Me gustó llegar a este hotel donde conocían a Pablo, lo querían y, por lo tanto, yo, su amiga chilena, podía contar con su sonrisa de bienvenida.

Llamé, no sin cierto temor, a mi amiga Dora, quien me contestó cariñosa como siempre. Le pregunté si aquella noche que comió conmigo y me fue a dejar a la estación había tenido algún inconveniente. «Lo tuve —me dijo— y grande. A los pocos días vinieron a la pensión a decir que tú habías dormido aquí. La Bámbola estaba muy asustada. Yo les conté que había comido contigo y te había dejado en la estación, pero que no habías entrado a la casa. Parece que esta verdad era muy estrafalaria, y no me creyeron. Después, nos dejaron tranquilas.» Con gran dolor renuncié a verla. Le dijo: «En este momento me sigue la policía, no podré verte y ya voy de viaje para Chile. Te llamaré de nuevo antes de irme.» Había entrado a la clandestinidad sin entender nada.

En esos días se sufría en Roma el mayor calor de muchos años, en el día no se podía salir, un aire caliente azotaba el rostro, casi quemándolo. La gente caía en la calle con insolación. Comencé a sacar los innumerables papeles para embarcar mi perro. Cuando ya tenía todos mis certificados de vacunas, alguien me dijo que el consulado tenía que dar el visto bueno. Me fui a ver a Gabriela Mistral, que era cónsul en Roma, y por aquí, entre mis papeles, encontré hace poco una visa firmada por Lucila Godoy, es el visado a Chile de mi perro *Nyon*. Ella me decía sorprendida: «Yo jamás he hecho esto; no sé ni cuánto se cobra por esta visa. De todas maneras, deje su dirección en Chile, para cobrarle si hay algo que pagar.»

Todo esto, que era muy serio para mí, hizo reír días y días a Pablo. «¡Una visa para un perro! —me decía—. ¿Y por qué no pasaporte?»

Y esta Gabriela, que no sabía si cobrarla o no. A mí también ahora me parecía muy gracioso, pero yo no quería exponerme.

La verdad es que en el barco no me pidieron ningún papel del perro, lo tomaron como si fuera una valija más, y lo pusieron en una especie de jaula grande que tenían en una cubierta superior.

12

REGRESAMOS A CHILE EN EL *GIULIO CESARE*

Por fin termino mis trámites y llega este día tan ansiado: mi viaje a Ginebra. Allí me esperará Pablo, de nuevo estaremos juntos. ¡Qué larga me ha parecido esta separación! Los días sin él son tan vacíos.

Tengo que irme en tren, debido a la cantidad de valijas. Me despido por teléfono de mis amigas. «Algún día nos veremos en México —les dije— y nos reiremos mucho de esta situación absurda.»

En mi libreta de apuntes tengo escrito esto: «Qué feo es el mundo visto en este círculo de policías disfrazados de modestos ciudadanos. Se siente inseguridad, es como si una garra inmensa te siguiera por todas partes. Qué feo es vivir todo esto.»

Yo tenía en Roma muchos amigos preocupados por mí. Sabía que nada muy malo podía pasarme, sin embargo, me sentía intranquila, y fue con gran alegría que dejé Italia. Recordaría toda mi vida este país, los meses en Capri serán el recuerdo más hermoso de toda mi vida.

Partí con mis innumerables valijas en el tren, otra vez vi a mi amigo telegrafista, ya éramos los más grandes amigos. Encontrarlo aquella noche fue para mí como un milagro; emocionado, se despidió de esta chilena atorrante, ahora alegre, a quien conoció muerta de frío y de soledad. La emoción de esta despedida quedó guardada dentro de mí para siempre.

Al día siguiente vería a Pablo, este solo pensamiento me hacía la mujer más feliz del mundo, aligeraba mis pies. Resolví lo de mis valijas con una facilidad enorme: dije que era la representante de una compañía teatral. Mi *Nyon* estaba inquieto, no le gustaba el tren, el veterinario le dio una pequeña pastilla para que durmiera. Todo el viaje durmió profundamente, muy quietito a mi lado.

Pablo había insistido en que tomara este tren. Yo iba pensando si había anotado bien la dirección del hotel que él me dio por teléfono. Una inquietud muy grande, ya en el límite de la desesperación, se había apoderado de mí. Miraba el reloj y me parecía que no caminaba. En este largo viaje no me moví del compartimiento, mi perro dormía plácidamente; quería leer, y no podía. Mi pensamiento volaba hacia Pablo, ya estaba con él. Qué ansiedad. En mi diario de notas, dice: «La espera por el ser amado es una sensación única, mezcla de placer y angustia, es como un trago agridulce. No me gusta.»

Llegamos, y el tren fue entrando en la estación, me asomé a la ventanilla y oí su silbido, un silbido parecido al canto del turpial, pájaro chileno que habita en el extremo sur del país. Habíamos tratado de imitarlo, es un silbido de cinco notas distintas que se desgranan de arriba abajo. Esto nos servía mucho para encontrarnos cuando no nos veíamos, como era el caso, ahora, en esta estación llena de gente. Contesté su silbido y lo volví a oír, sin ver nada. Ya sabía que estaba en la estación. Muy pronto vi, allá lejos, entre la gente, una mano amada que se levantaba con un diminuto ramo de flores. Qué largo fue salir de ese tren para caer en sus brazos.

Nyon ladraba y saltaba a nuestro alrededor, él también quería recibir el saludo de su amo. Pero para nosotros el mundo desaparecía, nos costaba mucho aterrizar, y el pobre *Nyon* tuvo que esperar.

Nos fuimos a un hotel que Pablo conocía, estábamos de nuevo en Suiza, país que tanto amábamos. Se me había quitado como por encanto el cansancio del viaje, nadaba de nuevo en la seguridad.

Nos fuimos a comer a un pequeño restaurante, Pablo estaba lleno de curiosidad por conocer las peripecias de mis viajes. Le conté de mi viaje a Capri, tan accidentado, con esa tempestad en el mar y, sobre todo, mi llegada, el asombro al verme mirada y tratada como una criminal, todo lo que había trabajado esa insistente policía italiana siguiéndome en todas las ciudades, para nada. Pablo se reía de mi indignación, él venía de vuelta de todo eso que yo comenzaba a conocer.

—Cuando llegué a España, antes de la guerra —me contaba—, ya me creían comunista porque tenía amigos que lo eran, porque yo luchaba al lado de ellos, escribiendo y protestando por todo lo que nos parecía injusto y cruel. Después, llegó la guerra y vi que eran los comunistas quienes trataban de poner orden en ese caos que es una guerra civil; eran los más humanos dentro de la deshumanización que es una guerra.

Siguió contándome cómo, después de esa terrible experiencia que fue para él la guerra de España, llegó a Chile y siguió luchando, escribiendo sobre lo que había visto en España. Ya estaba catalogado como el más grande de los comunistas, y pensó: «Si protestar y denunciar las injusticias es ser comunista, en buena hora», y entró al partido. Siempre fue comunista, y yo creo que un buen comunista. No habría podido dejar de serlo, le dolían demasiado los sufrimientos de los demás. Mientras vivió, puso su pluma y su vida al servicio del pueblo.

Todos estos recuerdos no empañaban para nada nuestra comida, a todo le encontrábamos su parte graciosa. Pablo se reía hasta las lágrimas de que la policía italiana me siguiera, cuando él me había catalogado como la mujer más ignorante en política que había conocido. Pero yo era su amor, y desde ese momento y para siempre sufriría todas las dificultades de su vida.

En su poema «El amor del soldado» del libro *Los versos del capitán*, había escrito:

> *Te vas a romper los zapatos,*
> *pero vas a crecer en la marcha.*
> *Tienes que andar sobre espinas*
> *dejando gotitas de sangre.*
> *Bésame de nuevo, querida.*
> *Limpia ese fusil, camarada.*

Divertidos, felices, vagamos esa noche por Ginebra, ciudad donde todo cierra temprano. Nuestro amor era grande, muy grande. La gente que nos mira, ¿sabrá que llevamos dentro de nosotros este tesoro?

Al día siguiente nos fuimos muy temprano a las agencias de viaje. Queríamos irnos a Chile en barco, hacía tiempo que soñábamos con este viaje. Los pasajes, para nosotros, resultaban muy caros. Había llegado el momento de hacer cuentas. Tomamos pasajes en el *Giulio Cesare*, en segunda clase, pero todavía faltaban como dos semanas para que el barco pasara por Cannes, adonde iríamos a tomarlo.

Decidimos buscar un refugio fuera de Ginebra. Yo le digo:

—¿Y si nos fuéramos a Nyon?

Se quedó un largo rato pensando, y después me dijo:

—Ese recuerdo no debemos tocarlo nunca más, fue demasiado perfecto.

Tenía razón, tanta razón. Esa estadía, seguramente, ya se había hermoseado en nuestra imaginación; no se podría volver a vivir.

Al día siguiente vimos a algunos amigos, había un poeta joven, admirador de Pablo, que sabía de nuestra llegada. Le contamos nuestro problema: buscar un lugar barato, hermoso, tranquilo, y muy cerca de Ginebra.

—Vézenas —dijo casi inmediatamente—. Vamos ahora mismo, les gustará mucho.

Nos fuimos en un tranvía que llegó en unos minutos. (Cuando se quiere buscar un sitio hermoso, hay que preguntar a un poeta.) El sitio era increíble, parecía imposible que, tan cerca de Ginebra, hubiera un lugar así, a todo campo, con casas pequeñitas.

A nuestro amigo lo conocían en una pensión, estábamos con suerte, tenían una pieza muy linda desocupada, en un segundo piso, grande, con una ventana que daba a un jardín enmarañado y salvaje. Nos instalamos inmediatamente. Estábamos radiantes, solos allí arriba, en esa casa rústica, con una dueña de casa atenta, fría y siempre muy ocupada, pero que, al segundo día, nos sonreía, y al tercero iba a conversar con nosotros, a perder unos minutos de su precioso tiempo con estos sudamericanos que le hacían mucha gracia. Nuestra pieza estaba adornada con papeles de colores, con flores y ramas.

En la tarde, nuestro perro ladraba mucho en el jardín. Fuimos a ver qué pasaba y, ante nuestros ojos, desfilaron unos animalitos como erizos alargados, con unas patitas muy cortas; lo más sorprendente era que iban en una correcta fila atravesando los jardines. Estos animalitos pasaron a ser nuestra diversión favorita.

Algunos días nos íbamos a Ginebra y llevábamos a nuestro perro, *Nyon*; nos hacía mucha gracia cuando subíamos a un tranvía, el perro pagaba medio boleto, lo mismo cuando entrábamos a un cine. En los restaurantes tienen costumbre de dar de comer a los perros, platos especiales. Es hermoso vivir en un país civilizado como Suiza, nunca lo olvidaríamos.

Poco a poco fuimos menos a Ginebra. Recorrer Vézenas nos parecía mucho más interesante, caminábamos por sus alrededores rústicos y hermosos. Este pequeño rincón también se quedaría en nuestro recuerdo como lo vivimos en el año 52. Nunca más quisimos verlo.

Y llegó el día de nuestra partida a Cannes para embarcarnos hacia Chile. La idea de este viaje me fascinaba, pero debo confesar que la llegada a Chile la veía como una inmensa incógnita de mi felicidad. ¿Qué pasaría? Era mejor no pensar. Nos despedimos de ese rústico lugar.

En la tarde, lavé y planché, todo esto se podía hacer en la pensión. Hace calor. Pablo, a mi lado, escribe. Por fin ya tenía todo listo, la ropa limpia para nuestro viaje, mis valijas arregladas y Pablo, que siempre fue el barman de la familia, me tenía en un rincón un trago fresco, inventado por él, al que le ponía lo que encontraba. Nos sentamos. Tenía algo que darme, era su oda «A un reloj en la noche».

Llegamos a Cannes, a un hotel que quedaba cerca de las oficinas de la compañía naviera. Pablo me dice:

—Tenemos sólo una noche en Cannes. Quiero que vayamos a comer a Vallauris, el pueblo de Picasso, que me trae tantos recuerdos. Cuando llegué desterrado, fue como mi hermano.

Yo estaba muy cansada, pero ¿cómo sustraerse a este torrente de energía que era Pablo?

Estamos en Vallauris, en un pequeño restaurante, y le digo a Pablo:

—En este momento me recuerdo de dos anécdotas que me contó Paul Éluard, cuando lo vi en París.

—¿De cuáles? —me pregunta con curiosidad.

—Usted y Picasso estaban aquí, en Vallauris, en alguna comida de beneficio, muy aburridos porque la gente venía a pedirles autógrafos, entonces, usted le dijo a Picasso: «Firma tú Neruda y yo firmaré Picasso, te aseguro que nadie se dará cuenta.»

Desde ese momento, se rieron como chicos haciendo una travesura. Nadie se apercibió del cambio de firma. También me contó que un día, muy calladitos, se fueron solos a un restaurante; en el momento en que les traían un pollo, salió, no se sabe de dónde, un fotógrafo, tomó una foto y desapareció al instante. Picasso se levantó indignado y usted lo tomó del brazo y le dijo: «Siéntate, si él sólo quería fotografiar el pollo.»

Nos reímos mucho con estos recuerdos. Pablo me contó entonces cómo era Picasso:

—Es un hombre fácil, todos lo creen un monstruo, él sólo quiere estar tranquilo. Cuando estamos solos no hacemos más que reír. Cuando llegué a Europa, perseguido por González Videla, me ayudó mucho. Me dio una llave de su estudio para que entrara a la hora que quisiera. Una vez que entré sorpresivamente estaba trabajando en la paloma de la paz que le habían pedido. Vi cientos de palomas hechas, hasta que salió la que él quería. Es un incansable trabajador, lo admiro profundamente.

Al final de esta comida estábamos tan, tan alegres, que salimos cantando nuestro himno por las calles de Vallauris, a nadie le llamaba la atención, éramos simplemente felices. Por suerte, esa noche no sospechábamos que el día siguiente sería de grandes dificultades. Pablo, en sus memorias, dice:

> «Llegué a pensar que Matilde perdería el barco, que yo tampoco me embarcaría. Por mucho tiempo consideré que aquel día había sido el más amargo de mi vida.»

A la mañana siguiente, muy temprano, nos fuimos a la oficina de la compañía naviera. Veo una figura alta, hermosa, que se acercaba a Pablo, era Paul Éluard. La única que sabía de nuestro viaje era Alice Gascar, amiga muy querida y traductora de Pablo. Ésta le había avisado a los amigos, y allí estaban Paul, Dominique, Nemesio Antúnez y su mujer; además, almorzaríamos con Picasso, quien también sabía que Pablo estaba allí.

Yo, naturalmente, había desaparecido, no quería que Paul me viera. Nuestro viaje, tan secreto, ya lo conocían todos los amigos. Pablo le dijo que tenía que arreglar asuntos de equipaje, y se despidieron hasta la hora del almuerzo.

—¿Qué hacemos? —me dice Pablo—. Yo quiero que usted venga conmigo, diremos que está aquí de paso.

Largué una carcajada, ése era un proyecto demasiado inocente, nadie lo creería.

—Yo creo que no le queda más remedio que ir solo al almuerzo —le dije—. Serán unas cuantas horas, porque a las cuatro de la tarde comienzan a embarcar los pasajeros. Yo me ocuparé de todo, nos juntaremos en la aduana.

Después de discutirlo, sin gustarle mucho mi plan, resolvimos que yo no iría al almuerzo y él hablaría con Picasso para que retuviera a los amigos en el restaurante y no fueran a dejarlo al terminal. Todos me conocían.

Pablo empezó a encontrarle el lado divertido a este plan.

—A Picasso van a gustarle mucho mis confidencias —me decía, con esas chispitas que salían de sus ojos cuando inventaba una broma—. Va a reírse mucho cuando le cuente que mi amor es una huasa de Coihueco.

Riendo ya de todo este trastorno de nuestros planes, pasamos a la ventanilla de la oficina de embarque. Pablo pasó sin ninguna dificultad, él viajaba a Uruguay. Al ver mi pasaje, me preguntaron por mi visa argentina, les respondí que los chilenos no necesitábamos visa. Ésa era mi equivocación, cuando un chileno iba de Europa a Buenos Aires, necesitaba visa. Mi sorpresa fue muy desagradable, en Cannes no había consulado argentino. Me aconsejaron ir al consulado uruguayo y, en Uruguay, me sería muy fácil obtener una visa para Argentina. Era un sábado. Nos fuimos al consulado. Le dije a Pablo que era mejor que fuese yo sola. El funcionario podría ser un reaccionario y no quererlo y, si era todo lo contrario, me daría cuenta muy rápido. Nervioso, inquieto, se quedó esperándome en una esquina.

Toqué el timbre, salió a abrir un señor en *short* y camiseta sin mangas. Pregunté por el cónsul del Uruguay. «Yo soy», me dijo, con sonrisa obsequiosa. Le conté lo que me pasaba. «Vamos a ver —me dijo—, a lo mejor le doy una visa de trabajo.» Me extrañó mucho eso, pero le dije: «La que usted quiera, ni desembarcaré en Uruguay, seguiré a Buenos Aires. ¿No sería más fácil una visa de cortesía, pagándole, naturalmente, la visa?» Me miró como si eso fuera algo muy difícil. Vio mi pasaporte donde decía: «profesión, cantante». Se le iluminó la cara. «Yo también soy cantante de ópera —me dijo—, en pocos días más canto un Pinkerton, en la *Butterfly*.» Yo estaba nerviosísima, pero la sonrisa no se despintaba de mis labios. «¿Por qué tiene que tomar este barco? —me dijo—. No se vaya, quédese aquí unos días, lo pasará muy bien.» Le dije que tenía compromisos y que, además, estaba muy cansada, que esos días de mar eran mis vacaciones. Este señor entraba, salía, yo esperaba. Me repetía lo mismo: «No se vaya, ¿por qué tanto apuro?» Lo peor era que si este señor no me daba la visa, eso sería verdad, no podría viajar. Estaba en sus manos. De repente, me dijo: «Tengo que ir a una cita, me demoraré una hora; cuando vuelva, me pondré a trabajar en su visa, pero me tendrá que pagar tiempo extra, porque hoy es sábado.» «Lo creo muy justo», le respondí. «Bien, ahora debo telefonear a mi jefe y ver si le puedo dar la visa, usted pagará la llamada» (era a otra ciudad). «Con mucho gusto», le respondí. Llamó por teléfono sin preocuparse de preguntarme si sabía o no francés. Comenzó a hablar de una fiesta que tendrían el fin de semana, barajaban nombres, se reían, se contaban chistes, no había apuro, yo pagaría esa llamada. Por último, le habló de mi visa y, cuál no sería mi sorpresa cuando le dijo: «Viaja en ese barco, y a Montevideo, un comunista, Pablo Neruda. Podemos impedir que se embarque, ¿qué le parece?» ¡Dios mío, qué sufrimiento! No supe qué le contestó el otro funcionario. Terminó de hablar y, canturreando como un ruiseñor, se fue a vestir para salir. Yo debería esperarlo.

En cuanto vi que el coche se alejaba, salí a la esquina para hablar con Pablo y le conté lo que había oído respecto a él.

—Pague todo lo que él quiera, sin chistar —me dijo—, porque lo que él quiere es dinero.

Yo tenía doscientos dólares en el bolsillo, en ese tiempo, mucho dinero. Le rogué a Pablo que se fuera a su almuerzo y se olvidara de esta enorme pesadilla.

—Nuestro ángel nos va a salvar —le dije.

Él se alejó, riendo de mi ángel.

Volví al consulado, la espera fue muy larga. Venía contento, me piropeaba sin cesar. Yo, siempre sonriente, amable; pronto se dio cuenta de que las bromas conmigo no podían ir lejos.

Comenzó entonces a hacerme la visa. Me pasó la cuenta. La visa costaba cien dólares, más el tiempo extra y el telefonazo, total, unos ciento cincuenta dólares. Pero eso no fue todo, tenía que pagarle en moneda del país, él, que era muy serio, no podía recibir dólares; tuve que tomar un taxi y llevarle francos. Me dio todos los recibos, y me dijo: «Aquí tiene el recibo de todos sus pagos.» Los dobló y los metió en un sobre. Partí. Era ya muy tarde cuando volví a la compañía con mi visa. Tuve el tiempo justo para llevar mis valijas y esperar allí en el terminal. Pronto llegó Pablo, solo.

—Todos querían venir conmigo —me dijo—, pero Picasso inventó que yo iría a su taller para hacer algo secreto que sólo los dos sabíamos, y que volvería.

Ese otro Pablo debe de haber gozado. A cada momento, le decía cuéntame más, cuéntame más. Y Pablo le describía cómo era mi pelo, mis ojos, cómo era nuestra vida. Me contó que se iba poniendo muy serio a medida que oía todo eso y, por fin, le dijo: «¡Cuánto no daría yo por sentir todo eso!»

Ya estábamos pasando la policía, todo conforme, pronto llegarían las lanchas para llevarnos al barco. En ese momento, al llegar la primera lancha, se oyó una voz por el altoparlante: «Se ruega al señor Pablo Neruda que pase a Policía Internacional.» Nos miramos. La cuota de pesadumbre de ese día no había terminado. Me quedé allí, muda.

Lo vi alejarse, sonriente. Casi al mismo tiempo, una voz se elevó entre los pasajeros, lo bastante fuerte como para ser oída: «¡Ése es un comunista, un agitador, yo lo sé, porque soy chilena!» Allí mismo se elevó otra voz femenina, más fuerte todavía: «Vergüenza debería darle, señora, de ser chilena y atacar así al escritor más grande de habla castellana. Yo soy uruguaya, y ya querríamos este agitador, como usted lo llama.» Yo, silenciosa, me paseaba con mi perro. Adiós ilusiones de pasar desapercibidos. Allí continuaba la discusión, eran muchos los que increpaban a esta pobre señora, se debe haber sentido muy mal. No volví a verla, ella viajaba en primera clase.

Pasaron los minutos, que se me hacían eternos. ¿Se frustraría este viaje que tanto habíamos soñado? Cuando se había embarcado casi toda la gente, llegó un muchacho a decirme que Pablo me rogaba embarcar, que él llegaría pronto al barco. Lo miré desconfiada. «No —le dije—. Yo no me embarco si no veo a Pablo.» En ese momento anuncian la última lancha. «¿Usted es pasajera, se embarca?», me preguntaron. «Sí, soy pasajera —contesto—, pero estoy esperando a alguien.» Es la última lancha, gritaban. ¡Qué nerviosa estaba! No sabía qué hacer. Me acerqué a la lancha para hablar más de cerca con ellos. En ese momento, se me abrió el cielo. Allí, frente a mí, en el mar, había aparecido, no sé de dónde, una lancha y un hombre con una mano levantada con un pañuelo blanco como si fuera una bandera: era Pablo, mi Pablo. La policía lo llevaba en su propia lancha al barco.

Me embarqué inmediatamente, casi en el momento en que zarpaba. Las dos lanchas iban a corta distancia, nos hacíamos miles de señales, nos reíamos descontrolados. ¡Qué día amargo nos había reservado el destino!

Pablo subió primero, allí estaba esperándome, nos abrazamos, no nos importaron ni los policías, ni la gente que nos miraba, otra vez, sólo nosotros existíamos.

Buscamos un rincón apartado donde conversar, yo estaba impaciente por saber qué había pasado. Sabía que Pablo estaba triste, algo lo había afectado profundamente. Mirando el mar y el puerto que se alejaría muy pronto, con voz muy pausada, como si la confidencia saliera con dificultad de sus labios, me dijo:

—Hoy ha pasado algo que me duele mucho. Me han expulsado de Francia. Para eso me llamaron.

—Cuénteme —le dije—, cuéntemelo todo.

—Lo tenían preparado, fueron muy amables, insistían en que cumplían órdenes. Me dijeron que si quería declarar algo, aquí quedaría escrito.

En su expulsión, él declaró que toda su vida había amado y servido a Francia, dando a conocer su cultura y que, adonde fuera, lo seguiría haciendo.

—Me pidieron que les firmara autógrafos. ¡Qué ironía!

Yo le tomé las manos. Nos miramos a los ojos.

—Pablo querido, esto durará muy poco, usted tiene tantos amigos en Francia, verá que anularán esta medida. Desde aquí mismo escribiremos a todos los amigos, contándoles lo que pasó.

Muy pronto, el barco comenzó a moverse. Pablo, allí, bien

tomado en la cubierta, se despidió de Francia con profunda tristeza. Me dijo:

—Yo amo mucho este país, es como los amores mal correspondidos. Este país tiene todo lo que yo más quiero: sus almacenes de ciencias naturales tienen tantos caracoles, son como un inmenso mar; los buquinistas son los mejores del mundo; se venden pájaros de todos los países. Es el ejemplo de un país civilizado. A mí me expulsaron de Francia como si fuera un enemigo de ella. Yo, que leyendo a sus autores, aprendí a leer francés cuando todavía era un niño.

En sus palabras no había odio para nadie, sólo dolor.

El barco se alejaba. Le recordé que fuéramos a ver nuestros camarotes.

—No —me dijo—, no podría ahora encontrarme con esos compañeros de viaje a quienes veré mañana en vez de mi Patoja.

Naturalmente, viajábamos en segunda clase y no estábamos casados por leyes terrenales. Nuestro matrimonio lo bendijo la luna, no era válido aquí en el barco. Esto nos parecía muy injusto. ¿Cómo serán mis compañeros?, pensábamos.

—Mi camarote tiene tres camas —me dice Pablo—, es peor que el suyo.

Nuestra vida comenzaba a ser difícil. Nos miramos y, al unísono, pensamos: «¡Pero si todo este día ha sido tan malo que hay que despedirlo bien! Lo celebraremos ahora mismo.» Pedimos una botella de champaña y comenzamos a celebrar nuestros malos ratos del día, levantamos la copa y brindamos por el cónsul ladrón y aprovechador, por los que nos expulsaron de Francia sin querer hacerlo. En ese momento, le digo:

—¿Sabe que me dio recibo de todo lo que le pagué?

Y Pablo me pidió que se los mostrara. Busqué en mi cartera el sobre donde debían estar todos los recibos que había visto y que él me había hecho leer. No estaban. En el último momento, debe haberlos sacado del sobre. Nos reíamos mucho, era un timador de alta escuela.

Con aquella botella de champaña, ya bastante alegres, nos fuimos a ver los camarotes. ¡Qué injusta era la vida! Nos fuimos primero al mío, toqué y abrí la puerta. Una señora de edad madura, hermosa, con cara muy agradable, me sonríe y se presenta: «Yo soy Antonia.» «Y yo Matilde», le digo. En ese momento, divisa a Pablo y se precipita a darle un beso. «¡Neruda aquí!», gritaba con acento español. Era una de las españolas que llegó a Chile en el *Winnipeg*, vivía en Viña del Mar, estaba casada con un señor Imbert.

Adiós nuestras ilusiones de pasar desapercibidos. «Pase, pasé —le decía—, este camarote es muy pequeño, pero, de alguna manera, nos arreglaremos.» Pablo me miró divertido. Se había terminado nuestra intimidad que tanto defendíamos, era mejor acostumbrarse. Con una sonrisa bondadosa, le dijo: «Tengo que ir a mi camarote, después vendré.» Y se fue a ver qué le había deparado el destino.

Yo, muy apurada, saqué unas cuantas cosas de la valija y estuve lista, esperando a Pablo, quien llegó casi de inmediato.

Nos fuimos a conocer nuestra nueva casa, teníamos una cubierta bastante confortable, y había un pequeño rincón con algunos libros donde escribir.

—Éste será nuestro rincón —me dijo—. Nos levantaremos en la mañana y vendremos aquí, será el lugar señalado para encontrarnos.

Pasaban los días en compañía de nuestra querida Antonia, que era bondadosa y tierna. Nunca nos preguntó nada, creo que nos miró y entendió todo. En las tardes, de manera muy delicada, nos decía: «Voy a estar en cubierta, tejiendo hasta la hora de comida.» Jamás pudimos agradecerle este gesto de protección a nuestro amor, porque ninguno de los tres se daba por enterado de nada.

Aquélla, nuestra primera travesía por el océano, fue alegre, todo salía bien. Pero, desgraciadamente, tocaba a su fin. ¡Qué corta había sido!

Llegó la última noche, nos quedamos en cubierta, mirando las olas, como siempre, hasta muy tarde. Teníamos que separarnos, él se quedaría en Montevideo. Había recibido un telegrama en el barco: habría parlamentarios chilenos esperándolo. Yo tenía la visa para Buenos Aires, la policía argentina que subió en Montevideo me la dio sin ningún inconveniente. Todo arreglado.

Estábamos sumidos en un doloroso silencio. La cubierta estaba desierta. Allí, en la proa, sintiendo ya los olores de la tierra que se abría como una puerta a ese mañana para mí tan oscuro, comenzaba a tener miedo; a pesar de su ternura, a pesar de sus caricias, era un momento de dulce tristeza.

A mí no me gustaba nada la idea de llegar a Chile, después de tantos años, en forma casi clandestina, sólo lo sabían mi amiga Blanca Hauser y Armando Carvajal. Ellos me esperarían en el aeropuerto de Chile. Me habían arrendado una casa, yo no sabía dónde.

Cuando el barco llegó a Montevideo, ya no vi más a Pablo. Subían los parlamentarios; era mucha gente. Vi cómo, entre risas, gritos y abrazos de bienvenida, se lo llevaron. Me quedé triste, una duda terrible se había apoderado de mí: ¿Sería capaz de vivir en Chile? ¿No habría cometido un error al venirme de esta forma?

Me retiré muy temprano a mi camarote, tomé un libro, intentando leer, pero mi buena Antonia estaba muy conversadora, se daba cuenta de mi estado de ánimo y me contaba cosas de España, de su vida en Viña, de lo que significaba Chile para ella. Yo la oía a medias, por suerte, se quedó dormida y pude volar con mi pensamiento en busca de Pablo. ¿Qué haría a estas horas? ¿Estaría desvelado, como yo? Recordaba su emoción en la despedida. Sólo me dijo: «Hasta muy prontito, amor, yo no me voy, yo me quedo.» Y se había quedado aquí, muy dentro de mí.

Muy temprano llegamos a Buenos Aires. Allí desembarcamos.

Otra vez éramos mi perro y yo. Buenos Aires es la ciudad más inhumana para alguien que cargue con un perro. Había cosas que yo no podía entender. Venía de esos países en que se entra con un perro a cualquier parte. En Buenos Aires no quieren nada con una señora que cargue un perro. El chofer que me sacó del barco y me llevó al hotel Florida, donde había vivido por largo tiempo, me dijo: «Con un perro, señora, ningún chofer la lleva en el coche, y ningún hotel le dará pieza.» Asustada con esta advertencia, me bajé en el hotel Florida, donde tenía mi reservación. Habían pasado tantos años desde que había vivido aquí, que ninguno de los empleados de la recepción me conocía. Cuando miraron a mi pequeño y precioso perro, me dijeron que no podían darme pieza. Les pedí hablar con el dueño. «No me muevo de aquí —les dije—, porque este hotel fue como mi casa durante mucho tiempo. Hace cinco años que no venía, pero sigue siendo mi casa.»

Me pasaron a una oficina donde estaba un señor que me hizo sentar, y me explicó que por ley nadie que tuviera un perro podía vivir en un hotel. «¿Y por qué ese odio a los perros?» «Tienen pulgas», me dijo. Esto me dio risa. «Si usted le encuentra una sola pulga a mi perro, le doy todo lo que tengo.» Seguimos conversando y, por fin, llegamos a un acuerdo: sólo estaría dos noches. Sacaría a mi perro a la calle antes de las siete de la mañana, o tarde en la noche; además, me adelantó que nadie me llevaría en un taxi con el perro. Por fin, me dio una pieza. Hasta el último momento, me decía: «Piense, señora, que la multa es muy cara y no quiero dificultades con sanidad.»

Había entrado a otro mundo, a mi mundo.

Salí a las calles de Buenos Aires, mi sorpresa fue muy grande, en la esquina del hotel, un altar en memoria de Eva Perón. Hacía cuatro días que había muerto. Había un retrato suyo muy grande; más adelante, una mesa tapada con flores y cuatro personas haciendo guardia. Estos altares los fui encontrando por todas partes, aquello era algo único. Sorprendida, empecé a conversar con la gente y me di cuenta de que en todos había un verdadero dolor por su desaparición. «Se nos fue la señora», me decían, muchas veces llorando. En todo Buenos Aires flotaba un aire de duelo. Lo pasé muy mal. Tenía que embarcar mis valijas por tierra, transportarlas por avión era muy caro. Y todos estos trámites tenía que hacerlos a pie con mi perro, ningún taxi me llevaba. Tampoco podía dejarlo en el hotel, porque gemía, y esto sí que era escandaloso. ¡Qué mundos más distintos me tocaba vivir!

Nunca había caminado tanto. Hice todo lo más rápidamente que pude: mandé mis valijas por tierra, compré una jaula grande de mimbre para embarcar al perro. Por fin, tomé el avión para Chile.

El amor, una esperanza muy tenaz de vida, me hacía soportar todas las dificultades. En el aeropuerto me esperaban mis más grandes amigos, Blanca Hauser y Armando Carvajal. Se rieron mucho cuando les dije que tenía que esperar a mi perro. En la aduana, querían que regresara a las cuatro de la tarde y en ese momento era la una. Armando me dijo que esperáramos en el aeropuerto y almorzáramos allí. Cuando ya estábamos decididos a quedarnos, me llamaron por el parlante para entregarme una fiera en forma de perro que nadie podía dominar. Había roto la puerta de su jaula y no podían tomarlo. Entré a una especie de bodega y no tuve necesidad de llamarlo. El pobre había enloquecido con los ruidos del avión. Se acurrucó en mis brazos y se quedó quieto, temblando. Me senté con él en el suelo, le hablaba y lo acariciaba. Blanca estuvo muchos días hablando y riendo de este espectáculo que había dado yo en la aduana. Dicen que quienes ya habían declarado que el perro era loco y había que matarlo, me miraban enternecidos. No quisieron saber nada de papeles. «Váyase y llévese su perro», me dijeron.

13

LLEGADA A CHILE

Y llegué a Chile, en el invierno del año 52, a la casa más fea del mundo. Mi queridísima amiga Blanca Hauser me la había buscado. Le pedí que me arrendara una casa con patio, porque traía un perro y necesitaba espacio; esta frase hizo que me buscara una casa con dos patios, llena de piezas que, por supuesto, estaban vacías para que yo las amueblara. Me había arreglado un dormitorio para que pudiera llegar, y allí estaba, mirando con espanto una cama pequeña, un velador, una mesita y dos sillas, era todo mi mobiliario. Yo venía de Capri, de Ischia, donde había espacio, belleza, luz, ¿por qué estaba aquí?

Y ese porqué entró por la puerta, gritando:

—Mi Patoja, ¿dónde está mi Patoja?

Nos abrazamos, y yo, en un arranque de inmensa sinceridad, como un desahogo, le digo:

—¿Qué he venido a hacer yo en este país de mierda?

Al oír esto, Pablo abrió mucho los ojos y se paseaba por la pieza como un loco, nunca lo había visto más inmenso ni más furioso. Tomó un sombrerito muy lindo que había comprado en Roma, lo tiró al suelo y lo pisaba y lo pisaba, mientras, enfurecido, me decía:

—¡Este país de mierda es el suyo! Aquí tiene que quedarse, para acostumbrarse a quererlo, con todas sus dificultades y sus pobrezas. La vida está hecha de todo esto, no se puede vivir huyendo de las cosas feas o de las dificultades.

Todo eso era verdad. Por suerte, las lágrimas acudieron a mis ojos, y esto sí, Pablo no podía soportarlo. Se calmó inmediatamente, y me dijo:

—Perdón, soy un perfecto bruto. Debo entenderla, usted

tiene toda la razón, pasó demasiados años fuera, y uno tiende a idealizar su país. Pero esto es así, y aquí viviremos, porque la vida nos ha unido para siempre.

Creo que los dos estábamos avergonzados. Él, por enfurecerse tanto, yo, por decir un disparate tan grande sin pensarlo. Habían apagado la luz por sectores, y esa noche le tocó a mi barrio; unas luces de vela hacían más tenebrosa esta casa que estaba en la calle Dardignac.

Yo estaba con el corazón encogido y lo más triste de todo era que Pablo tenía que irse, pertenecía a otra casa. Yo no había medido bien lo que Pablo me pedía, y esto me parecía a cada momento más y más insostenible. Aquella noche me quedé sola allí, con mi perro. Tenía frío, una pobre estufa que no calentaba nada y dos velas encendidas completaban el cuadro más desolador que es posible imaginar. Había vivido demasiados años en México sin ver árboles desnudos, ya me había olvidado del frío. Qué feo es sentir frío, y qué fea me pareció la ciudad de Santiago en invierno. La belleza de la cordillera no basta. Aquel invierno del año 52, yo la habría declarado la ciudad más fea de las que he conocido.

Al otro día llegó Pablo, muy temprano. Esto era para mí como si el sol entrara por la puerta. Intrigada, le pregunté:

—¿Y qué dijo en su casa para salir tan temprano?

—Dije que iba a cerrar la puerta —me contestó, con mirada de chico travieso. Traía el periódico—. Vamos a buscar una casa linda, esta Blanca tuvo que estar loca para arrendar algo tan feo.

Por lo menos, tenía algo que hacer, y mis pensamientos desesperados iban siendo menos.

Al día siguiente, tenía una cita con mi apoderado en Chile. Era un gran amigo, que siempre me guardó unos pesos; me hacía algunos negocios que me daban algo de dinero cuando no trabajaba. Me tenía algo ahorrado.

—Te traigo un pequeño negocio —me dijo—. Aquí, a dos cuadras, se vende un terreno que me parece muy barato; si lo compramos, estoy seguro de que lo venderemos ganando algo, los terrenos siempre suben.

Quedé de ir a verlo, me dejó la dirección.

En la tarde llegó Pablo.

—¿Encontró casa? —me preguntó.

Le contesté que no me había gustado ninguna, que eran demasiado grandes, demasiado caras o demasiado feas. Salimos a caminar por el barrio, de repente, recordé la dirección del terreno para hacer mi inversión. Estábamos casi ahí mismo y, como no teníamos nada que hacer, fuimos a verlo.

Llegamos a una casucha de madera y entramos. Había un hombre que nos recibió desconfiado. Le dijimos que queríamos ver el sitio que se vendía. «Es todo esto —dijo—. Hasta arriba. Yo no sé hasta dónde, nadie puede subir, está cubierto de zarzamora.» Efectivamente, había mucha zarza, pero nosotros subimos de todas maneras. Estábamos como embrujados por un ruido de agua, era una verdadera catarata la que se venía por un canal, en la cumbre del sitio. Pablo no cabía en sí de gozo:

—¡Esto es lo más hermoso que he visto! —me decía—. Tenemos que comprarlo inmediatamente. Necesitamos dinero.

Yo tenía lo que mi apoderado me había dejado y, con él, nos fuimos a ver a una señora Manarelli que vivía en calle Catedral. Pablo se quedó esperándome en la esquina, teníamos miedo de que lo conociera. Era una señora joven. Cuando le dije que llevaba dinero para dejarle a cuenta se alegró mucho, parecía tener dificultades. Y, con un recibo en la mano, salí de allí, saltando de contenta. Ya Santiago no me parecía tan feo. En ese sitio construiríamos nuestra casa.

Por fin, después de mucho buscar, encontré un pequeño departamento, quedaba en un edificio frente al Hospital Militar. Lo decoré con muebles claros, era muy chiquito; al abrir las ventanas, mi vista sólo encontraba otras ventanas; no era el ideal, pero era calentito. Qué alivio. Comenzaba a aclimatarme y ya Santiago no estaba tan feo, los aromos y los árboles de flores empezaban a dar vida y belleza a esta ciudad. Todos los días salíamos a distintos lugares, comenzaba a descubrir este país que casi había olvidado y que en estos cinco años había cambiado mucho.

Creo que éramos felices. Poco a poco iba acostumbrándome a esta vida de penas y alegrías. Cuando parecía que ya nada perturbaría esta vida, que hacíamos lo posible por hacer normal y alegre, viene, como una gran nueva, como una alegría que me llena de esperanzas, un hijo de Pablo que de nuevo quiere nacer. Lo que siento es una mezcla de felicidad y miedo. ¿Y si vuelve a suceder lo mismo que las veces anteriores? Tengo miedo, en esta noticia hay un recuerdo de angustia. Espero la noche con verdadera ansiedad. Pablo llega y le cuento de mi visita a la doctora, la certeza la tendremos muy pronto. Volvemos a concebir la esperanza de tener un hijo. Ahora, cuando recuerdo esos instantes, creo que ni por un momento se nos ocurrió pensar en los graves inconvenientes que tendríamos con un hijo. Vivíamos tan fuera de la realidad, nos habíamos creado un mundo nuestro.

Cuando supimos que lo del hijo era realidad, le conté a la doctora que dos veces antes había perdido y me dijo que, en esos casos, lo único que daba resultado era quedarse en cama, que si yo estaba dispuesta a guardar reposo, conseguiría mi hijo. Decidimos que guardaría reposo. Comenzó una nueva vida para nosotros. Pablo me mimaba en extremo, me llevaba libros, leí cuanta literatura me llevaba, comentábamos los libros, los preferidos eran Dostoievski, Proust. Me compró un par de cacatúas muy divertidas, me entretenía mirándolas. Se arrullaban todo el día, pero también había momentos en que peleaban y, en ese instante, el macho pasaba a la parte baja de la jaula, como un marido malhumorado. ¿Qué pasaba? ¿Qué se decían? ¿Por qué peleaban? Nunca lo supe.

Allí, con tanto tiempo disponible, hice las anotaciones de la vida en Capri, en Nyon, en Roma. Hoy me han servido mucho.

Mi hijo comenzó a dar señales de vida, se movía. ¡Qué gran alegría! Necesitábamos llamarlo de alguna manera. ¿Qué nombre le pondríamos? Decidimos no pensar en ninguno hasta que naciera.

—Por el momento —me dijo Pablo—, lo llamaremos Procopio.

Ese nombre me sonaba divertido. Hablábamos de este hijo. Pablo quería una niña.

Pasaron cinco largos meses y, al entrar al sexto, la doctora me dijo que podía caminar, que saliera, que ya estaba fuera de peligro. No era así. A los quince días de haberme levantado, perdí este hijo por el que tanto me había esforzado y sufrido. Pablo andaba en una gira por el norte. Me fui a la clínica Central. Era una niña. Llegó Pablo a la clínica, lleno de flores. Tuvo valor para sonreír.

—No ha pasado nada —me dijo—. Todo está igual. Usted y yo, y nuestro amor. ¿Por qué nos hemos empeñado en algo que no puede ser?

Quedé enferma, triste, nerviosa. Esos meses en cama me habían hecho muy mal, tuve que comenzar a robustecer mis piernas, mis músculos deshechos por el largo reposo.

Pablo nunca más quiso intentarlo.

—Si usted queda sin salud, o se me muere —me decía—, yo no querría ese hijo. Para mí, lo más importante es mi Patoja.

Fueron muy largas las conversaciones al respecto. El doctor daba muchas soluciones y seguridades, pero Pablo no quiso intentarlo de nuevo, y un día decidimos no hablar nunca más del asunto.

Decidimos construir nuestra casa. Todos los días nos íbamos a nuestro sitio, bajábamos todos arañados por la zarzamora. Los trámites de la escritura estaban terminados y estábamos impacientes por comenzar a limpiar todo aquello.

Un día, Pablo me dice:

—Hoy vendré con un amigo arquitecto que quiero que usted conozca.

Era Germán Rodríguez Arias. Yo no quería conocer a sus amigos, le había pedido que jamás intentara presentármelos, pero este amigo sería quien haría la casa y tenía que conocerlo. Se rió mucho cuando vio el terreno. «Vivirán subiendo y bajando escaleras», nos pronosticó. La verdad era que nuestro sitio no era horizontal, sino vertical. Eso nos fascinaba, nuestro amor nos había rejuvenecido, actuábamos como dos adolescentes. Ahora, cuando escribo estos recuerdos, vivo en esta casa vertical con grandes dificultades, pero no podría vivir en otra.

A los pocos días, el arquitecto nos llevó un proyecto. Como buen arquitecto, miró el sol, la vista hacia Santiago. Pablo miró el proyecto y le dijo: «¡Pero qué tontería! ¿Cómo voy a estar viendo Santiago? Yo quiero la vista hacia la cordillera.» Y le dio vuelta a la casa, se haría exactamente al frente. El arquitecto le decía que faltaría el sol y que, por ser la parte más elevada, tendría más escaleras. «Mejor así —respondió Pablo—. Ponle muchas, pero muchas escaleras.» Todo esto iba acompañado por torrentes de risas nuestras, que no medíamos las dificultades; sólo importaba la parte estética. Convinimos en que se haría un *living* y un dormitorio, eso sería todo por el momento. Yo creía que mi dinero alcanzaría para esta construcción. Comenzaron los trabajos. Todas las semanas veníamos a ver cuánto se había adelantado y, ante nuestra desesperación, veíamos que todo nuestro dinero se iba en construir para abajo. «Éste es un terreno de relleno —decía el arquitecto—. Hay que encontrar terreno firme.» Veíamos zanjas inmensas, montones de tierra, y nada de muros. Cuando encontraron el terreno firme, empezaron a hacer esos inmensos cimientos y comenzaron, por fin, a elevarse los muros de nuestra casa. Mi dinero había disminuido bastante. Empezó entonces la venta de todo lo que yo tenía. La angustia de cada semana para pagar a los trabajadores comenzaba el lunes mismo, pero había algo en nuestra voluntad, y también en nuestra suerte, que nos permitió salir adelante.

Cada semana, Pablo cambiaba los planos del arquitecto, modificaba los detalles, y terminó dejando el *living* con un solo muro, todo lo demás son ventanas. Discutía con Germán hasta la saciedad. «Yo quiero —le decía— que el vidrio llegue abajo, al suelo.» Él contestaba: «No puede ser, tienen que haber unos cuarenta centímetros de construcción para colocar los ventanales.» Y las discusiones eran infinitas. Cuando estas dos piezas se terminaron y yo lo felicité porque todo me parecía tan hermoso, Germán me dijo: «Ésta ya no es la casa mía, ésta es una casa diseñada por Pablo.» Cada mueble de esta casa fue diseñado por él; escogía las maderas, les estudiaba las vetas. ¡Qué divertirnos tanto!

Y aquí comienza mi vida en Santiago. Estábamos tan juntos, tan unidos. Yo trabajaba todo el día en mi jardín, no hubo un árbol, una planta, que no fuera escogida y plantada por mis manos. Éramos una pareja feliz, nos veíamos a todas horas, Pablo era como un fantasmita de la casa, llegaba siempre riendo, haciendo un chiste; a veces, entraba muy apurado, me daba un beso y se iba.

Esta sed de vernos, de estar juntos, era cada día más grande. Ese verano iríamos a Atlántida, en sus originales, Pablo la llamaba Datitla. En Uruguay teníamos unos amigos maravillosos que nos dejaron su casa en la playa. ¡Con cuánta ilusión preparamos este viaje! Llegamos a una casa acogedora, todo era de un gusto exquisito. Estaba en un bosque de pinos y todo el día sentíamos su fragancia. Comenzamos a organizar nuestra vida. Pablo, como siempre, sería el barman, haría los aperitivos y pondría la mesa, pero no sólo se trataba de poner platos y cubiertos: tenía que hacer todos los días adornos distintos. Yo hacía la cocina, preparaba mis guisos, que Pablo celebraba con extrema generosidad. En la tarde, con una lista, nos íbamos de compras a los almacenes. Cuánta simplicidad en nuestra vida juntos, y cuántas complicaciones para poder disfrutarla.

Después de Capri, era la primera vez que podíamos estar juntos sin separarnos, estábamos como enfermos de ansiedad. Nos íbamos a nadar en esa agua tibia, maravillosa. Pablo no había olvidado lo que aprendió en Sant'Angelo, pero yo tenía que nadar a su lado, nunca pudo vencer el miedo de nadar solo. Me decía: «Si usted no entra al mar conmigo, se me olvida todo y me voy al fondo.» Y lo peor es que así pasaba. Nuestras diversiones eran inocentes. Comenzamos a hacer un herbario de todas las flores silvestres de Atlántida y las pegamos en un cuaderno. Se lo dejamos de regalo a los dueños de casa, quienes, según supe, lo conservaron por muchos años.

En Atlántida, Pablo escribió muchos poemas. En sus originales habla de Datitla, una palabra inventada. No podía poner Atlántida, porque nadie debía saber que estábamos allí. Estas escapadas que hacíamos de vez en cuando para poder vivir unos días juntos nos daban cada vez más el convencimiento de que jamás podríamos separarnos.

Y así siguió nuestra vida. Pasaron los años sin sentirlo. Yo le sacaba las primeras copias de sus manuscritos. Poco a poco fui convirtiéndome en esa secretaria secreta, y comenzaron también los rumores: Pablo se había traído una amiga italiana que nadie conocía, que a nadie presentaba. Todo esto era cada día más misterioso.

Hasta que un día sucedió lo inevitable, y todo, por unas cuantas botellas de vino.

Pablo tenía un viejo jardinero. Un día, se perdieron muchas botellas de vino que sólo él sabía dónde estaban guardadas. Como no pudo justificar esta pérdida, Pablo lo despidió. Ese jardinero era muy amigo del chofer quien, lógicamente, era el único de la casa que sabía de mi existencia. Antes de irse de la casa, el jardinero le habló de mí a Delia, la mujer de Pablo.

Esos días los recuerdo como muy amargos para mí. Ella quería que se definiera la situación, si Pablo no renunciaba a este amor, se iría de Chile. Fueron inútiles los argumentos. Yo no le quitaba nada, ya que cuando llegué a su vida, ellos sólo tenían ya una convivencia amistosa. Yo no quería que ella perdiera su calidad de esposa, no me interesaba.

Ella, dolida y sufriente, se fue de la casa, embarcándose primero a Buenos Aires y después a Francia.

14

COMIENZA MI VIDA DE MUJER SOLA

Aquí, sentada frente al mar en este asiento de piedra, tengo miedo. Estoy metida en una tenaza de recuerdos. Veo mi vida estrangulada de una noche a otra noche. Sin paz, sin risa, sólo con recuerdos.

Poco a poco, se percibe como un latido: son las sombras de la noche que van separándose lentamente. Y yo aquí sentada, sin saber por dónde continuar.

Arriba me espera una cama muy grande, una cama vacía para no dormir, ni reír, ni soñar. Una infinita tristeza recorre mi cuerpo, estoy encogida, como protegiéndome de algo, sólo agarrada a mis recuerdos. El frío me ha llegado a las entrañas.

Estoy tan helada que casi no puedo moverme. Poco a poco me desenrrollo, me siento mineralizada. Parece que miles de años han caído en mis rodillas, en mi cuerpo, en mi alma.

Tenía la conciencia clara de mi realidad. Un proceso de liquidación y de ruina me esperaba. Me voy lentamente. De pronto, oigo un ruido, como un susurro de voces apagándose. Me detengo, escucho: no es más que un pino acariciado por la brisa.

Subo a mi dormitorio, percibo el perfume de la madreselva. Me siento en su sillón preferido, con la nariz pegada al cristal, como examinando la noche. Esta pieza, tan familiar, ahora me parece desconocida.

Esperaba el sueño sin querer dormir. Por fin, unos irresistibles deseos de llorar me agarrotaron la garganta. No hago nada por dominarlos; lloré suavemente primero, con grandes sollozos después. Me oigo llorar por horas, son como olas contenidas, vienen de una parte desconocida mía, de una parte tan profunda, tan íntima. Poco a poco, pierdo la noción de mí misma, juraría que en un momento sentí su beso, sentí su mano sobre mi afiebrada cabeza. Lentamente me fui a la cama, busqué su olor en la almohada, sentí una frescura bienhechora. Y rodeada, como siempre, como todas las noches, de su ternura inmensa, me dormí durante toda una noche y un día.

Estaba salvada.

Es imposible contar lo que sentí cuando desperté en esa cama. Todo me duele, mis manos están torpes, temblorosas. Pablo me ha dado una fama de mujer fuerte y capaz. Dejándose llevar por su flojera para resolver problemas de la casa, siempre decía: «Pregunten a la Patoja, ella sabe resolver todo.» Y ahora estoy vergonzosamente asustada, son tantos y tantos los problemas que tengo sobre mí, además de esta pena tan grande, de esta orfandad. Todo me duele.

¿Cómo afrontar este mundo que me parece hecho pedazos? Lo mejor de este país ha sido derribado en horas. ¿Cómo ayudar? ¿Cómo alertar, cómo gritar lo que aquí está pasando? ¿A quién y dónde? ¿Quién puede ayudarnos? Estamos solos, dispersos. El miedo es el amo de este país, ¿cuánto durará?

Los acontecimientos se habían precipitado de tal forma que me empujaban peligrosamente a un descontrol que ya sentía en el temblor de mis manos. Tenía que darle a mi existencia una forma, un orden, para superar esta carrera de obstáculos que presentía sería mi vida. En este momento, iban y venían las ideas más locas, afiebrando mi pobre cabeza.

Necesitaba una caparazón impermeable. ¿Dónde encontrarla?

Hace mucho que miro el mar; allí está, como siempre, golpeando alegre sobre las rocas, parece que me convida. Me voy a su orilla, la brisa que azota mi cara me hace bien. Miro el cielo, las nubes van viajando, llevadas por el viento que las despedaza con increíble rapidez. Las miro alejarse, todas me dan el perfil de Pablo, que siempre se va riendo. Me hace mucho bien la broma de estas nubes.

El sol empieza a caer. El aire del mar trae olor de algas y yodo del océano; todo esto, como una bocanada de aromas, me trae a la memoria cómo Pablo defendía su mar; según él, no había en el mundo playa como Isla Negra. En una ocasión, estábamos en Europa, y Pablo me dijo: «Yo quiero regresar, ya no puedo más de deseos de ver el mar.» Una gran carcajada mía le respondió, porque todo esto me lo decía paseándose por la orilla del mar, en Viareggio. (Estábamos ahí como invitados; ese año le dieron el Premio Viareggio.) Él me miró y me dijo: «Si esto no es mar. ¿No ve que no se mueve, no ruge, y, además, no huele? Esto no es mar.» Aseguraba apasionadamente que los mares civilizados de la Costa Azul no eran mares.

Multitud de episodios dispares siguen barajándose en mi recuerdo, pero no podré vivir envuelta en recuerdos. Necesito restablecer el orden natural de las cosas, pero, ¿cómo hacerlo?

Vuelvo a la casa. Está silenciosa. Me parece que esta casa ya no cantará nunca más. Entro a la oficina, hay una presencia tan viva de trabajo: las carpetas sobre la mesa, cartas contestadas, otras por contestar... Empecé a mirar algunos papeles, esto me distrajo y, a la vez, vi con espanto cuánto trabajo tendría. Debía revisar toda aquella oficina para tener una idea exacta de lo que había que guardar. Sobre todo, comenzaron a quemarme las manos las *Memorias*. ¿Cómo saldrían de Chile? ¿Con quién darle forma a este libro? Debía ser un escritor. Sólo la generosidad de nuestro hermano Miguel Otero Silva, gran escritor, era capaz de afrontar un trabajo como éste. Ese mismo día lo llamé por teléfono a Caracas. A mi invitación, respondió que no podía venir a Chile por el momento. ¡Qué balde de agua fría fue para mí su respuesta!

—¿Cuándo puedes venir? —le pregunté.

—No sé qué decir, ahora no puedo darte una fecha —me contestó.

Mi sorpresa era muy grande, me fallaba mi hermano más querido, en quien había puesto siempre una fe ilimitada. Hubo un silencio, yo no sabía qué decir, creo que lloraba. Al poco rato, me dijo:

—¿Estás ahí?

—Sí —le dije con un hilo de voz.

—¿Y por qué no vienes tú y aquí conversamos de todos tus problemas?

—Es una solución, pero tiene graves inconvenientes —respondí.

—Yo trataré de resolverte algunos —me dijo—. Mañana volveremos a conversar.

En la tarde de ese mismo día llegaba a la Isla Negra un enviado de la embajada de Venezuela para resolver mi viaje, y, sobre todo, para enviar por valija diplomática todo lo que yo quisiera. Por ellos supe que Miguel era senador; el día anterior había hablado en el Congreso de Caracas sobre la muerte de Pablo. «Murió del mal de Chile», había dicho, azotando con furia la dictadura sangrienta de esos primeros días de gobierno de esta junta asesina. Además, ese mismo día daría una conferencia en la universidad. Yo nada sabía de esto, y comprendí que mi invitación para que viniera a Chile a trabajar conmigo era totalmente ingenua.

Afiebradamente, me puse a trabajar. Las *Memorias* estaban dictadas y no corregidas. Sólo una persona podía ayudarme: Homero Arce, secretario y gran amigo de Pablo. Él sabía mucho de este libro, pues Pablo se lo había dictado casi entero. Ese mismo día le hablé por teléfono, rogándole que fuera a la Isla. Prometió ir al día siguiente. Sentí que ya no estaba sola, con él a mi lado, mi trabajo sería más claro y liviano.

Llegó al día siguiente. Después de saludarlo, y sin esperar mucho, arreglé una mesa grande de trabajo y bajé todo el material de las *Memorias*. Él estaba pensativo, triste, también muy golpeado por la muerte de su gran amigo. Se sentó muy serio y me dijo que, antes de empezar a trabajar, tenía algo que decirme.

—Lo que está pasando es horrible —me dijo—. Estas memorias tienen un último capítulo que no se puede poner, hay que quitarlo.

A mí me pareció que no era verdad lo que estaba oyendo. Hubo un silencio que se me hizo interminable. Yo no podía hablar. El miedo, el horrible miedo, transforma el alma de los hombres, y es casi natural que eso pase. Esto lo comprendí más tarde. En ese momento, con voz estrangulada, le dije:

—No seguiremos trabajando, porque si ése es su pensamiento, le retiro toda mi confianza.

En ese instante perdía un puntal enorme, en el que había creído tantos años. Recogí el material y subí a mi dormitorio. Todo mi cuerpo temblaba, y sólo era mi primera desilusión. No fui capaz de verlo esa noche. Le rogué a mi hermana, quien había llegado a acompañarme, que lo atendiera. Al día siguiente fui a dejarlo a San Antonio. Cuando íbamos entrando al pueblo, me dijo:

—Déjeme hasta aquí nomás, porque su auto es muy conocido.

Antes de despedirme le pregunté si quería que saliera su nombre como colaborador de las *Memorias*. Me dijo que no lo pusiera. Lo dejé allí y lo vi alejarse con su maletín en la mano. ¡Qué soledad más grande!

Quedé más asustada que antes, el miedo de Homero me tocó de alguna manera. Llegué a la casa presa de una enorme angustia. Subí a mi dormitorio y me tendí en la cama; en ese momento tenía la sensación de que nunca más podría levantarme. Había perdido la fe en el amigo de todos los días, de todas las horas.

Tocan a mi puerta. Una voz me dice que hay una señora que no se irá hasta que yo la vea, que es muy importante para ella. Me dicen que parece campesina. Contesté que la hicieran pasar, que hablaría con ella. Me encontré con una señora de apariencia modesta y tímida. Saludándola, le pregunté qué deseaba. Me pidió que le mostrara la casa. Había en sus ojos una ansiedad, un deseo tan grande que yo, intrigada, le pregunté:

—¿Usted ha leído a Pablo? ¿Por qué desea tanto conocer esta casa?

Me miró y, con voz de ruego, me dijo:

—Señora, sólo déjeme ver esa pieza transparente que don Pablo tiene bajo el mar, donde escribe su poesía viendo pasar los peces.

La miré con envidia. Si era capaz de creer en esa fantasía, seguramente era una mujer muy feliz. Me quedé por mucho tiempo pensando. ¿Para qué traerla a la realidad? Luego, le dije:

—Señora, nosotros disfrutábamos de esa pieza mientras Pablo vivía, ahora que él ha muerto, ya no existe más.

Con una inmensa tristeza, me dijo:

—¡Qué pena! Si vengo un poco antes la habría conocido. Usted debe ser una mujer muy feliz porque vivió con él en esa pieza —y se fue, tan tímida y silenciosa como había llegado.

Me quedé pensando en mi gran equivocación. Jamás podría derrumbarme porque había vivido en esa pieza transparente con Pablo. Sentí que una fe muy grande en mí misma comenzaba poquito a poco a entrar en mi alma. No debo llorar. En el Soneto XCIV Pablo me dijo:

> *Si muero sobrevíveme con tanta fuerza pura*
> *que despiertes la furia del pálido y del frío,*
> *de sur a sur levanta tus ojos indelebles,*
> *de sol a sol que suene tu boca de guitarra.*
>
> *No quiero que vacilen tu risa ni tus pasos,*
> *no quiero que se muera mi herencia de alegría...*

Hoy vendrá a verme un abogado para comenzar a ordenar los bienes de la sucesión. Pablo no dejó testamento, una prueba más de que veía la muerte muy lejana. En nuestras conversaciones nunca tocábamos el tema de la muerte, estábamos demasiado ocupados en vivir.

Pablo siempre tuvo fama de gran rico, y es que todo lo que llegaba a sus manos lo gastaba inmediatamente, siempre tuvo muchas pequeñas deudas, en libreros de viejos, en anticuarios.

Nunca olvidaré la cara de mi amigo abogado Juan Agustín Figueroa cuando comenzó a inventariar los bienes.

—¿Qué acciones tienes? —me preguntó.

Yo lo miré con sorpresa.

—¿Acciones? Nunca en la vida tuvimos alguna. Nuestra cuenta en el Banco de Santiago a fines de mes siempre estaba sobrepasada.

—Dime, Matilde —me dice mi amigo con curiosidad—, ¿y el dinero del bullado Premio Nobel?

Yo lo miré sonriendo.

—Esto es muy sencillo de explicar —le dije—. El premio lo anuncian en noviembre y lo entregan en diciembre. Cuando Pablo lo recibió, ya lo tenía todo gastado. Aparte de algunos legados que hizo, se compró los caracoles más caros que puedas imaginarte, tengo algunos que son verdaderas joyas. ¿Quién valorará todo esto?, me pregunto, ahora que no sé qué hacer con ellos. Su biblioteca, que en este momento viene por mar, es valiosísima; se compró todos los libros que durante toda su vida soñó tener. Si te digo lo que valen algunos, no vas a creérmelo. Dio un pie para comprar una casa de campo en Condésur-Iton, nombre de un pueblo donde hay dos castillos fabulosos, de allí el error de la noticia que se dio en Chile de que Pablo se había comprado un castillo.

—Cuéntame cómo fue eso —me dice.

—En esos días, como es natural, se festejaba en Chile el Premio Nobel. Todo el mundo estaba eufórico, era el segundo Premio Nobel para este país tan pequeño que está en el extremo del mundo, y que muchos europeos ni siquiera saben dónde está, la mayoría cree que es un país tropical. Era como demasiado.

»El patriotismo de los parralinos se hizo presente, y sometieron a la aprobación del Congreso la compra, en Parral, de la casa donde Pablo había nacido, casa que no existía, se había caído con un terremoto, pero quedaban unas pequeñas piezas al fondo. En el lugar, el alcalde Astorga había puesto una placa en una gran piedra, algo de muy buen gusto. Habíamos asistido a la inauguración de esta placa.

»El día que se trató la solicitud en el Congreso para la compra, el senador Bulnes tomó la palabra en la Cámara y acusó a Pablo de haberse comprado un castillo en Francia, alegando que cómo iba a dilapidarse el dinero de los pobres chilenos comprando una casa en Parral, para perpetuar la memoria de este poeta con delirios de grandeza. Resultado: la casa no se compró. Cuando lo supimos, nos reímos durante muchos días con la noticia que, recibida allá en París, donde todo tenía otra dimensión, era caricaturesca y ridícula.

Me hacen bien estos recuerdos. Vamos recorriendo la casa. Todo lo que aquí hay tiene un valor relativo, algunas cosas son muy antiguas y su valor lo da la persona que las posee y las ama... Nada más difícil que hacer un inventario de esta casa. De todas maneras, se hizo más adelante.

Yo sabía que mi amigo Juan Agustín estaba defraudado con los bienes que dejaba Pablo.

—¿Y esta fama de hombre rico, cómo se la hizo? —me preguntaba.

Yo estaba bastante divertida al verlo tan perplejo. Nosotros nunca discutimos esta fama, además, nos ayudaba; todo el mundo nos daba crédito, si queríamos. Pablo siempre me decía: «Que no vayan a saber que somos pobretes, porque entonces nadie nos dará crédito.»

Me gusta hablar de Pablo. Yo todo se lo celebraba, y es que me entusiasmaba todo lo que él hacía. Hablando de cosas tan prosaicas como es un inventario y de cuáles son los bienes que ha dejado, me siento tranquila. Además, hay luz, hay mar, hay cielo. Todo esto desaparece en la noche. ¡Qué horribles son las noches!

Mi amigo me dijo que debía ir a Santiago porque había que comenzar a pedir la posesión efectiva. Además, teníamos que hacer un inventario y esperaba que yo los ayudara, porque creía que era algo muy difícil.

15

PRIMERAS DESILUSIONES. EL MIEDO

Ir a Santiago. Esa idea me trastorna en forma casi demencial. ¿Cómo iré? ¿Adónde iré? El recuerdo de esa última noche en la pequeña pieza de mi amiga y vecina me produce escalofríos. Toda aquella noche oyendo los balazos, tan cerca de mi ventana, los ruidos de sirenas, enormes al escucharlos en el gran silencio de la ciudad en toque de queda, tenían una resonancia extraña, de amenaza, de muerte. Su solo recuerdo me pone los nervios tensos, como cuerdas a punto de romperse.

Sigo pensando. Mi chofer sigue desaparecido, alguien deberá llevarme a Santiago. Me sentía incapacitada para valerme por mí misma, la sola idea de salir por esos caminos me aterraba, mi cabeza se disparaba pensando en los horrores que había visto en Santiago, el más leve ruido me hacía saltar. Tenía que seguir, tenía que vencer mi propia incapacidad de ese momento. Sentía una aceptación profunda y vehemente hacia la vida y hacia mis obligaciones, pero mis pobres fuerzas estaban agotadas. ¿Quién me ayudaría?

Después de barajar muchos nombres, me vino con fuerza el nombre de nuestra gran amiga, una poetisa osornina que ahora vivía en Santiago. Nos quería tanto. Cuando llegaba a nuestra casa era como una fiesta. Había en ella tanta ternura, tanto amor. Recuerdo cuando entraba con un canasto y, dentro de él, unas papas inmensas, con cogollos de laurel y de boldo, y cómo convencía a Pablo de que eran las papas más maravillosas que el ser humano podía comer. Pablo, entonces, gritaba: «¡Que nadie me coma estas papas, son mías!»

Le hablé por teléfono y, al pedirle que me fuera a buscar

para trasladarme a Santiago, me contestó muy cariñosa que no podía hacerlo, que tomara un ómnibus y ella estaría esperándome a la bajada. Convinimos en eso, e ingenuamente creí que me ayudaría. Debía sacar una fotocopia de las *Memorias*, ¿cómo hacerlo? ¿Dónde? En esos días todo era difícil. Me llevó a su casa, almorzamos, me sentía tan perdida, tan angustiada. Durante el almuerzo, mi amiga del alma me dijo:

—Terminando de almorzar, tengo que ir a una reunión de vecinos de este edificio. ¿Adónde te llevo? ¿Dónde vas a quedarte?

Debo haber tardado en contestarle:

—Llévame al hotel Crillón.

Y allí, en la puerta del hotel, me dejó con mi pequeño maletín y mi gran bagaje de problemas. Ella estaba muy ocupada, tenía que cantarle a la vida, al amor, a la naturaleza. Nunca más me llamó. Esto no tuvo ninguna importancia, me enseñó que mis problemas eran míos y que tenía que resolverlos solita.

Entré a este hotel donde muchas veces había estado con Pablo. Toda la gente de la recepción fue a saludarme. Me sentí protegida; la vida, que me daba golpe tras golpe, en el cariño de esta gente me daba un bálsamo bienhechor.

Iniciaba mis primeros pasos por esta vida de mujer sola, una vida en la que no pensé jamás. Aquí estoy, enfrentada a la locura de estos días, me siento como prisionera entre dos muros: mi honda pena y el horror de tantas muertes, de tanta crueldad. Estoy como desgarrada por todas las noticias. Tengo miedo, mucho miedo.

Elegir la habitación no fue fácil, buscaba afanosamente una pieza que pudiera cerrar por dentro con picaporte, pero esa pieza no existía, sólo se cerraban con llave. Elegí una chiquita que comenzaba en una especie de pasillo; rápidamente pensé que podía abarrotar de muebles esa puerta y quedar así un poco protegida. A los pocos momentos de estar allí, subió un empleado de la recepción y me dijo que el hotel estaba custodiado por policías de civil, informándome cómo iban vestidos. Comprendí entonces que el precioso material que traía no podría sacarlo sino muy bien resguardado.

Llamé a la embajada de México y, muy pronto, se hizo presente un secretario, a quien conté que debía sacar una fotocopia del libro. En la embajada podrían hacerlo. ¡Qué peso me quitaba de encima! Me lo llevaría al día siguiente.

En esta pieza tan pequeña me faltaba el aire. Miré por la ventana, daba a un pequeño patio negro, como mi destino.

Salí de allí desorientada, iría al cementerio. Pregunté a un muchacho de la recepción si sería más seguro tomar los taxis del hotel.

—¡De ninguna manera! —me respondió—. Tómelo en la calle, y bien lejos de aquí.

Miré fijamente a los policías, ellos también me miraron, era muy fácil identificarlos. Se sentían como incómodos, tenían un diario en la mano y a ratos lo miraban, sin leer.

Salí a la calle. Caminé bastante. Después, tomé un taxi y me dirigí al cementerio. Pasando Mapocho, divisé gran cantidad de gente que estaba en actitud de espera. Hice que el coche se detuviera, quería saber qué esperaban. Eran muchos, tenían la angustia reflejada en el rostro. Me bajé y le hablé a la primera mujer que vi. Me miraron unos ojos rotos de haber llorado mucho. «Es mi marido, señora, ya es un cadáver y no me lo quieren entregar. Lo mataron hace dos días. Yo lo vi, señora, yo lo vi. Nunca hizo nada malo, era tan bueno. Pero yo no me muevo de aquí hasta que me lo entreguen.» «Yo tampoco me moveré», dice otra, y otra. Hay una anciana que nos mira, acercándose, nos dice: «Es mi nieto, me lo mataron en la esquina de la casa y lo trajeron aquí. Yo quiero enterrarlo.» Los miro a todos, son cientos los que están allí, esperando reconocer sus muertos. ¡Pobre pueblo! Y pensar que esto que estoy viendo yo es una mínima parte de lo que se está sufriendo, por el solo delito de querer un poco de igualdad.

Recordé a Pablo. Lo había visto tan feliz pensando en que este pueblo, por fin, iba por un camino de justicia y dignidad. «Los cambios que se están haciendo en Chile —me decía— no se ven ahora. Este año será difícil, pero el próximo será muy bueno.»

También los enemigos sabían esto y tenían que matarlo, no importaba cómo, a sangre y fuego, sin piedad, y a Pablo también lo mataron ese día, porque vio que todas estas ilusiones, por las que había luchado toda su vida, se venían abajo. Todo era bombardeado por «los valientes soldados de Chile», como lo dice en el capítulo final de sus *Memorias*, y ese bombardeo se adentró en su corazón, matándolo.

Miré a toda esta gente con angustia, me sentía hermana de cada uno de ellos. Seguí hacia el cementerio como atontada, en mi cabeza martilleaban los lamentos de esas pobres gentes, jóvenes, viejos, niños, todos confundidos en un mismo dolor. ¿Quién los escucharía?

Llegué al cementerio y compré unos claveles rojos. Abrazada a ellos, llegué a esta tumba que no me gusta, su puerta me da escalofríos y, adentro, Pablo. ¿Por qué lo traje aquí? Esa pregunta me la había hecho ya el día en que lo traje, y me la seguiría haciendo más adelante; a pesar de esto, me siento como reconfortada. Me senté allí, muy cerca de él, y le conté todo lo que me pasaba. ¿Por qué no? Desde el fondo de mi alma le pedí que me ayudara. Hoy estaré muy sola, le decía, mi voz se perdía en un eco lúgubre en esa cripta con tanto muerto desconocido para mí.

Salí a la avenida principal y me llamaron la atención muchos cortejos, todos de gente pobre. Dicen que la muerte nos iguala, pero sólo nos iguala en el hecho mismo. Un cortejo de pobre se reconoce, ellos no disimulan su dolor. Aquí, las mujeres van llorando. Estoy asombrada, veo más y más cortejos. Pero, ¿por qué tanto muerto al mismo tiempo, a la misma hora?

Me acerco a un sepulturero, ellos siempre tienen deseos de conversar, son amables, quieren ayudar; ¿será que la vecindad de la muerte hace bien al espíritu y da paz al alma?

—Dígame —le pregunto—, ¿por qué tanto cortejo a la misma hora?

Me miró como preguntándose quién sería yo y si podía hablar o no. Allí también comenzaba a funcionar la mordaza del miedo. Me clavó unos ojos interrogantes.

—Soy la viuda de Pablo Neruda —le digo, y, ¡oh, milagro!, esa cara se transforma, sus ojos se llenan de ternura, su ancha boca me sonríe compasiva y con voz muy queda que más parece un susurro, me dice:

—Comenzaron a entregar los cadáveres en el Instituto Médico Legal. Dicen que había tantos que ya no cabían. En la noche, después del toque de queda, llegaban en camiones llenos, los sacaban del Mapocho y los recogían en las calles. En estos días, los deudos han hecho colas de cuadras y cuadras recogiendo muertos. Serán unos días de mucho trabajo. Están muy apurados terminando esa ala del fondo, porque creemos que van a faltar los nichos.

Me fui muy asustada. Me parecía que esa garra que había caído sobre todos estos muertos caería sobre mí.

¿Adónde ir ahora? Seguí caminando a pie y llegué otra vez al Instituto Médico Legal. Salió del grupo aquella mujer que había perdido su hijo, ahora la miré con más detenimiento, era alta, poderosa, con robustas manos de mujer trabajadora.

—¿Le pasa algo, señora? —me preguntó—. ¿Usted también tiene un muerto ahí adentro?

Debo haberla mirado con mucha desesperación. Su sorpresa fue muy grande cuando le dije:

—Todos los muertos que hay allí dentro son mis hermanos.

Unos brazos firmes, con manos grandes, duras, se levantaron y me encontré con su calor de hermana. Me sentí protegida, amada, lloramos juntas. En ese abrazo, sentí que nunca estaría sola; en algún punto estaba esa hermana, con muchas otras, dándome su calor.

Me fui de allí sintiendo una alegría triste y desolada. Yo no estaba sola. Volví al hotel. Cuando llegué, había dos policías en la puerta. Me clavaron sus ojos, me paré frente a ellos y los miré, sus ojos me parecieron duros, fríos y crueles. No pude entrar. Sin pensarlo, me di media vuelta y partí. Caminaba sin rumbo. De repente, me encontré frente a La Moneda incendiada, también allí había policías en la puerta, custodiando los muros ennegrecidos por el humo y las llamas. Persistía el olor a quemado. Seguí caminando, no pensaba en nada. ¿Dónde encontrar el guía que me ayudaría a conjugar esta existencia tan difícil? Sentía que la garganta se me agarrotaba. Volví a mi pieza del hotel, ahí estaba mejor, ahí podía llorar. A través de los cristales vi que la noche se acercaba lentamente. Converso con las mucamas del hotel, me dicen que todas las noches han sacado gentes de las piezas, que obligan a la recepción a abrir las puertas. ¿Me sacarán a mí esta noche? Miré la puerta que podía abrirse en cualquier momento, y pensé que lo único que no quería era verlos de improviso. Debía detenerlos en el camino. Primero acerqué un sillón a la puerta, después una mesa y, por último, un escritorio: ya no podrían entrar fácilmente, sería alertada de su presencia y tendría tiempo de esperarlos por lo menos con una bata puesta. Quise leer y no me concentraba, me perturbaba el pensamiento de que esa puerta pudiera abrirse en cualquier momento. Esa noche la recuerdo como una gran pesadilla: el miedo reprimido, la angustia, oyendo ese gran silencio del toque de queda, a intervalos interrumpido por una sirena policial que amenazaba y me hacía pensar: ¿a quiénes van a buscar? ¿A quiénes se llevan? ¿A cuántos han matado hoy día? ¿Cuántas madres, hermanas, novias, lloran sus seres queridos? Preguntas quemantes.

Tengo la impresión de no haber dormido, he sentido todos los ruidos de la noche. De repente, aterrorizada, oía pasos. Vienen a mi pieza, pensaba. Me ponía tensa, los pasos se acercaban, los oía más y más fuerte, saltaba de la cama, me acercaba a los muebles que trancaban la puerta y los presionaba con fuerza, y los pasos se alejaban por el largo pasillo del hotel. ¿Cuántas veces pasó esto? ¿Cuántas sirenas oí? ¿Cuántos disparos? ¡Qué noche tan larga! Me estoy dando cuenta de que la resistencia humana es increíble.

Una claridad bienhechora entra por mi pequeña ventana, la que me da un bienestar inmenso. La recibo como una buena nueva y me quedo dormida. Cuando desperté estaba cansada, todo me dolía. La cabeza, llena de las ideas más estrafalarias, me ardía como un volcán.

¿Y si me enfermo?, pensé angustiada, ¿quién se ocuparía de sacar estos materiales preciosos? Yo no podía enfermarme. Tenía que hacerle frente y vencer este miedo que iba apoderándose de mi alma queriendo ahogarla, queriendo silenciarla. Miré mi puerta trancada con todos los muebles de la pieza, y sentí vergüenza. Yo tenía que luchar como lo habría hecho Pablo si viviera. Él siempre había depositado en mí una confianza ilimitada. Yo no podía defraudarlo. Me levanté y destranqué la puerta. El pequeño escritorio me parecía tan pesado que casi no podía moverlo. ¡Qué falta de energías!, pensé.

Toqué el timbre y, con voz que quise hacer aparecer muy segura, pedí el desayuno.

—¿Cómo durmió, señora? —me pregunta la mucama, con voz cariñosa.

De seguro, mi cara era muy poco tranquilizadora, y, ante su sorpresa, le contesté:

—Muy bien, gracias. Tengo mucho que hacer, tráigame pronto el desayuno.

Había comenzado, sin darme cuenta, la comedia más grande de mi vida. Me hice el firme propósito de que todo el mundo me viera de pie, firme, serena, trabajando. En este momento, no sabía muy bien de qué se trataba, sentía que en ello había una apuesta, o un desafío a la vida.

Yo he sido una mujer con suerte. La vida me dio a Pablo y, con él, me lo dio todo. En la vida, un gran amor es como una gran defensa, allí se estrellan las dificultades. El amor es una montaña inamovible y serena. Ahora, en este momento, siento que he quedado sin ese gran sostén. Debo seguir sintiéndolo junto a mí. Tengo mi pequeña pieza del hotel tapizada de fotografías nuestras. Cuando entro, cierro la puerta y ya no estoy sola. Para darme valor, pienso: «A mí no pueden hacerme daño, porque no pueden quitarme lo que he vivido, no me pueden quitar mis recuerdos, que, en este momento, constituyen mi vida y mi razón para seguir viviendo.» Pienso que debo ser una mujer sin miedo. ¿Seré capaz? Me miro al espejo. Estoy muy fea. ¿Qué dirá Pablo, que me está mirando? Mi pelo, que siempre se levantaba desafiante y él llamaba su «chasca», estaba caído, como muerto. Me duché largamente para entrar en calor, no lo conseguí, siempre tengo frío. Me vestí de colores claros y me arreglé con esmero. En la recepción, los empleados me saludaron con afecto.

—¿Cómo se siente, señora?

—Muy bien, gracias —les dije con voz segura, y sentí que esta comedia comenzaba a hacerme mucho bien.

Mis pasos eran más seguros. El día anterior, me habían preguntado si me seguían. Me había hecho el firme propósito de no mirar nunca hacia atrás para constatarlo, si era así, no quería saberlo. Me defendería de este pensamiento que podía convertirse en manía persecutoria. Aquel día traté de ver a algunos amigos. La situación de cada uno de ellos era angustiosa. Unos buscaban asilo en las embajadas, otros estaban escondidos en diferentes casas, esperando en cualquier momento ser encarcelados. Todos por el mismo delito: Amar a su país y querer extirpar de él la lacra de la pobreza; querer dar un poco de bienestar a la gente que trabaja tan duramente y que tan mal vive; querer la dignidad para un pueblo que tanto la merece.

Todo esto terminó con mi moral por el suelo.

Al llegar al hotel me dicen que alguien me espera, es el secretario de la embajada de México, quien me trae la fotocopia de las *Memorias*. La embajada guardaría el original. ¡Qué alivio! Al día siguiente iría a la Isla para arreglar mi viaje a Venezuela.

Llegó de nuevo la noche, y debo confesar que a medida que las sombras avanzaban, mi valor disminuía. La comedia de la entereza se me vino abajo, y de nuevo tranqué la puerta con todos los muebles que encontré.

16

VIAJE A VALPARAÍSO

Al día siguiente, muy temprano, sonó mi teléfono. Era de Valparaíso. «Tienes que venir —me dicen mis amigos—, han abierto tu casa por la puerta que da a la terraza, y están sacando todo lo que quieren. Por lo menos, ven a cerrarla, tú eres la única que puede hacerlo.» Los detalles son alarmantes; la siguen allanando, es decir, saqueando. Nuestras fuerzas, que son pagadas para resguardar el orden, la seguridad y la tranquilidad, saquean mi casa sin piedad, vestidos con sus uniformes que nosotros estábamos acostumbrados a respetar y a querer. Todos los vecinos los ven, pero a ellos no les importa. En estas noticias hay algo muy serio, muy grave. ¿Quién nos defenderá, si los encargados de hacerlo roban y destrozan en esta forma?

Las manos me transpiran, sé que estoy enferma, siempre estoy tensa. Debo curarme sola, ¿a quién contar siquiera lo que me pasa? Con el único que hablo de esto es con Pablo, es el único que sabe todo lo que me sucede; converso con él por horas. A cada momento, pienso: si él estuviera a mi lado, ¿qué haría? Que no sepa nadie esto, me creerían loca, y quién sabe si lo estoy un poco.

Me levanto, saco los muebles de la puerta, esto ya se ha convertido en un rito. Acomodo la pieza, siento vergüenza de que alguien sepa que en la noche tranco la puerta. Pido el desayuno. En las paredes de mi pieza asoma la vida, es Pablo que me mira, tengo un retrato suyo frente a mi cama y se está riendo. Me gusta mirarlo, me gusta que se ría. En otro, aparece con nuestros perros regalones, y tengo otro donde me abraza con ternura. Otra vez siento vergüenza de ser cobarde. Iré a Valparaíso y yo manejaré el coche, debo luchar contra esta debilidad que me envuelve y puede dejarme atrapada para siempre.

En la recepción del hotel aviso que partiré a Valaparíso, dejo el teléfono de mis amigos y les digo que yo misma manejaré mi auto. Se asustan y me ruegan que no vaya sola; por último, me piden que me cuide.

Voy manejando con gran dificultad. Al salir de Santiago, me hicieron un registro y me interrogaron. Sabían que yo era la viuda de Pablo Neruda. Mi coche iba vacío, sólo llevaba un pequeño maletín, que vaciaron para revisar cosa por cosa. Les pregunté qué buscaban, si me lo decían, podía ayudarlos. Me miraron duramente y, como haciendo una concesión, me permitieron seguir adelante.

A unos cuantos kilómetros, volvieron a detenerme. Me piden los documentos, es un muchachote de modales rudos. Me ordena abrir la maleta del auto y le respondo que lo haga él mismo, está sin llave y vacía. Me ordena bajarme y abrirla. Era un primitivo y estaba feliz ejerciendo su autoridad. Me preguntó que adónde iba y, cuando le respondí que a Valparaíso, a ver mi casa allanada y saqueada, me ordenó que siguiera.

A estas alturas, voy muy nerviosa, pienso que no debería haber ido manejando yo. Mi cuerpo tiembla, la cabeza me arde como si quisiera estallar. Antes de llegar a Casablanca, nuevamente me detienen. Los debo haber mirado como una fiera y, antes de que me dijeran nada, les dije: «¿Y cuántas veces más van a detenerme? ¿En qué país estamos viviendo? ¿Pueden contestarme esto?» Por primera vez los miro. Ante mi sorpresa, me encuentro con un rostro amable, que me dice con suavidad: «Sus documentos, por favor.» Se los paso, mi angustia va cediendo. Al ver mis documentos y enterarse de que soy la viuda de Pablo Neruda, su fisonomía cambia, en su mirada hay simpatía, y me dice: «Perdone, señora. Continúe, pero le ruego que tenga cuidado, va muy nerviosa.» ¡Qué alivio sentí! No todo el mundo con uniforme está en contra. La cara, la mirada de ese carabinero, hizo el milagro de tranquilizarme.

Detuve el coche y me bajé para caminar un poco. Me interné en un pequeño matorral, había flores de todos colores. Comencé a sacar algunas. Todo esto me devolvía poco a poco a mi paz interior, que tan a menudo perdía. Allí estaban las flores que habíamos bautizado azulinas. Nadie sabía cómo se llamaban. ¡Pero si sólo ayer correteábamos con Pablo por estos mismos lugares! Me quedo sobrecogida, recordando su cara llena de entusiasmo cuando me proponía: «Vámonos a Valparaíso a ver los barcos.» Por lo general, el sol brillaba y todo invitaba a salir por los caminos. Nos íbamos recogiendo flores silvestres. Eran mañanas alegres, apacibles, como inocentes. Recogíamos raíces grandes y chicas. Esos viajes a Valparaíso tenían muchas sorpresas. Nos gustaba tomar pequeños senderos que salen del camino principal. A veces no nos llevaban a ninguna parte, pero cómo disfrutábamos de esos silencios de los campos salvajes, interrumpidos sólo por el aleteo o el canto de los pájaros. Otras veces encontrábamos pueblitos con unas cuantas casas, donde parecía que el tiempo se hubiese detenido. En una oportunidad subimos por un camino de montaña bastante difícil, había que seguir adelante porque no se podía retroceder. Muy arriba encontramos un pueblito asentado, sin novedad, en plena montaña. En una casa que nos parecía un almacén preguntamos si podíamos comer algo y nos dijeron: «Tenemos pan y ají con ajo.» Nos reímos de buena gana porque, ¿qué esperábamos encontrar a las cuatro de la tarde en un pequeño pueblo? «Magnífico —les contestamos—. Venga ese pan y ese ají con ajo y, por supuesto, una copa de vino.» Disfrutamos de esa comida como del manjar más delicioso. Teníamos el condimento esencial para encontrarla buena: mucha hambre y mucha alegría. Así pues, nuestro viaje a Valparaíso podía convertirse en cualquier cosa, siempre inesperada. Ésa era nuestra vida.

Voy llegando a nuestro cerro de Valparaíso y desde lejos veo nuestra casa. Se levanta ligera y graciosa. Pablo la había hecho pintar de colores claros y alegres. Al verla, siento que he olvidado este viaje tan accidentado. La vista de Valparaíso resplandece.

Antes de entrar a mi casa, voy a hablar con mis amigos que viven en la planta baja. Todo parecía otro mundo. Mi amigo estaba solo, con su hijo preso, no sabía dónde; su hija mayor perseguida y la menor, que tenía catorce años, detenida en el colegio. ¿Por cuál delito? Le habían encontrado una fotografía en la que ella llevaba la bandera chilena en un desfile del colegio. A mí, que la conocía desde pequeña, me parecía un horror. ¡No era más que una niña! Nuevamente estoy angustiada.

Subí a la casa. No cabían dudas de que Pablo había sido señalado por estas hordas de bandidos para destruir todo lo que, sabían, él quería mucho. Lo que no pudieron llevarse, lo destruyeron. Al llegar, lo primero que vi fue la puerta del *living*. Estaba hecha pedazos. Adentro, el desorden era indescriptible. Fui al dormitorio. Pablo había comprado una hermosa puerta, como un vitral de colores; estaba destrozada. Era demasiado hermosa, no podía librarse de la destrucción de esos bárbaros. ¿Por qué destrozaron las puertas, si no estaban con llave?

Aquí estoy, parada, mirando todo este horror. No salgo de mi asombro. Pienso que, como un curioso destino, me ha tocado ver destruidas las casas que más he amado. ¡Es fea la muerte de las casas!

La primera casa destruida fue la de Chillán, testigo de mis primeros sueños, de mis primeros despertares. La destruyó el terremoto de 1930. En mis vacaciones, cuando viajaba al sur, nunca dejaba de pasar a ver mi casa; el dueño era un abogado y creo que le divertía la devoción con que yo miraba los árboles, las flores, las rosas. La primera vez, quiso cortar una rosa para regalármela, se lo impedí, me duele ver cortar una flor tan linda. «Déjela vivir», le había dicho emocionada. Cuando se produjo el terremoto y supe que casi todo Chillán estaba en el suelo, pensé: «Mi casa no puede caerse. Esas murallas tan gruesas, ¿cómo podrían caer?» Tuve la inmensa pena de ver esa casa amada en el suelo, la reconocí por los castaños y los nogales del fondo del patio; allí estaban, sobreviviendo. Sentí como si se me hubiera muerto un ser amado. En esos montones de escombros estaban sepultadas mis raíces y todos los testigos de mi niñez, tan llena de felicidad.

A mi casa de Santiago, que habíamos hecho nacer de un cerro de zarzamoras, la había visto inundada, incendiada, destruida.

En esta casa de Valparaíso pusimos todo nuestro esmero, tenía que ser distinta a las otras.

Recuerdo claramente el día que llegamos a esta casa. Estaba en obra gruesa. El dueño había hecho tres casas en ese mismo cerro, buscando la vista más hermosa; ahora, por fin, la había encontrado. Desgraciadamente, no pudo disfrutarla; murió, dejándola en obra gruesa. Estábamos fascinados, cuando subimos a su torre era como si hubiésemos estado suspendidos en el aire. Veíamos todo Valparaíso sin que nada estorbara nuestra visión. La familia Collado, que era la que vendía esta casa y tenía un recuerdo romántico de su padre, llegó a un acuerdo muy generoso con Pablo. Las cuotas que pagó eran como un arriendo. Unos amigos compraron los dos pisos de abajo, y Pablo los dos de arriba, muy pequeños; el último era una pajarera, ése fue nuestro dormitorio. De allí, Pablo veía entrar y salir los barcos. Era muy feliz en esta casa.

Estos y otros recuerdos de esos días me dieron valor para hacer algo que, en ese momento, era demencial. Me fui a la comisaría a denunciar estos robos. Pedí hablar con un oficial, el que me recibió frío y distante. Le conté que eran los carabineros con uniforme los que iban ahí a robar y a destruir. Él era un carabinero. Me escuchó pacientemente y después, con voz autoritaria, me dijo: «Aquí no se ha dado ninguna orden para allanar su casa.» Se levantó. La audiencia había terminado. Me fui asqueada. Frené el impulso de darle la mano.

Lo natural habría sido que, después de esta dolorosa experiencia, hubiera regresado a mi casa, pero en ese momento era presa de una locura de desahogo, y me fui a la intendencia. Pedí hablar con el intendente, el almirante Walbaum, con quien habíamos recibido en Francia al buque escuela *Esmeralda*, cuando éramos embajadores. Después de mucho esperar, mandó a decirme que regresara a las tres y media. A esa hora volví, me recibió cordialmente. Después de contarle lo que me pasaba con la casa de Valparaíso, le dije: «Pero esto no es todo, vienen por mar nuestras cosas desde Francia, muchas pinturas valiosas que Pablo llevó para decorar la embajada y, sobre todo, su biblioteca. Pablo gastó gran parte de su Premio Nobel en comprar libros y caracoles muy valiosos. Todo esto llegará a Valparaíso. ¿Puede usted ayudarme para que todo esto se salve y no corra la misma suerte que mi casa de Santiago y la de Valparaíso?» Me miró muy serio y, con gran seguridad, me dijo: «Sí, señora. Voy a ayudarla. Le haré saber a quién debe dirigirse cuando lleguen sus cosas.»

Le dejé el número de mi teléfono de Isla Negra, y le dije:

«Estaré esperando su llamado.» Y me fui muy agradecida. Si podía salvar esos libros que venían de París, me daba por satisfecha. Salí de la intendencia más reconfortada, todavía me quedaba un poco de fe en la palabra de un almirante.

Ese mismo día regresé a Santiago. Deseaba volver antes de que se me hiciera de noche por los caminos, quería olvidar la visión de esta casa destruida. No sé si hacía frío, pero mis pies estaban helados, casi no los sentía. Me costaba manejar. Iba lentamente y, de pronto, cerca de Curacaví, salió al camino una sombra que levantó tímidamente un brazo. Me detuve y le pregunté que adónde iba. Me respondió que iba a Santiago. La invité a subir. Era una mujer de edad mediana, más bien alta, pero estaba encorvada, encogida, su pelo caía liso, como descuidado. Una mujer del pueblo. A poco de haberla tomado, llegó el inevitable registro. Como siempre, me pidieron los documentos, y también a la señora que iba a mi lado. Mirándome con ojos de miedo, me dijo: «No tengo nada.» El rostro de nuestro valiente carabinero se endureció: «¡¿Cómo se atreve a salir sin papeles que la identifiquen?!» Rápidamente, con mi mejor sonrisa, le dije: «Es empleada de mi casa, la conozco mucho. Salimos muy apuradas, pero, para otra vez, no se le olvidará su carnet, se lo aseguro.» Nos habíamos empequeñecido al máximo, esperando el permiso de este dios para continuar. Nos miró de nuevo de manera inquisidora, y dijo: «Váyanse.»

Seguí manejando y allí sí que di rienda suelta a todo mi descontento, a toda mi desventura. Mi pasajera lloraba. «¡Qué susto pasé! —me decía—. Yo creí que usted era una "momia" y que me entregaría al carabinero.» La miré y, en ese momento, vi sus ojos enrojecidos por días y noches de llanto. Era bonita. En su cara de mujer del pueblo había esa dignidad que lo caracteriza. Una boca ancha, que con seguridad sabía reír alegre, en este momento tenía un rictus amargo. Le pregunté a qué iba a Santiago. «Voy a hablar con la justicia —me dijo—. A pedirles que me entreguen a mi hijo. Me lo detuvieron hace una semana y no está en Curacaví, dicen que lo llevaron a Santiago.» Siguió hablándome de lo que le había pasado, de su pobre casa allanada, se habían llevado lo poco de valor que tenía, una radio, según ella muy buena, y otras pertenencias de menos valor, que para ella significaban tanto. Su relato era tan dramático, contado con ese lenguaje campesino, con tanta verdad, con tanta desesperación; se veía que una pregunta martilleaba su pobre cabeza, me la hacía en todos los tonos: «¿Por qué?»

Esta sencilla mujer no llevaba ninguna dirección, no tenía adónde ir, casi no conocía Santiago. Quería que yo la dejara en el Palacio de Justicia. «Allí, alguien me oirá —me decía—. No me moveré hasta que me entreguen a mi hijo.» ¡Pobre madre ilusa e ignorante de las cosas que estaban sucediendo! Fue inútil tratar de convencerla de que no conseguiría nada. «Yo no puedo volver sin mi hijo», me decía. Y fueron inútiles todos mis ruegos para que regresara a Curacaví. Le ofrecí ir a dejarla a un micro, fue imposible, quería quedarse en el Palacio de Justicia, y allí, por la calle Morandé, la dejé frente a la puerta. Le di mi dirección del hotel Crillón. «Búsqueme de todas maneras», le dije, angustiada por su suerte. Se bajó animosa, decidida. En sus ojos había una luz de esperanza muy grande. Estaba en el Palacio de Justicia y, según ella, como su hijo era inocente, allí la ayudarían. Me saludó casi alegremente con la mano, era la imagen viva de la inocencia. No volví a verla. Muy a menudo he pensado en ella. ¿Qué le pasó? Quizá no se atrevió a buscarme en el hotel, ¿o la detuvieron por sospechosa? Para mí, quedó perdida en el tiempo. Muchas veces he pensado: «¿Qué será de ella? ¿Qué fue de su hijo?»

Al día siguiente me iría a Isla Negra a esperar el telefonazo del amable y afectuoso almirante Walbaum. Todavía estoy esperándolo.

Cuando llegaron mis *containers* a Valparaíso, pasó algo desusado, fuera de toda ley. Sacaron mis bultos de la aduana y los llevaron a un recinto militar, porque, según ellos, habíamos traído armas. Tenían tal seguridad de ello que el día que los abrieron (por supuesto, yo no estaba presente) llamaron a los periodistas para que constataran el hecho. Supe todo esto a través de la prensa que, de manera divertida, publicó la noticia. Pasaron los días, las semanas, y todo seguía en el recinto militar. Por fin, un día me avisaron que podía desaduanar mi equipaje.

Así comenzó a descomponerse todo lo legal, lo más seguro que teníamos en este país: el amparo de la Ley. Ahora teníamos la ley de la selva; ellos eran los más fuertes y yo, pobre mujer sola, haciendo frente a todo esto. Tenía que callar y recibir lo que quisieran entregarme. Sería largo de enumerar todo lo que me robaron. Lo más doloroso fue el saqueo de los libros, me dejaron muchas colecciones incompletas. Los libros más valiosos se perdieron.

También se robaron los vinos y licores. Todos los embajadores se llevan lo que llaman restos de bodega. Pablo traía algo más que restos de bodega. En una exposición de vinos había comprado una partida muy antigua de *Château Couronne*. De ésta, sólo recibí una botella. ¿Nuestros valientes soldados sabrían qué estaban tomando?

Lo que me entregaron no correspondía para nada a las guías de emisión, que revisé muy poco. ¿Para qué? En Chile se había acabado la seriedad de un reclamo, y la única forma de recibir lo poco que quedaba era firmando.

Todo había llegado conforme.

17

VENEZUELA. LAS *MEMORIAS*

El hotel Crillón sigue siendo mi casa.

Sería muy largo enumerar todas las arbitrariedades que tuve que sufrir en ese tiempo.

Antes de ir a Venezuela debo arreglar infinitos detalles. Pienso en mi casa. «La chascona», destruida, abierta; me duele dejarla así. Decido ir a verla, quizá pueda cerrarla. Ése es un trago muy amargo para mí, pero creo que es necesario.

Llegué en la mañana. El barro se había resquebrajado en arrugas, en grietas, era difícil caminar. Por todas partes hay vidrios quebrados, era como si un regador de vidrios hubiera pasado por mi casa. Mis árboles mostraban sus muñones quemados, como acusando; los muros, ennegrecidos por el humo del incendio, completaban el cuadro aterrador de esta casa que tanto amo, ahora herida.

Me senté arriba, en una piedra, a contemplar esa tristeza, a pensar, a sufrir, a preguntarme ¿por qué todo esto? ¿Por qué no tengo una casa donde vivir? Los pájaros, revoloteando en bandadas, daban un poco de alegría a este cuadro desolador.

Pensé: «Por lo menos, cerraré la puerta de calle. Cuando llegue de Venezuela, comenzaré la reconstrucción. Ésta es la única casa donde quiero vivir.» Comenzó a invadirme un hermoso sueño, veía mi casa limpia, florida, alegre. Debo haber sonreído, allá arriba, esa mañana de primavera en que todo convidaba a vivir.

Mis reflexiones no fueron muy largas, las interrumpieron unos golpes muy fuertes en la puerta de calle destrozada. ¿Para qué tocaban si la puerta estaba abierta? Bajé lentamente para ver quién golpeaba esa puerta sin puerta. Un jeep con militares estaba en la entrada. Creí que moriría de indignación, mi corazón latía con fuerzas, los quedé mirando sin poder articular palabra. «Tiene tres días para borrar esos murales que hay frente a su casa», me dijeron. Seguí mirándolos, sin decirles nada. En vista de mi silencio, tampoco ellos dijeron nada más, y se fueron.

Allí me quedé sentada largo rato. Nunca borraría esos murales.

Bajé y me fui caminando lentamente, era incapaz de coordinar las ideas; por suerte, me encontré con el hotel Crillón, mi casa. Era como si hubiese despertado de pronto. ¿Cómo atravesé las calles?

¡Qué sola estaba! Siempre era yo quien llamaba a los pocos amigos que veía, excepto con Teresa Hamel, quien se preocupaba de mí como la hermana más querida. Al comienzo, no me di cuenta de mi soledad, era lo que necesitaba para poner un poco de orden en esta nueva vida de mujer sola y acosada por una culpa desconocida. Ser amigo mío era un delito, quedaban como marcados. Yo era un gran farol rojo que se veía a la distancia. Este país estaba lleno de miedo, lo vi y lo sufrí.

Tengo miedo de perder la razón. Debo salir pronto, debo irme.

Antes de partir, el embajador de México me había llevado mi pasaporte diplomático, al que tenía derecho por haber sido Pablo embajador del gobierno de Salvador Allende en Francia. No quise recibirlo, pensé que, de alguna manera, al usarlo sería representante de la tiranía que reinaba en mi país.

Ahora, sin ayuda de nadie, tenía que sacar mi pasaporte ordinario. Jamás creí que sería tan difícil. Todavía me dan escalofríos cuando recuerdo esas colas interminables que debí soportar. Al cabo de algunas horas de estar de pie, sentía que iba a caerme. ¡Qué sola estaba! ¡Qué falta me hacía un amigo o una amiga que me diera su apoyo! Ninguna pena me fue ahorrada en esas colas. Conservo el carnet y el pasaporte de esa época, en la fotografía tengo la cara alargada, hay tanto sufrimiento en esos ojos que me hace daño mirarla. Lucho por borrar los peores recuerdos de esos años, pero éstos se han quedado en mi memoria como tatuados y afloran sin cesar, quizá para que no olvide. No hay que olvidar.

Ya con mi pasaporte en la mano, compré mi pasaje y avisé a Venezuela el día de mi llegada.

Sería reconfortante hablar con mis amigos, me esperaban con tanto cariño; allá tengo tantos amigos, eran como hermanos de Pablo y, por consiguiente, míos.

En Isla Negra se quedaron viviendo mis fieles amigos Rafita, Yolanda, su mujer, y sus dos hijos. Él había construido toda la biblioteca, la «pieza del caballo» y la covacha. La casa de Valparaíso fue cerrada con tablas a pedido de mis amigos Velasco, que vivían en la parte baja.

Después del susto que me dieron los militares en ese jeep amenazador, no me atrevía a ir a la casa de Santiago. En la cuadra había una persona encargada de avisar cuando yo llegaba a la casa. Pensé mucho en quién podría ser, después, por higiene mental, quise olvidarlo.

Y aquí estoy, arreglando mi viaje en mi pieza del hotel Crillón.

Mi amiga Teruca Hamel me fue a dejar al aeropuerto, allí conversábamos de la suerte que corrían muchos pasajeros a quienes habían sacado del avión después de haberse embarcado. Con una bondad infinita, mi amiga me decía: «Yo estaré arriba, en la terraza, quiero verte subir al avión, y no me iré hasta que despegue.» Esto me tranquilizaba.

Los acontecimientos se habían sucedido a un ritmo tan acelerado que continuamente hablaba de «nosotros», como si Pablo estuviera vivo. Sentía que, de alguna manera, él estaba a mi lado. Pero la realidad era que ahí, en ese avión, iba sola, y eso era amargo, muy amargo.

En vano trataba de pensar en mis amigos venezolanos, en sus caras alegres que me esperaban. Aquella sensación de inseguridad, de terror, me tenía como atenazada. Era difícil pensar en otra cosa.

Y llegó el momento de desembarcar. ¿Sabrán mis amigos todo el bien que me hicieron? Veo tantas caras familiares. Respiré hondo, había llegado a un puerto seguro. Caigo en los brazos de mis amigos del alma, María Teresa y Miguel Otero Silva, y tantos otros. Encontraba a esta gran familia venezolana que me acompañaría toda la vida.

Estaban ansiosos por saber qué pasaba en Chile. Cómo había muerto Pablo. Yo, con voz estrangulada, les contaba en forma incoherente, pasando de un tema a otro, todo el barbarismo desatado en este país, antes tan pacífico. Creo que era muy difícil entregarles la información suficiente como para que entendieran la verdadera situación de este pobre país.

Miguel había dicho en el Senado: «Pablo Neruda murió del mal de Chile», y ésa era una gran verdad. El mal de Chile, que mataba gentes indefensas, las leyes que nos habían defendido; que, de una plumada, mataba todos los derechos adquiridos por los trabajadores; ese mal también había matado a Pablo.

Estaba deseosa de preguntarle a Miguel qué le parecía el material de las *Memorias*. En cuanto se fueron los amigos y quedamos solos, fue él quien me dijo: «Mañana, a las ocho de la mañana, nos pondremos a trabajar en las *Memorias*.»

Y así fue. Al día siguiente, muy temprano, comenzamos a ver este material que, como sólo había sido dictado, estaba muy disperso. No fue agregado ni quitado nada. Estaba trabajando con un verdadero hermano de Pablo, respetuoso y gran conocedor de su obra. Más tarde, se diría que el último capítulo lo escribimos nosotros. He preguntado a algunos estudiosos de su obra si es posible que se crea semejante cosa, y me han asegurado que eso no resiste un estudio serio: la prosa de Pablo es difícil de imitar. Sólo los malintencionados pueden pensar que yo permitiría que agregaran a su obra conceptos que él no haya dejado escritos.

Este trabajo, que yo calculaba terminar en un mes, se alargó a casi dos meses. Con Miguel trabajaba toda la mañana, desde las ocho. Después, seguía trabajando sola en la tarde, a veces hasta la noche. No tenía tiempo para pensar en nada.

Pero llegó la fiesta de Año Nuevo a la que tanto temía. Trabajé todo el día. Mis amigos irían a casa de un hermano. Allí no habría nadie. Les rogué que me dejaran sola. Se resistieron mucho, pero los convencí de que era lo mejor. Este año iba a ser muy desgraciada. Todo el mundo se alegraba y yo no podría hacerlo, eso me violentaría. «Déjenme sola —les imploré—. Será lo mejor.» Por fin, comprendieron. Antes de irse, Miguel me dijo: «Mañana a las ocho estaremos trabajando.»

Esa casa de Caracas es muy grande y, al quedarme sola, la

encontré aún más grande. Vagué por el jardín. A medianoche, gran bullicio, los petardos reventaban. Se iba este año en el que tanto había perdido y en el que tanto había sufrido. Llegaría otro. En ese momento, por suerte, no sabía que el año que comenzaba para mí sería tan cruel como el que se iba.

Pasé gran parte de esa noche como inconsciente. Sentada en una terraza, oía los ruidos de las fiestas. Venían a mi memoria los recuerdos de otros años. De una manera loca llegué a pensar que no estaba sola, no podía estar sola en esa mi primera noche de año nuevo; recordaba otros años, cuando dábamos tanta alegría a nuestros amigos y éramos tan felices. Las lágrimas se habían secado, estaba invadida por una tranquilidad resignada, y lo mejor era que estaba acompañada.

Al día siguiente, a las ocho de la mañana, ya estaba en el escritorio. Ante mi sorpresa, casi al mismo tiempo, apareció Miguel. «Es la primera vez en mi vida que trabajo un primero de enero», me dijo. Nos reímos. Estábamos bajo el influjo de Pablo.

Este trabajo tenía infinidad de detalles, de recuerdos. De pronto, Pablo hablaba de un pintor de Ceylán. «¿Quién es? —me preguntaba Miguel—. Tenemos que buscar datos para ilustrar.» Y allí, en unos inmensos diccionarios que Miguel, por suerte, tenía, lo encontrábamos todo.

Y así transcurrieron dos meses de trabajo ininterrumpido. Por fin, un día se le dio término al libro. ¡Qué alegría! Faltaba que Miguel lo corrigiera todo. «Para hacer esto necesito una gran tranquilidad —me dijo—. Me iré de la casa, creo que lo termino en dos días.» Con este libro hizo lo mismo que hace cuando él escribe, perderse en algún lugar del mundo. Creo que quiere mucho este libro, tuvo su esfuerzo, su trabajo, y, sobre todo, quedamos contentos.

Casi inmediatamente partimos a Barcelona.

Estos meses había vivido protegida, sin sobresaltos. Mi boca había aprendido de nuevo a sonreír. ¿Conservaría en Chile esta serenidad recobrada? No quería pensarlo. En Chile estaba Pablo, que me esperaba. Jamás me iré de Chile. Esta idea estaba muy fija en mi cabeza, mi resolución era inamovible. Presiento que no será fácil.

Estuve en Barcelona sólo unos días, el tiempo justo para

ver el material con Carmen Balcells, mi agente y amiga muy querida, mi gran puntal en este momento. Lo único que quería era que salieran pronto.

Ahora, mi vida había cambiado. En los aeropuertos me esperaban periodistas que me hacían preguntas, tantas preguntas, y yo estaba tan poco acostumbrada; sólo contestaba la verdad de todo, siempre la verdad, que en ese momento era angustiosa y brutal.

Allí me separé de Miguel, él siguió a París. Me había acostumbrado a trabajar a diario con este amigo tan querido, al amor y solicitud de María Teresa, su mujer. Una horrible sensación de soledad me invadió con esta despedida. Al día siguiente, viajaría directo a Buenos Aires para dejar las memorias a la editorial Losada. Por primera vez, un libro de Pablo saldría simultáneamente en dos editoriales.

En Buenos Aires había un deseo muy grande de saber qué había pasado con Pablo el 11 de septiembre. Yo, que hacía lo posible por vivir, contando, volvía a recordar aquellos días abrumadores, volvía a revivir su enfermedad, su muerte, su entierro. En todas partes, mis amigos me ayudaban. Cuánta ternura recibí en esos días de todos ellos. Hice todo con gran apuro. Tenía ansias de llegar a Chile. Pablo me estaba esperando.

Nunca olvidaré mi llegada al aeropuerto, me parecía que llegaba a otro país, sentía inseguridad, desconfianza; las miradas de los funcionarios no eran amistosas. Sentía como una amenaza sobre mi cabeza, todos sabían que yo era enemiga del gobierno. ¿Caería ahora sobre mí esa mano negra que hacía desaparecer a tantos chilenos?

¡Qué largos me parecieron los trámites de policía y de aduana! Por fin pasé, cuando ya mis nervios estaban a punto de romperse. Me esperaba un abogado, al que conocía muy poco. Se lo agradecí inmensamente, pero, ¡qué falta me hacía en ese momento un amigo que me diera un abrazo, que me diera un poco de calor humano! Tendría que acostumbrarme a prescindir de esto. Recibir ternura no era fácil.

Regresé a mi pieza del hotel Crillón, estaba desocupada, como esperándome. Saqué mis innumerables fotografías de Pablo y fui tapizando los muros. No quería estar sola.

Al día siguiente, muy temprano, fui al cementerio. Su tumba estaba llena de flores, eran flores modestas, muchas de jardín. Y había cartas. Su pequeño nicho gritaba protestas de todas clases, también había muchas frases de amor. El pueblo se hacía presente allí, con su poeta. Partí aliviada.

El hotel Crillón estaba lleno de policías de civil. Era tan difícil vivir allí, pero, ¿adónde ir?

Nuevamente estoy pensando en arreglar la casa de Santiago. Me traigo de la Isla a mi buen amigo Rafita, para ver qué posibilidades hay de vivir ahí. Llego a «La chascona» una mañana muy temprano. La casa sigue abierta. Entramos. El barro no se ha secado totalmente, parece que en algunas partes se ha inflado. Había que sacar puertas, ventanas, ninguna cerraba. Íbamos haciendo apuntes, calculando. Sólo haría lo más indispensable. Subimos a la parte alta, las hierbas se habían enmarañado con la zarzamora; unos palomos se arrullan en alguna parte del jardín, oigo sus gorjeos como la voz de la esperanza. Necesito este rincón para enraizarme, para pensar, y, poco a poco, tratar de reunir los trozos dispersos de mi vida. Ver qué había perdido irremediablemente y qué podía salvar. Sigo mirando. Todo es abandono. Tendré un trabajo inmenso para reconstruir todo esto.

Oigo voces abajo, alguien llama. Le pido a Rafita que baje a ver quién es y que diga que no estoy.

Esta vez eran carabineros. Al saber que yo no estaba, le pidieron a él sus documentos, preguntándole dónde vivía, qué iba a hacer yo con esta casa, por qué no había borrado ese mural de la calle, a qué hora llegaría. Después de todo eso, se fueron, diciendo que volverían.

Todo aquello era tan insólito, tan imprevisto, que no acertaba a admitir su realidad. ¿Cómo habían sabido que yo llegaba a la casa? Me puse muy inquieta. «Vámonos —le dije a Rafita—. Usted parte ahora mismo a la Isla, esto puede traerle dificultades.»

Y allí, de nuevo sepultado, se quedó mi proyecto de arreglar la casa. Seguiría viviendo en el Crillón, en ese mundo baldío y hueco, sin nubes, sin flores, sin pájaros.

En eso terminó aquella mañana de esperanzas, aquella mañana en que había un cielo transparente, en que el sol brillaba sobre mi enmarañado jardín, haciendo menos tétricos mis árboles quemados. Di una última mirada. El palomo, sentado como en su casa, seguía arrullando.

Me fui directamente al hotel, tenía una sensación de inseguridad. Seguiría en este hotel, donde vivía como suspendida entre el ayer y un mañana.

Esa casa de Santiago es como mi punto de aterrizaje. ¿Cuándo podré arreglarla? ¿Cuándo dejarán de perseguirme? Tengo una horrible sensación de vacío. Muy a menudo, en la noche sueño que voy cayendo, cayendo, y que abajo nada me espera. ¿Será verdad? Seguiré en esta pieza de hotel donde me siento como aprisionada en sus muros. Nunca pensé que podría desear tanto un hogar. Necesitaba la armonía de mis afanes con la tierra; lo necesitaba para vivir, para pensar, para respirar.

Los acontecimientos que se sucedían en mi existencia comenzaban a quitarme vitalidad, a pesar del esfuerzo que hacía por evitarlo.

La vida de la ciudad parecía haberse retirado. Comenzaba el otoño, ya se sentía el frío del invierno.

En las noches salgo a caminar. Las calles están desamparadas; a las nueve de la noche nadie anda por allí, todo esto me llena de miedo. Y con esta sensación regreso a mi hotel. Miro a los policías, que, cada vez en mayor número, están a la entrada. ¡Qué horror! Nunca sé si duermo o no.

18

VIAJE A BUENOS AIRES

Unos días antes de Semana Santa, recibí un aviso de la editorial Losada. Me anunciaban que muy pronto aparecerían las *Memorias*. Ese aviso fue como si se me abriera el cielo. Este libro, que sentía tan mío, muy pronto lo tendría en mis manos.

Llena de entusiasmo, preparé mi viaje a Buenos Aires. Tomé pasajes en Lufthansa. Mi llegada a Buenos Aires no fue tan feliz; mis valijas no fueron embarcadas y, ante esto, sólo cabía esperar. Todos los días iba a reclamarlas a las oficinas. La compañía ni siquiera se preocupaba, ellos sabían muy bien qué pasaba con mis valijas en Santiago. Por fin, al tercer día, llegaron. Había que acostumbrarse a los acontecimientos insólitos, éste era sólo el comienzo.

Las *Memorias* ya estaban en prensa, pero no estarían listas hasta después de Semana Santa. Me fui a Bahía a pasar unos días con mis amigos Jorge Amado y Zelia, su mujer. Qué alegría de verlos. Nos ligan tantos recuerdos de toda la vida, nuestros viajes juntos por Ceylán, por China, por el río Yangtsé... ¡Qué cúmulo de recuerdos! Cuánto bien me hicieron. Zelia, que es muy alegre, recordaba pasajes graciosos, como cuando en la India dejamos las valijas en la aduana y las mandamos a Rangún y, lógicamente, se extraviaron.

Cuando llegamos a Calcuta, íbamos enfermos de calor; estábamos en la aduana y, al ver nuestras grandes valijas con ropa y muchos objetos comprados en Nueva Delhi, a los cuatro nos dieron grandes deseos de no verlas más, odiábamos la ropa, lo único que queríamos era no tener nada. Preguntamos si podíamos mandarlas a Rangún y, para nuestra gran felicidad, hicieron los trámites. Nos sentíamos alegres, livianos. Nos quedamos con un maletín de mano cada uno.

Muy pronto, al hotel llegaron escritores que querían saludar a Jorge Amado y a Pablo Neruda y querían darnos una comida de recepción. Cuando llegamos a esta parte de nuestros recuerdos, estallamos en grandes carcajadas. Nunca olvidaríamos. En la India las mujeres son las más elegantes del mundo. A esta comida llegaron lindísimas, con unos saris antiguos bordados unos en oro y otros en plata, iban deslumbrantes, con joyas antiguas que son inigualables. Nosotras llegamos con una falda y una blusa de dudosa limpieza, y nuestros maridos, los escritores famosos, con los pantalones más arrugados del mundo; Jorge tenía una chamarra, Pablo iba sólo en camisa, tipo guayabera; estábamos muertos de la risa. Muy pronto, todos supieron que habíamos entregado nuestras valijas en el aeropuerto, con lo que nos creyeron bien ingenuos.

Todos estos recuerdos están tan frescos. Ahora estoy sola, ellos hacen todo lo posible por consolarme, he comenzado a reír. Cuánto bien me hacen, pero debo volver a mi país a enfrentarme con la realidad de mi vida que está allí, donde para mí no hay risas ni alegría. Con verdadera pena me despedí de ellos.

Volví a Buenos Aires a recibir las *Memorias*. ¡Qué alegría más grande! Llevaré a Chile este libro que, seguro, no tendrá permiso para entrar. No sé qué suerte corra, pero lo llevaré. Hice un paquete con treinta y seis ejemplares y lo amarré fuertemente con cáñamo. También traigo otros libros, son las *Memorias*, ocultas en tapas de *Teresa Batista cansada de guerra*, de Jorge Amado; éstos, de todas maneras, entrarán a Chile.

Voy llegando a la aduana de Santiago con una valija y un paquete amarrado con cáñamo, casi imposible de revisar sin demorarse horas. El aduanero me pregunta: «¿Qué trae en ese paquete?»

En voz muy alta, le contesté: «Son libros de mi marido, Pablo Neruda, editados en Buenos Aires; soy su viuda.»

Varias señoras que, como yo, esperaban ser revisadas, se precipitaron a saludarme, a decirme cómo admiraban a Pablo; en un momento, me vi rodeada de gente. Esto no le gustó nada al aduanero; cerró rápidamente mi valija y me dijo: «Pase.»

Esas señoras nunca sabrán qué favor tan grande me hicieron.

Entraban a Chile los únicos ejemplares que, en muchos años, pudieron pasar por la aduana. Estaba censurado.

Llegué al hotel Crillón, por suerte, estaba desocupada la misma pieza, tan chica, tan fea, tan triste, pero, como yo la pido siempre, parece que ya es un poco mi casa.

La tarde tocaba a su fin. Miré los muros de mi pieza, faltaban las fotos de Pablo. Rápidamente las puse, eran muchas. Ya no estaba sola.

Me propuse no salir. Faltaba poco para el toque de queda. Me quedaría leyendo. Quería leer las *Memorias* con detenimiento; en Buenos Aires sólo las había hojeado; estaba orgullosa de haberlas sacado tan pronto. Había entrado con treinta y seis libros que repartiría entre mis amigos.

Un discreto golpe en la puerta me sacó de mis bienhechoras reflexiones. Era la correspondencia que me había llegado. Comienzo a leerla. La primera carta que tomo es una letra desconocida para mí; la abro y, a medida que avanzo en la lectura, la garganta se comienza a estrangular. Aquí empezó una página de mi vida muy difícil de describir. Siento que la vista se me nubla a medida que voy leyendo. La carta dice así:

Santiago, 19 de abril, 1974

Señora Matilde:
Mucho le agradeceríamos que después de seis largos meses, en que los restos de su marido se encuentran en la cripta de nuestros padres, los retirara a la brevedad posible. Ya que precisamos de ella para proceder a algunos cambios.
La saludan,

MARTA DITTBORN DE FIERRO
ELENA DITTBORN DE PRADO

Todo me da vueltas. En un minuto, se había desmoronado la alegría de tener en mis manos este libro que quiero tanto. Leí muchas veces esa carta. Pablo era desalojado de la tumba que Adriana Dittborn, tan cariñosamente, insistiera en considerar que sería un honor para ella que Pablo fuera depositado allí.

Esta buena amiga no dijo que la tumba pertenecía a la familia. Estaban en su derecho de pedirme que sacara a Pablo si no habían sido consultadas o no lo querían allí, pero, ¿por qué en esta forma?

En mi pequeña pieza me paseaba sin poder detenerme, incapaz de pensar en otra cosa. Muy tarde, quise dormir, pero me fue imposible, había una sola idea fija en mi mente: tenía que sacar a Pablo de esa tumba. Lo haría mañana mismo. Y me seguía paseando. Las primeras luces del alba me encontraron sentada en mi cama; estaba cansada, había caminado kilómetros dentro de mi pieza.

En cuanto vi las luces del día, me fui al cementerio. Estaba cerrado, y pensé: «¿Cómo puede cerrarse un cementerio?» La mañana estaba fresca y me senté en las gradas; aparecieron los sepultureros, que son los primeros en llegar, y les pregunté a qué hora abrían las oficinas. Me miraron con sorpresa. «Hoy es Primero de Mayo —me dijeron—. No abren hasta mañana.»

Nada se podía hacer. Llegaron otros trabajadores, me miraban con extrañeza: esa señora sentada en las gradas tan frías del cementerio... Les conté que tenía que sacar a mi marido de una tumba. ¿Qué trámites debía hacer? Con voz compasiva me dijeron que regresara al día siguiente a las oficinas, que ese día no se podía hacer nada. Yo seguía sentada, no por creer que haría algo, sino porque no tenía fuerzas para levantarme.

Desde muy temprano vi llegar muertos, casi todos en cajones modestos, con muy pocos acompañantes. Llegaban y llegaban. ¡Cuántos muertos hay en estos días en que caen los mejores chilenos! Vi mujeres con caras llorosas, hombres de caras duras, niños agarrados a las faldas de sus madres con ojos asustados. Y yo allí, sentada, sintiéndome tan débil como ese niño asustado. ¿Dónde hay una falda para mí, a la que pueda tomarme?

Recuerdo cuando enterramos a Pablo. Oigo los golpes de martillo abriendo el hueco que se habían olvidado de hacer; mis manos les pasaron los ladrillos para tapar ese horrible murallón que guardaría a mi Pablo.

Viene un cortejo y entro con él; me acerco a una mujer vestida de negro y le pregunto:

—¿Quién es el muerto?

—Mi marido —contesta con voz entera—. Me lo mataron, y también a mi hijo, a quien enterré ayer.

Sus ojos enrojecidos denunciaban su llanto, pero, en ese momento, con las mejillas hundidas y los ojos secos, creo que sólo odiaba.

Me voy a ver a Pablo; saco la llave y abro la puerta. Allí está su lápida.

—No le traigo flores —le digo—. Era muy temprano cuando llegué, y después no podía caminar; por suerte, me trajo un cortejo, y aquí estoy, muy cansada.

Me senté al lado de su tumba y sentí un extraño bienestar. Poco a poco me invadió una somnolencia y me quedé dormida. De pronto, siento que me mueven suavemente un brazo, es la cuidadora, que me dice:

—Señora, todo esto es muy helado. Me dio mucho susto verla sin conocimiento.

—Sólo dormía un rato, ya estoy bien. Es que tengo que sacarlo de aquí y hoy no puedo, porque es fiesta.

Ella no entendía nada, creyó que yo había perdido la razón. Me miraba con cara de pregunta. Levantándome, le dije:

—Por favor, cierre la puerta. Me voy. Mañana vuelvo.

Al día siguiente tampoco pude hacer nada. Necesitaba una carta de la familia Dittborn para sacar a Pablo de su tumba, pero, ¿dónde vivían? Nunca las había visto y mi amiga Adriana estaba fuera de Chile. Hablé con mi abogado Juan Agustín Figueroa para que las localizara y les pidiera la carta. Pasó tres días sin conseguirla y yo no podía dormir. En la noche despertaba angustiada, parecía que había hecho algo malo. ¿Por qué lo enterré en esa tumba? Es tan fea. Además, esa reja de fierro que parece cárcel. Y todo allí es ajeno.

Hoy, 6 de mayo, por fin tengo la carta. Me voy al cementerio a comprar un nicho. Mañana será el traslado.

Le avisé a mi amiga Teresa Hamel, la única que me llamaba y se interesaba por saber lo que me ocurría. Prometió acompañarme, y llamó a Francisco Coloane y a Estercita Matte. Nuestro amigo Solimano también estuvo presente y sacó algunas fotos que todavía no puedo mirar sin sentir un escalofrío.

Hoy, 7 de mayo de 1974, aquí en el Cementerio General, en la cripta de la familia Dittborn, vuelvo a oír los mismos golpes, hacen un ruido seco, sordo. Están sacando el ataúd de Pablo. Primero veo un pedazo de madera, luego la bandera vieja y deshilachada que alguien trajo, asegurándome que pertenecía a una población y era la bandera que usaban en los desfiles. Todo esto es como su vida, llena de acontecimientos buenos y malos.

Recuerdo su muerte en aquella clínica que me pareció inhumana, cuando lo dejaron en aquel pasillo congelante esa noche en que yo estaba tan muerta como él. Después, el traslado a aquella casa destruida y tan llena de militares que daba miedo. Y sus funerales, todo aquel pueblo cantando, gritando, desafiando a la muerte misma. Y ahora, desalojado del barrio elegante del Cementerio General. Siento como si lo hubiera liberado, y también a mí, de algo que nos pesaba. Tenían razón, ¿por qué íbamos a estar aquí?

Ya todo el ataúd está afuera. Lo ponen en un carro y este pobre cortejo de cinco personas se pone en movimiento. Aquí vamos, caminando; el nicho que me han dado queda allá lejos, donde el cementerio termina, es en el Nódulo México, nicho 44.

Un poco antes de llegar a nuestro nicho, un sepulturero me dice:

—Ésa es la tumba de Víctor Jara.

La miro, tiene dos tarros durazneros llenos de claveles rojos. Recordé su cara, tan alegre siempre; recordé su voz que nos gustaba tanto. Allí, detrás de esos claveles rojos, está su cuerpo despedazado, torturado por hombres, por seres humanos que tienen la facultad de sentir, de pensar, de disfrutar y, quién sabe, hasta de amar, y, sin embargo, son monstruos tan ajenos a toda medida humana. ¿De dónde habían salido? ¿Dónde estaban, que nadie los conocía, que nadie sabía de su existencia? En estos días suceden tantos crímenes que estamos perdiendo la facultad del asombro.

Llegamos al nicho. Pablo soñó durante toda su vida con seguir mirando el mar después de muerto. Ahora mira un inmenso mar de cruces negras. Son las tumbas de los pobres bajo tierra. Pensé que no estaba mal. Busqué un tarro y le puse flores. Era casi increíble. Habíamos escrito su nombre con un trozo de carbón. Al día siguiente le harían una placa y una jardinera. El aspecto del nicho es conmovedor por su pobreza. Lo sigue siendo en este momento, en que entra al décimo año de su muerte.

Nos fuimos lentamente. Regresé al hotel demasiado nerviosa como para ver todo lo que me pasaba en su verdadera dimensión. Me sentía afiebrada y completamente agotada.

Creí que podría descansar. No puedo dormir, estoy en cama, como clavada en ella, sin fuerzas, sin deseos de nada, encogida en mi angustia y en mi miedo. La tristeza se me va metiendo muy hondo. Mi vida es zarandeada por un viento sin dirección que amenaza con enloquecerme.

Pensaba en la Isla, quería irme; allí las estrellas brillan hermosas en el cielo, el oleaje se está meciendo con su conversación de mar, siempre novedoso, profundo y seguro. Pero me sentía incapaz de nada; con los ojos abiertos en la oscuridad, pensaba y pensaba. Mi imaginación estaba herida. Sólo veía muertos, sangre, dolor, luto, lágrimas, y todo se agrandaba y se agrandaba, como alucinaciones fantasmagóricas. Y así me encontró el siguiente día, y no pude levantarme. Veía ante mí ese carro con Pablo. Yo quería olvidar y dormir, y no podía, pensaba en la tristeza de ese nicho. Tenía que ir. Pensé: voy por la tarde. Pero en la tarde tampoco pude levantarme ni comer. Aquí, muy adentro, había algo amargo, parecía que mi boca se hubiera secado para siempre.

Y seguían galopando los recuerdos. De repente, me puse a llorar, lloré y lloré. Benditas sean las lágrimas. Me dormí. ¿No sería mejor dormir y dormir y dormir?

Hoy es 9 de mayo. Hay sol. Estoy muy débil, como si hubiera salido de una grave enfermedad. Debo ir al cementerio. Me miro al espejo y éste refleja toda mi angustia. ¿Cómo hacer para que Pablo no se dé cuenta de que he desfallecido? Él me tenía tanta fe. «Mi Patoja es fuerte, todo lo resuelve. Pregúntenle a la Patoja», decía tan a menudo. Y aquí me veía, sin fuerzas, vencida, vacilante. Todo se me confundía, estos muros de mi pieza, tan cerca de mí, que ya me hacen daño.

Compré flores y me fui al cementerio para ponerle una lápida. Cuando llegué, busqué el tarro que había dejado y, ante mis ojos, veo con sorpresa que el nicho de Pablo está lleno de flores. La solidaridad del pueblo se había hecho presente con su poeta. Bajo el sol de la mañana, todo este conjunto de nichos permanecía silencioso. Una paz bienhechora comienza a invadirme. Otra vez traemos cemento, otra vez siento golpes. La tumba de Pablo quedó con su lápida que solamente dice: «Pablo Neruda. 23 de septiembre de 1973.»

En estos días hay una solidaridad callada que une a los hombres en las cárceles, en los hospitales, en el cementerio. En la calle, en los mercados, en todas partes, siento de repente que me toman del brazo y me lo aprietan muy suavemente, miro, y alguien con ojos huidizos me da su ternura y desaparece. ¿Quién es? Nunca se sabe. Otros se acercan y, muy bajito, me dicen: «No está sola.» ¿Cómo saben ellos de mi angustia, de mi miedo, si yo lo disimulo tanto, y me ven caminar entera por todas partes?

La sabiduría del pueblo es infinita. Me entran ganas de abrazarlos a todos, se me ha despertado un amor maternal, un sentimiento de solidaridad, como si de repente me hubieran nacido millones de hijos desdichados que sufren en este país en que la libertad está herida.

19

LA CASA DE ISLA NEGRA

La casa de la Isla Negra es ya una leyenda. En todas partes del mundo hay alguien que pregunta por ella, se la han imaginado de una u otra forma. No cabe duda de que allí hay una atmósfera singular, constituida no tanto por la realidad como por un conjunto de imágenes que se han construido con base en todo lo que era afín a este poeta que, desde muy pequeño, alimentó su fantasía viajando en el tren lastrero de su padre.

Admiraba el sur fabuloso de esos tiempos, los bosques centenarios cerca de gigantescos volcanes nevados, muchas veces acompañado de lluvias torrenciales interminables. Fue descubriendo la vida a través de la secreta revelación de la naturaleza; viviendo amargas realidades y hermosos sueños; tratando de entender ese mundo de gente que lo rodeaba, y, a la vez, inventando su propio mundo, su propio paraíso.

Todo eso haría de este niño un poeta de potentes raíces americanas. Nada lo podría cambiar.

Cuando Pablo habla de esta casa, comienza diciendo:

«La casa... No sé cuándo me nació... Era a media tarde, llegamos a caballo por aquellas soledades. Don Eladio iba adelante, vadeando el estero de Córdoba que se había crecido... Por primera vez sentí como una punzada este olor a invierno marino, mezcla de boldo y arena salada, algas y cardos.

»Aquí, dijo don Eladio Sobrino (navegante), y allí nos quedamos. Luego la casa fue creciendo, como la gente, como los árboles.»

Lo primero que hizo Pablo fue ese inmenso *living* todo de

piedra; él amaba la madera y la piedra para sus construcciones.

Yo llegué a la Isla cuando el *living* ya estaba hecho.

Recuerdo haber vivido en esta casa siempre construyendo algo. Íbamos a las demoliciones de Valparaíso y comprábamos maderas, tablones de pino oregón, puertas, ventanas, que Pablo prefería con vidrios de colores y eran las más difíciles de conseguir. Para él, estos materiales eran antigüedades, le hablaban a su fantasía.

Cuando ya tenía las puertas y ventanas, iban naciendo sus piezas, siempre con un solo maestro, un ayudante, y yo, que hacía de constructora, buscando lo que hacía falta. Pablo me ayudaba.

Para nosotros, traer los materiales no constituía un trabajo sino una diversión. Nos íbamos a Valparaíso, a sus grandes ferreterías: era una fiesta ver los tornillos, las bisagras, las chapas, clavos grandes y pequeños, poderosos pernos que sostendrían nuestro techo. Los vendedores nos conocían y, en cuanto entrábamos, se aglomeraban para ver nuestras listas hechas por Rafita. Las escribía en tablitas y, por falta de tiempo o porque no le dábamos ninguna importancia, no las pasábamos a un papel; eso era algo natural para nosotros, no así para los vendedores, que se reían mucho con todo esto. Estoy segura de que deben habernos encontrado excéntricos.

Yo no sé si Pablo fue un constructor bueno o malo de casas, pero de una cosa estoy segura, sus casas no se parecen a ninguna otra.

Con esta idea del inventario, salgo al jardín y miro el portón de coligües cruzados, cuyo dibujo hizo Pablo. En lo alto de este portón hay una campana de la que cuelga un cordel para llamar. Cuando el portón se abre y entro, siento una ráfaga de aire marino que parece palpitar por entre los pinos y me trae como regalo el siseo de las olas.

Allí comienza el jardín, como descuidado y salvaje; es el que nos gustaba y que yo sigo cultivando de igual forma. Avanzo por un camino de piedras irregulares y poco amistosas. En medio del jardín, una pequeña locomotora. Todo el mundo se preguntará cómo llegó hasta aquí. Parece que hubiera bajado del cielo. Veíamos esta locomotora trabajar en un aserradero al que íbamos muy a menudo a buscar tablas para nuestras construcciones; estaba a unos diez kilómetros de nuestra casa. Un buen día, el aserradero paralizó sus faenas y veíamos cómo este hermoso juguete se destruía por la acción del tiempo. Verdaderamente intrigados por su destino, buscamos al dueño y, ante mi sorpresa, Pablo le propuso comprar la locomotora. Este señor lo miró sonriente y le dijo: «Pero, don Pablo, ¿cómo la va a llevar a su casa? Yo se la vendo, pero aquí termina mi responsabilidad.» Convinieron en un precio casi regalado, porque este señor pensó que nunca saldría el locomóvil de su campo.

Desde ese día, en nuestra casa, el «problema locomóvil», como Pablo la llamaba, era un tema obligado. Con todos los amigos se hablaba de esto, sin concretar nunca nada. Pasaron muchos meses, hasta que un día de verano llegaron a ver a Pablo unos muchachos que vivían en el Tabo, acompañados de unos veraneantes. Como ya era habitual, salió a relucir nuestro problema: la traída del locomóvil. Los muchachos se miraron, se rieron mucho y, como divirtiéndose, comenzaron entre risas y chistes a elaborar un plan. Estaban fascinados con el tema, discutían el número de bueyes necesario, el número de jeeps; se alargaban las discusiones para ponerse de acuerdo. A ratos, Pablo los interrumpía para decirles: «Que sean muchos bueyes, porque, ¿y si hay uno flojo y no tira? Que sean muchos jeeps, porque, ¿y si uno falla?» Tenían que calcular su peso, contar las subidas y las bajadas, que en este tramo de carretera son muchas y muy pronunciadas, y, lo peor, pasar un pequeñísimo puente, el que atravesaba la quebrada de Córdoba. El puente actual, ancho y firme, no existía en ese tiempo. Por fin, después de una tarde de discusiones, risas y fiesta, se llegó a un acuerdo y fijaron el día en que traerían el locomóvil. Necesitaban un buen número de bueyes y, por lo menos, tres jeeps. Como una broma, Pablo salió con ellos al jardín y con un palo les hizo una marca en el suelo. «Aquí quiero encontrarla cuando llegue», les dijo. El día señalado para traerla, nosotros no estaríamos en la casa, teníamos un compromiso en Valparaíso. No sin cierta inquietud, les dimos una llave de la puerta. Los muchachos nos parecían loquísimos, pero eran los únicos que se habían atrevido a pensar siquiera en realizar esta hazaña que, de verdad, era una locura.

Grande fue nuestra sorpresa cuando llegamos. Miramos nuestro jardín, y allí, exactamente donde estaban las marcas que Pablo les había hecho, se levantaba en toda su majestad el locomóvil. Aquí se veía más grande, más importante. Nos acercamos como con timidez, lo acariciábamos, nos parecía un hermoso sueño. ¿Cómo llegó hasta aquí? Muy pronto lo sabríamos.

En la tarde, llegaron los muchachos, muertos de la risa. Se atropellaban para contarnos todo lo que había pasado. Fue una faena larga y penosa, sobre todo en las bajadas. Nos contaban que se ponía tan pesada en las subidas y cuando bajaba tomaba una velocidad loca, que por momentos creían que se les escaparía, arrastrando bueyes y vehículos. A medio camino, tuvieron que buscar otro jeep para reforzar las bajadas. Lo peor fue cuando entraron al pequeño puente, nos contaban que éste se movía y temblaba de tal manera que, en un momento, todos pensaron que se caería con la locomotora y todos ellos. La catástrofe parecía inminente, los que venían detrás prepararon sus coches para llevar heridos a San Antonio; pero como la juventud es atrevida, siguieron avanzando y pasaron. El puente no se cayó y su vida fue todavía muy larga.

Así entró este locomóvil a nuestra casa, movido por el entusiasmo juvenil, por la irresponsabilidad de esta juventud que, en este caso, fue una victoria. Han pasado muchos años y, desgraciadamente, olvidé sus nombres, pero nunca los olvidaré a ellos. En este momento, deben ser señores maduros y reflexivos. Me pregunto cómo serán ahora, ¿los habrán cambiado los años? ¿En este momento, correrían el riesgo de sus vidas para traer a un poeta este gran juguete?

Voy entrando a la casa por el camino de piedra. En el ingreso al *living* me sale al paso, en forma amenazadora, un gran tablón en el que se lee, con la caligrafía de Pablo: «Regresé de mis viajes, navegué construyendo la alegría.»

Ahora, por un pasillo estrechísimo y poco iluminado, entro a una pieza pequeña, redonda: es la parte inferior de la torre. Allí sólo se ven dos figuras venecianas, muy altas y majestuosas. Esta pieza es la antesala del *living*, grande y muy alto. Todos los muros son de grandes piedras que podrían ser agresivas. Hay aquí un gran silencio, como si un péndulo suspendido en lo alto se hubiera detenido de repente. Sale al paso un gran ventanal que me acerca al mar. Una inesperada variedad de colores me regala y cautiva la vista. Son las flores silvestres, el sol cae a raudales sobre ellas, haciéndolas rejuvenecer todos los años. Unas son grandes y esbeltas, otras, tan pequeñitas, que sólo la flor sale, pegada al suelo, sola y desafiante en su hermosura. No puedo dejar de mirar este paisaje. Más allá, y casi ahí mismo, el mar, la playa, el cielo, todo fundido como en un abrazo perfecto.

Me desprendo de este paisaje y miro una gran chimenea, muy curiosa, hecha de grandes piedras redondas de río que Pablo buscó en la quebrada de Córdoba. Toda ella fue construida para destacar la belleza de estos bolones que dejan un hogar muy pequeño para la leña. Pero en este *living* lo que más se destaca son sus mascarones de proa. Hay unas señoras sonrientes y amables, otras con cara seria y de mucha experiencia; hay otras niñas inocentes, frágiles y etéreas, parece que fueran a volar. Unos bustos de señores con aire reflexivo y grave. Un piel roja enorme, que mira desde lo alto en toda su bravura. Un marinero que compró a un anticuario en París, es una figura pequeña, una talla perfecta, hermosa, policromada, que, con un ojo cerrado, mira por un catalejo.

En 1971 éramos embajadores en París. Pablo arregló una pieza en la embajada con objetos a su gusto, era nuestra residencia. Esta pieza era biblioteca, escritorio privado y sala de estar. Allí llegó este marinero con su catalejo, parecía observar y dirigirlo todo. Ahora está por fin en este *living*, mirando el mar; después de quizá cuántos años de deambular por casas, bodegas, anticuarios, encontró su destino. Lo miro y creo que debe estar contento. Esta colección de figuras de proa viene de distintos países. Pablo las fue consiguiendo con amor y grandes sacrificios, una a una.

Arriba, y colgados de un altillo, hay dos ángeles enormes que vuelan sobre mi cabeza. Llegaron desde Valparaíso una mañana de verano, fueron desempolvados y rescatados del olvido. Vinieron para iluminar este conjunto de mascarones. Estos ángeles buscaron a Pablo. Una mañana, recibimos un llamado de ellos. Su dueño, un señor de Valparaíso, se los ofrecía en venta. En una larga carta, le describía cómo habían sido hechos, por encargo, en Italia, por un tallador de renombre que los copió de la Capilla Sixtina. Con lujo de detalles nos describía cómo habían sido transportados a Chile y que su padre, quien había muerto hacía poco, los adoraba. Era una mañana hermosa que nos invitaba a salir por los caminos. Leímos la carta, nos miramos con aire de complicidad, y partimos a Valparaíso a conocer estos ángeles. Los encontramos en un rincón, en el suelo, absortos en una melancolía quieta. Parecían tristes y humillados. El joven vendedor, obsequioso y amable, no cabía la menor duda de que estaba impaciente por desprenderse de ellos. Pablo los miró y, con ese aire ausente que usaba cuando algo más le interesaba, le dijo calmadamente: «Son míos, me los llevo. Creo que este tallador los hizo para mí, me estaban esperando.» El joven no entendió nada, sonrió satisfecho: ya no vería más estos ángeles. Pablo también sonrió: él había encontrado sus ángeles.

Como perdida entre tantas figuras, veo una talla pequeña, delicada, es un santo que trajimos de Hungría. En las casas de antigüedades venden objetos que, por su valor, los consideran patrimonio nacional y no pueden sacarse del país. Pablo, con esa paciencia inagotable para adquirir un objeto deseado, hizo gestiones hasta conseguir el permiso de compra. Pero allí comenzaban las dificultades, el embalador hizo un inmenso cajón para esta figura tan pequeña. En ese momento, nosotros comenzábamos nuestro viaje y a todos los países llegábamos con ese inmenso cajón. «¿Qué traes, Pablo?», le preguntaban los amigos. Nunca supieron la verdad, porque él les contaba cualquier cuento fabuloso que inventaba en el momento y los hacía reír mucho.

Cerca de una ventana pequeña que da al lado opuesto del mar, miro un inmensa olla de fierro, muy pesada. Es tan grande que en su interior puede sentarse cualquier persona, sin importar su tamaño. Pablo decía que, sin duda, había sido utilizada por los africanos para cocinar misioneros. La compramos en el Mercado Persa, allí donde llegan tantas cosas que nunca se sabe de dónde vienen.

Antes de abandonar este *living*, miro los objetos pequeños. ¿Cómo hacer este inventario? ¿Qué nombre le daremos a cada cosa? Sobre la chimenea hay una diosa Shiva que, para mí, es muy querida. Cuando llegué por primera vez a esta casa, estaba instalada ya sobre la chimenea. Pablo la compró en su primer viaje a la India, siendo muy joven. Mentalmente revivo conversaciones. Recuerdo que, frente a esta figura, Pablo me dijo: «¡Cómo es de misterioso esto de conservar los objetos!» Me contó que la había comprado en la India, junto con muchos otros que, poco a poco, en cambios y viajes, fue perdiendo. Pero esta diosa nunca se perdió. La ponía en cualquier rincón de su valija, sin cuidarla demasiado, ella siempre llegaba. En su habitación de hotel o de casa, allí estaba, con sus innumerables brazos en actitud danzante, hasta que un día llegó a la Isla y se quedó para siempre sobre la chimenea, sin llamar demasiado la atención. Su color bronce, sin brillo, se confunde con la piedra. Yo sí la veo siempre, no puedo olvidar que acompañó a Pablo antes de que llegara a su vida. Cuando entré por primea vez a este *living* de Isla Negra, allí estaba, con su inescrutable cara de diosa. Hoy, a muchos años de ese día, la miro como a una antigua conocida. Fue testigo de tantas alegrías perdidas, y ahora, de la tristeza, la nostalgia infinita, los recuerdos, siempre recuerdos. Ella, la diosa Shiva, sigue danzando imperturbable. Es una diosa.

Sigo mi recorrido y paso de nuevo por la pequeña pieza redonda de la torre. Entro al comedor. Un gran ventanal que da al mar ilumina una figura de madera maciza que está a la entrada. Es una virgen. En su cabeza, a modo de corona, tiene un pájaro Manu Tara. Esta cabeza se levanta con tanta dignidad, en sus ojos de madera hay tanta ternura que, más que la virgen, parece la madre del Universo. En sus brazos tiene al niño, con una corona semejante. Toda ella da una sensación de reposo. Al mirarla, siento una asociación de recuerdos, de presencias tan vivas que golpean mi memoria. De pronto, me siento trasladada a Isla de Pascua, isla que recuerdo con una claridad absoluta. Era el año 1970, en ese momento, preparábamos nuestro viaje a Francia, íbamos como embajadores para representar allí el gobierno de Salvador Allende.

En ese momento, el canal 9 de televisión hacía unos documentales de cine sobre la vida de Pablo, y hasta allá llegó con nosotros. En ese tiempo, los isleños recibían el avión en una atmósfera de fiesta, ofreciendo sus collares de flores con sus risas frescas y cordiales. A nosotros nos parecía llegar a una fiesta de amigos. Un año antes, habían llegado a Valparaíso muchos jóvenes y muchachas pascuenses en busca de trabajo. El continente, como ellos le llaman, ejerce una atracción muy grande. Allí, en Valparaíso, estaban en algunas casas haciendo trabajos domésticos con gran sacrificio. Una amiga nos trajo la noticia de su llegada. Nos dijo que eran malos trabajadores, pero maravillosos bailarines y, en sus días libres, sólo les interesaba ir a alguna casa para bailar. Convinimos con ella que la semana siguiente estarían invitados a nuestra casa. Les preparamos una fiesta. Llevaron sus trajes típicos, estaban felices. Para recibirlos, Pablo se puso una bata monumental, antigua, que había traído de la India. Al verlo bajar las escaleras de la casa, se quedaron atónitos, había en sus rostros una gran sorpresa. Una de las muchachas, que estaba a mi lado, me preguntó:

—¿Es el gran sacerdote?

Reímos, cantamos y bailamos con ellos. Cuando se despidieron, Pablo les dijo:

—Ustedes son como pájaros maravillosos. ¿Por qué salen de su isla?

—Nos iremos muy pronto —contestaron con gran convicción.

Y allí estaban, en su isla, esperándonos en el aeropuerto para devolvernos con creces aquella pequeña manifestación de afecto que en Valparaíso les habíamos brindado con tanto placer.

En esos días de nuestra llegada había un movimiento inusitado en la isla, era el desmantelamiento de las fuerzas norteamericanas. Sabíamos que nadie podía entrar en sus recintos, nadie podía traspasar los límites que ellos mismos se habían trazado. Cuando llegó a la isla Salvador Allende, como candidato presidencial, no pudo entrar al recinto norteamericano. Fueron descorteses con este candidato que, según sus encuestas, no ganaría las elecciones. Ahora se iban, nadie los había desalojado, pero sabían que con este gobierno algo cambiaría para ellos. Aquella mañana en que se marcharon en forma tan apresurada, nosotros estábamos en la isla. Al alba, llegaron inmensos aviones que, abriendo unas fauces enormes, se tragaban inmensos containers. ¿Qué se llevaban? Si su misión era tan pacífica, tan inocente, ¿por qué esta huida tan precipitada? Se iban, dejando inmensos hoyos donde habían estado sus casas y sus campamentos. También habían dejado una huella en el corazón de más de alguna muchacha pascuense que se había deslumbrado por el aspecto de estos jóvenes seguros de sí mismos y de miradas juguetonas e inocentes. Ahora, simplemente lloraban. Durante el tiempo que estuvieron en la isla, de alguna manera habían cambiado la mentalidad sencilla del isleño, de alguna forma sintieron la influencia de esos hombres rubios que traían dólares.

Muchas fueron las historias que oímos esos días en la isla y muchas las preguntas que nos hicimos. Todo esto lo recuerdo como una pequeña nube que empañaría nuestra estadía embrujante en esa isla fabulosa.

Gracias a nuestros amigos pascuenses tuvimos como guía a Margarita, linda mujer que pertenecía a una de las familias más antiguas de la isla; fue nuestra guía y nuestra gran amiga. Por ella conocimos los secretos de esta isla. Para los pascuenses, las historias de Isla de Pascua son la verdad misma y las transmiten de generación en generación. Cuando las cuentan, hay un acento de verdad y, quien las escucha, empieza a entrar poco a poco en esta especie de embrujamiento; para eso, Margarita era una gran maestra.

Un día, en el volcán Rano Raraku, mirábamos su inmensa profundidad redonda, esa hondonada de una belleza irreal donde se guardan —según Margarita— los más profundos secretos. Con cara de iluminada, nos contaba las historias del volcán, señalándonos el sitio donde los sacerdotes cumplían sus ritos de sacrificios humanos. Repentinamente, comenzó a llover, había un viento tan fuerte que nos zarandeaba y con gran dificultad nos manteníamos en pie. Desde abajo, una luz espesa y húmeda subía a envolvernos. Todo lo veíamos muy distante, era una belleza sobrecogedora la de aquel paisaje arropado por la lluvia. El viento, recortando el espacio, se quejaba. Oíamos algo así como un llamado: eran las voces indomables de las doncellas sacrificadas las que llegaban a nuestros oídos asombrados. Era difícil escapar de ese embrujo; miramos a Margarita, quien nos dijo: «Vámonos, los dioses están enojados.»

Cuando subimos a la gran montaña, nos sentimos tocados por ese gran espacio, por ese gran silencio. Me sentía empequeñecida entre el espacio y la piedra. Todo es como de una belleza irreal, profunda y misteriosa. Todo allí parece reposar. Es allí donde reinan en forma absoluta sus hombres de piedra, como grandes seres humanos apagados. Vagábamos por entre ellos. Los tocábamos, mirábamos hacia arriba sus inmensas cabezas recortadas en el cielo. Todavía hay uno acostado en la montaña, a medio hacer. ¿Qué pasó para que ese trabajo fuera interrumpido? Otros están botados en el suelo, como si una gran fuerza los hubiera derribado. Otros están erguidos en todo su esplendor y, lejos de la montaña, hay muchos alineados en un orden perfecto, formando un gran escenario. ¿Quién los hizo? ¿Cómo los transportaron hasta esos lugares lejanos dentro de la isla? Se lo preguntamos a aquella Margarita, quien tenía una respuesta para todos nuestros misterios. Nos miró muy seria y, como la cosa más natural del mundo, nos contestó: «Ellos se fueron caminando.» Nos quedamos mudos. El ambiente nos producía una emoción muy fuerte. Se fueron caminando, ¿por qué no?

Nuestros amigos nos habían hablado de la misa del domingo. Nos dijeron que no faltáramos, porque iban a cantar para nosotros. Todos nos hablaban de lo mismo y, como todo lo que ocurría en la isla, le daban a esta invitación una atmósfera singular, producida no tanto por lo que veríamos, sino por esa curiosidad que ellos sabían despertar en nosotros. Así pues, llegó el tan esperado domingo. Partimos muy temprano y llegamos a una iglesia sencilla, luminosa, alegre bajo el sol de la mañana. Todo el conjunto permanecía silencioso. Muy pronto, se llenó de gente alegre, hablaban, reían. Los amigos nos saludaban con soltura, más parecía una fiesta. Comenzó la misa y todo cambió. Era un ritual entre católico y pagano. Cantaban con entusiasmo y devoción sus canciones pascuenses, nosotros escuchábamos y mirábamos todo fascinados. De pronto, mi mirada fue atraída por el busto de una virgen ubicada a un costado de la iglesia. Toda ella es de madera color natural, es tan fuerte que parece avanzar hacia nosotros. Miro a Pablo para hacerle notar la belleza singular de esta virgen, y veo que tiene los ojos fijos en ella, como hacia un imán. Después de la misa, nos quedamos con un grupo de amigos y nos acercamos para admirarla de cerca. Era mucho más imponente en su postura de madera, como si fuera la poseedora de todos los secretos pascuenses. Emanaba de ella un halo de misterio, profundo y humano. Nos contaron que la había tallado un amigo suyo que no vivía lejos. Pablo les pidió que lo llevaran, quería hablar con el tallador. En la tarde de ese mismo día, estábamos reunidos con el escultor. Pablo usaba todo su poder para convencerlo de hacer otra virgen igual. El tallador, muy serio, reflexionaba y decía:

—Los troncos de ese tamaño ya casi no existen, los árboles se van extinguiendo. No puedo asegurarles que será del mismo tamaño de la virgen de la iglesia.

—No —contestaba Pablo—. Todo lo que uno busca lo consigue, y yo estoy seguro que usted encontrará el tronco que necesita.

Poco a poco, este hombre de manos sabias, de mirada reflexiva pero alegre, se fue convenciendo. Haría la virgen. Pero el encargo no paraba allí, tenía que embalarla y mandarla a la embajada de Chile en París. Para eso, hablamos con muchos amigos, entre todos ayudarían. Pablo no tenía ninguna duda: su virgen llegaría a París. Gozaba de antemano con la idea de mostrar a sus amigos franceses una talla hecha por los pascuenses de la Isla de Pascua. Y, como todos los deseos de Pablo, que al comienzo me parecían sueños irrealizables, aquél también se cumplió. La virgen llegó a París en un inmenso cajón; arribó esta viajera que había cruzado los mares para encontrarse con el poeta que tan ansiosamente la esperaba. Fue la admiración de cuanta persona llegaba a la embajada. En el gran salón de la entrada reinaba en forma absoluta.

Y llegó el día que teníamos que dejar la isla, nos despedimos de sus volcanes, de sus montañas. Mañana, todo esto estaría tan lejano. Allí quedaban los isleños con sus historias, sus bailes, sus talladores, sus pescadores de langostas. Le dijimos adiós a esta isla, donde con fuerza flota el espíritu del pascuense; ellos siguen recibiendo mandatos remotos, para ellos no hay discontinuidad entre el presente y el pasado.

De allí saldríamos con una asociación de ideas y recuerdos que sería difícil de barajar y que jamás llegaría a fundirse en una idea clara y precisa. Llegó el avión. Ahí no más estaba la realidad, habíamos vivido un sueño de fantasía. Regresábamos al mundo al cual pertenecíamos. Mañana, todo esto estaría tan lejano.

Acaricio esta virgen que me trae tantos recuerdos.

Aquí a mi lado, en lo alto, hay un mascarón de popa, es una gran cabeza de Morgan, fue arrancada de una chimenea de un amigo anticuario, en París, que tenía una profunda admiración por Pablo. Nos convidó a su casa, sin pensar que él le pediría le vendiera este Morgan que reinaba sobre su chimenea. Se barajaban argumentos entre este vendedor experto que ahora no quería vender, y este poeta que, con mucha calma, insistía. Y así fue como, entre risas, tragos, y unos deliciosos canapés, salimos de ahí con la promesa de que el Morgan era de Pablo.

Frente a Morgan, como haciendo contraste, hay una figura policromada, delicada y hermosa. La compramos en Nueva York. En ese anticuario quedaron mis esperanzas de comprar tantas cosas que llevaba en mente; nos quedamos sin nada, habíamos gastado todo para traer esta señora delicada que aquí, en este comedor, compite con la virgen de Pascua y con Morgan.

De allí paso a una pieza que Pablo llamaba la taberna. Es pequeña y da al mar. Nació de casualidad. Pablo se había construido su dormitorio en pilotes, como un segundo piso, para poder mirar el mar desde lo alto. En las tardes, durante mucho tiempo, nos sentábamos abajo en ese lugar abierto, pero a poco de estar allí nos daba frío y un día, casi de manera provisoria, Pablo se decidió a cerrrarlo como siempre con ventanas de demolición que fue adaptando. Así nació esta taberna. Aquí todo lo que hay es de broma: un mascarón que no es tal, sino una imitación de plástico que Pablo compró en Nueva York, una muy buena imitación. Pablo, que es un profundo conocedor, fue engañado con esta figura. Al saber que era de plástico y su valor era muy bajo, se puso muy alegre, y salimos de allí a buscar un taxi por las calles de Nueva York. Cuando veían esta inmensa mujer en brazos de Pablo, no querían llevarnos.

Cada vez que la miro, recuerdo cuánto nos reímos aquel día. ¡Qué difícil fue llegar con ella al hotel!

En esas tiendas de cosas locas hay tal variedad de entretenimientos que Pablo, como un niño grande consentido, se las quería traer todas. Aquí, en un cajón de esta taberna, hay muchos de esos objetos traídos en ese viaje. Abro el cajón y, en medio de tantas cosas, encuentro una pequeña caja. Al verla, todos mis pensamientos cambian. Dentro de la caja hay una pequeña copa, en su base, una S y una K: Sioma Kirsanov. Al mirarla, me doy cuenta que he sido bruscamente desembarcada de un mundo en que había vida, ingenio, y tanta alegría de vivir.

El recuerdo de nuestro gran amigo y gran poeta soviético, Sioma Kirsanov, brilla como una gran luz. Ahora, al recordarlo, es como si conjugara de manera armoniosa todas las maravillas que un cerebro privilegiado es capaz de inventar. Cuando Pablo y él se encontraban, era como estar junto a fuegos artificiales que chisporroteaban ingenio y alegría. Ahora, al recordar esas tertulias en su casa de Moscú, que la convertían en caja de sorpresas, tengo una sensación de frescura, de bienestar.

En nuestro último viaje, nos hizo una fiesta inolvidable en su casa de Moscú. A la hora de las sorpresas sacó unas copas muy hermosas, un amigo las había hecho especialmente para él. Eran pequeñas y descansaban en una base de dos letras: S y K. Después del brindis, le entregó a Pablo una cajita con una copa, diciéndole que le daba una sola para que sólo él bebiera en ella: «Cuando brindes, yo estaré allí contigo.»

Pablo estaba radiante con su regalo, durante todo el viaje, me decía: «Cuidado con la cajita.» Cuando lo oían los amigos, llenos de curiosidad me preguntaban qué llevaba Pablo en esa cajita misteriosa que tanto le preocupaba; así, fue intrigando a todos los amigos que encontrábamos y nunca supieron qué traíamos en esa cajita.

Pablo tuvo la inmensa pena de saber de su muerte en una forma sorpresiva y dolorosa. Estábamos en esta taberna, habían llegado a visitarnos unos amigos soviéticos. Pablo abrió su cajón del bar y sacó la cajita donde estaba la copa de Kirsanov. Cuando les contó la historia de la copa y les explicó por qué sólo él bebería en ella, vimos cómo se miraban desconcertados. Uno de nuestros amigos se atrevió a preguntarle por qué hablaba de Kirsanov en tiempo presente, ¿acaso no sabía que había muerto hacía más de un mes? Es muy difícil describir este momento. Pablo se quedó con su copa en la mano, mirán-

dola; al cabo de unos minutos de doloroso silencio, recogido y
mudo abandonó la taberna. Salí para verlo desde lejos. Con
la vista fija en la copa, se paseaba de un lado a otro, ajeno a la
realidad. No quise acercarme. Lo miraba a la distancia y lloraba
por el amigo muerto, pero más por el dolor de Pablo, sólo yo
sabía cuán grande era. Al cabo de unos momentos, regresó a
la taberna. Se produjo un silencio que encerraba todas las palabras. Nos miramos, tuvo valor para sonreír, yo también
sonreí.

—Ésta ha sido una broma de mi gran Kirsanov —dijo con
la voz un poco apagada—. Lo único que él quiere en este momento es que el brindis no sea interrumpido.

Aquel día no se habló más de ello. En la noche abrimos las
ventanas de nuestro dormitorio, había luna. Apagamos las luces. Mudos, con las manos entrelazadas, oíamos el mar; los dos
pensábamos en lo mismo, sin decirnos nada. Aquella copa quedó en el cajón del bar donde Pablo guarda sus sorpresas. Nunca
más en una fiesta brindó en esa copa. Alguna vez, cuando estábamos solos y muy contentos, sacaba su copa y brindábamos los
tres, de esto no nos cabía ninguna duda.

Al poco tiempo, le hizo este poema de despedida:

> *Una lágrima ahora*
> *por otro más, por otro, compañero*
> *éste, de cascabel y campanario,*
> *loco de carcajada,*
> *inventor soberano,*
> *de circo mágico y de poesía,*
> *Kirsanov, Sioma, hermano*
> *cuya muerte recién, hace diez horas*
> *supe, diez horas sin creer,*
> *sin aceptar, tan lejos, aquí, ahora,*
> *esta noticia fría,*
> *esta muerte de uñas heladas*
> *que apretó hasta callar su claro canto.*
>
> *Él era mi alegría,*
> *mi pan alegre, la felicidad*
> *del vino compartido*

y del descubrimiento
que iba marcando con su minutero:
la gracia fabulosa
de mi buen compañero cascabel.

Ay, sí, ya sin sonido,
enterrado, robándose al silencio
para siempre con su chisporroteo
y su reverberante poesía,
algo que era mi parte de la fiesta,
mi copa, la que no levantaré
hoy en la sombra de mi compañero,
en el silencio de mi compañero,
en la luna quebrada que derrama
llanto, llanto de nieve
sobre la tumba de mi compañero.

¿Cómo hacer el inventario de todo este cajón, y qué nombre puede tener cada cosa? Miro este cajón tan callado, y siento que cada objeto que contiene me grita sus recuerdos. Miro su guitarra con música que él tocaba anunciando su concierto.

En las paredes, arriba, casi pegada al techo, una larga repisa donde pone todas sus cajas vacías de tabaco. ¿Cómo pondré esto en el inventario? Botellas enormes de plástico, de coñac, de whisky, encima del mesón negro que compró en un anticuario de Valparaíso. Estaba tirado en un rincón, los pies quebrados, su silla no era sino palos dispersos; Pablo, con mucha paciencia, fue juntando todo y se lo trajo. Aquí está, lo miro, es como un gran amigo que nos acompaña hace tantos años.

Un molinillo de café antiguo, muy grande, está junto a la ventana, también lo compramos en un anticuario de Valparaíso. Las mesas y las sillas son del desguace de un barco, traídas de Puerto Montt. Una lámpara, hecha de botellas de colores que buscó cuidadosamente, cuelga del techo dando luces policromas. En una esquina, una gran lámpara entrega una luz cansada, está hecha con una lámpara de faro de vidrios muy gruesos. Otra lámpara, hecha en un molinillo de café, ésa la compramos hecha. Pablo no habría electrificado un molinillo de café, le gustaban demasiado. Y ya saliendo de la taberna, hay muchas repisas llenas con su colección de botellas antiguas, todas traídas de Europa, en especial de París. Cada vez que las encontrábamos en las casas de antigüedades o en el Mercado de las Pulgas, yo temblaba, sabía que las compraría. Y durante muchas semanas tuvimos que comer en restaurantes de estudiantes por culpa de esas botellas que nos arruinaban. ¿Cómo inventariar todo esto? ¿Cómo describir estos objetos?

Junto a estas botellas hay botas y zapatos antiguos; es increíble, pero se ven muy bien junto a las botellas. En una esquina, ocupando todo un rincón de la pieza, hay un zapato inmenso. Lo tenía un zapatero en Temuco. Un día, pasábamos por una calle cerca del mercado y, de pronto, Pablo se quedó parado, mirando este gran zapato. Comprendí que comenzaba la lucha por adquirirlo. Nos acercamos, lo mirábamos, le sonreíamos al zapatero que ni siquiera nos dirigía la vista y seguía trabajando. «¡Qué hermoso zapato tiene usted!», le dice Pablo. Nos miró y, antes de que le dijéramos nada, nos advirtió: «No se vende ni se presta, sólo puede mirarlo.» Nos reímos, en los ojos de Pablo había una mirada de niño codicioso. «Le vamos a dejar mi dirección y mi nombre —le dice Pablo—. Yo sería muy feliz si usted me vendiera este zapato.» En un papel, le escribió su nombre y nos fuimos. «Tenemos que hacer algo, Patoja», me decía con angustia. Este gran zapato le había robado su tranquilidad.

En la tarde, regresé a visitar al zapatero. Le conté cómo era nuestra casa de Isla Negra donde vivíamos, cómo era el mar; le dije que Pablo amaba los objetos, cómo los cuidaba; este zapato estaría allí mirado y admirado. Nada contestó. Le rogué que fuera al recital a oír a Pablo y le dejé cuatro entradas para que invitara a su mujer y a algunos amigos. A modo de despedida, me dijo: «Señora, no pierda su tiempo.»

Al día siguiente volvimos. Este hombre hosco, huraño, que ni siquiera nos miraba, se había transformado: era nuestro amigo. Abrazó a Pablo y le dijo: «Quiero pedirle un favor. Deme el libro donde encuentre yo el poema "La mamadre" y dedíquemelo, será el precio por este zapato, que es suyo. Sólo usted debe tenerlo.»

Nuestra emoción fue muy grande, no nos salían las palabras. Un abrazo selló esta amistad. Siempre que íbamos a Temuco pasábamos a verlo. Pablo lo invitaba a tomar un pipeño, yo los dejaba, me iba al mercado que estaba muy cerca y, al regresar, siempre los encontraba conversando animadamente. Pablo me decía que era como un sabio, que todas sus respuestas eran muy certeras, que ese zapatero le enseñaba mucho.

En lo alto de esta taberna, en unas vigas al descubierto, están escritos los nombres de sus amigos muertos más queridos. Él escribía los nombres y su maestro Rafita los tallaba.

Para pasar a la biblioteca, hay que salir a la intemperie.

Esta biblioteca es inesperada; se entra por un pasillo muy angosto y, al final de éste, el espacio se abre, y aquí sí que es difícil hablar de los objetos, son tantos y tan variados. Fueron encontrados en los sitios más diversos, a veces traídos con gran esfuerzo en innumerables navegaciones; casi siempre han sido arrancados de casas de antigüedades o de mercados; algunos, sacados de algún rincón polvoriento, otros, de vitrinas bellas y relucientes. Allí estaban. Fueron nuestros compañeros de viaje en barcos, en ferrocarriles, en aviones. Nunca dejamos de andar con objetos, en todas partes nos salían al paso, como buscándonos, y así, poco a poco, fuimos llenando esta casa.

Éstos no son sólo objetos materiales, importa muy poco su valor intrínseco. Los miramos, y es como alimentarse de pasado. Hay en ellos fantasía. Son pequeños y grandes. No son objetos muertos, viven, nos han enriquecido, han alimentado de sueños nuestro diario vivir.

Ahora, al tratar de hacer el relato de los objetos de esta casa, me doy cuenta de que al hablar de ellos tendré que ir relatando cómo fue creciendo la casa, porque no sabría decir si fue creciendo para los objetos, o si éstos crecieron para la casa.

En esta biblioteca salta a la vista una chimenea inmensa. Está en el centro de un gran mural de piedras, y da vida a este rincón donde Pablo siempre se sentaba a leer la prensa o a conversar con sus amigos. El mural fue hecho por María Martner, tiene una gran variedad de piedras, sobre todo lapislázuli, que desde hacía tiempo teníamos guardado y no sabíamos en qué usar. Lo habíamos comprado casi sin querer. Un día, una señora de apariencia modesta y afligida llegó a nuestra casa de Santiago, quería hablar con Pablo. Le contó que su marido había muerto y lo único que le había dejado era una mina de la-

214

pislázuli, tenía ocho sacos y no sabía a quién vendérselos. Con una convicción enorme, le había dicho que él era el único que podía comprárselos. Cuando le preguntó que dónde estaban esos sacos, ella respondió que ahí estaba lo más difícil, pues estaban en la cordillera, muy cerca de la mina, y ella no tenía los medios para transportarlos. El espíritu aventurero de Pablo ya estaba despierto; esto de ir por la cordillera a buscar los sacos le parecía una aventura maravillosa. Fijamos un día y salimos en una camioneta nuestra, acostumbrada a transportar materiales. Las peripecias en esa cordillera fueron infinitas; por momentos, no existía camino y había que hacer a un lado inmensas piedras. Pero llegamos. Bajar era todavía más peligroso, yo venía bastante inquieta, mientras Pablo estaba encantado con esta aventura; para él fue un día maravilloso, para mí, de angustia y sobresalto. Muchas veces reaccionábamos de manera muy desigual.

Durante muchos años, esos sacos quedaron en una bodega. Ahora, aquí están, en este mural de la biblioteca, dando toda su belleza de color junto a las ágatas y otras piedras que las sabias manos de Mary Martner supieron convertir en una verdadera obra maestra.

De la biblioteca, por una pequeña puerta, paso a la covacha. Cuando se entra aquí, el lugar más importante de la casa para mí, golpea con fuerza su rusticidad. Las paredes están hechas de lampazo, esa madera que conserva la corteza del árbol y da calor y vida a este ambiente.

Cuando Pablo terminó la biblioteca, creí que esta casa ya no crecería más, pero no fue así.

Era el año 1960. Un gran terremoto había asolado el puerto de Valparaíso. Nuestra casa del cerro Florida había sufrido destrozos increíbles, todo el piso de la biblioteca se había caído. Pablo estaba desesperado, su gran caballo de Temuco estaba a la intemperie. Ese caballo estaba en una ferretería, en Temuco. Cuando Pablo se iba al liceo, tenía que pasar por esta calle y siempre lo veía y le acariciaba el hocico. Vivió y creció viendo este caballo, lo consideraba algo suyo. Cada vez que íbamos a Temuco le pedía al dueño que se lo vendiera, pero todo había sido inútil. Tampoco consiguieron nada los amigos del dueño del animal, quienes habían insistido. Pero un día se incendió la ferretería; llegaron los bomberos y, naturalmente, mucha gente, entre ellos, había amigos de Pablo. Después nos contaban que allí se oía un solo grito: «¡Salven el caballo de Pablo! ¡Que no se queme el caballo!» Y así fue como se salvó, fue lo primero que sacaron los bomberos. Al poco tiempo, se remató todo lo que se había salvado del incendio. El dueño, que sabía de la pasión de Pablo por ese caballo, puso gente para hacer subir el precio. Sabía que Pablo no se dejaría arrebatar su caballo, el que salió a un precio altísimo.

Ahora, este caballo no tenía casa. «Le haré una pieza muy linda —me dijo Pablo— y, al lado, me haré una pieza de trabajo, la quiero muy rústica, muy chiquita, como una covacha.» Y con ese nombre se quedó esta pieza. La otra, más grande y muy hermosa, siempre se llamó «la pieza del caballo».

Muchas veces, al entrar a su escritorio, cuando yo creía que estaba escribiendo algún poema o algún artículo, de cuyo dinero dependía gran parte de nuestro presupuesto, estaba haciendo dibujos para sus piezas, dibujos que al poco rato botaba y rehacía. Hasta que por fin quedó satisfecho, su pieza tendría una ventana desde donde miraría el mar. Todo tendría techo de zinc, para oír el canto de la lluvia. A mí me espantó la idea de poner zinc en una casa tan próxima al mar, era imposible, arquitectos amigos me habían asegurado que no duraría más de tres años. Mirándolo con verdadera desesperación, le dije: «¿Pero se da cuenta de cuánto nos va a costar cambiar este techo? No podemos darnos el lujo de cambiar este inmenso techo cada tres años.»

Muy calmado, me hizo notar que él no sabía nada de números, que eso era asunto mío; él sólo sabía que en la contabilidad decía «Debe» «Haber» y, si yo llevaba las cuentas de la casa, siempre «debe haber». Discutir con Pablo era imposible, terminábamos cada discusión riéndonos a gritos. El techo se puso de zinc y, muy pronto, hubo que cambiarlo completamente.

Esta covacha tiene una puerta muy hermosa. Salta a la vista un par de manillas, un regalo de nuestro amigo Kirsanov, quien las había comprado a un anticuario; pertenecían a un viejo monasterio, y él las tenía sobre una mesa, en su casa de Moscú. Pablo las miraba, las acariciaba, les sonreía. Kirsanov, al verlo tan entusiasmado, le dijo: «Si eres capaz de llevártelas, te las regalo, son muy pesadas.» La respuesta fue explosiva: «¡Me las llevo! Nunca he tenido algo que me gustara más.»

Y aquí están, en una vieja puerta que, dicen, perteneció a una iglesia muy antigua. Se complementan en forma perfecta. En la ventana que da al mar se ve una pequeña mesa, allí Pablo escribía sus poemas. Amaba esta mesa. La miro, la acaricio, y recuerdo aquella mañana en que el mar golpeaba tras una noche tormentosa que había arrastrado montañas de güiros. De pronto, mecido por las olas y muy cerca de la playa, vimos un madero. Nerviosos, seguíamos su ir y venir, cuando parecía que el mar iba a depositarlo en la arena, lo levantaba y se lo llevaba mar adentro. Pablo estaba muy nervioso y lo seguía con su catalejo. «Yo quiero ese madero —me decía—, no puedo perderlo.»

Por fin, lo arrastró el mar hacia afuera y pronto estuvo en casa. Pablo se reía como un chico al que le hubieran dado el más hermoso juguete. «Ya tengo mi mesa para la covacha —me dijo—, es justo lo que quería.» El madero era grueso, bruñido por el mar, gastado por el juego de las olas; tenía una suavidad increíble y, para completar su hermosura, un fierro incrustado en un extremo, como una poderosa manija. ¿De dónde venía? ¿Para qué había sido hecho?: Para la mesa de Pablo. El mar se lo había guardado hasta este momento, cuando él lo necesitaba. Creo que Pablo estaba convencido de eso; lo acariciaba como si fuera el tesoro más preciado y, sin ninguna duda, lo era para él.

Siempre he dicho que las cosas buscaban a Pablo. Deseaba algo y, al poco tiempo, encontrábamos ese algo, inesperadamente, muchas veces buscando otra cosa. De la misma manera encontró las patas de esta mesa. Hacía mucho tiempo que en la bodega estaban dos balaustres que había comprado; andaban de un lado para otro, esperando su destino, éste les llegó con el madero. Serían las patas de la mesa. Con una dedicación apasionada, iba dando instrucciones para su confección. Hizo que limpiaran el madero, pero no debían dejarlo brillante, tenía que conservar el bruñido del mar. Las patas debían quedar arrugadas, viejas y descoloridas, como cuando salieron de la casa de demolición.

Hicimos una gran fiesta para inaugurar la covacha, tan humilde era, que ni siquiera tenía luz. Con velas que chorreaban cera en los vestidos de los invitados, quedó inaugurada y, lo más importante de todo, su mesa. A cada invitado, Pablo le hacía notar su belleza y le preguntaba: «¿No la encuentras extraordinaria?» Las respuestas eran indiferentes, vagas. Nadie entendía por qué Pablo estaba tan fascinado con esa mesa, y pasaban a otro tema. Desilusionado, Pablo me decía después: «No entienden nada, no ven nada.» Lo que él veía, lo que para él tomaba dimensiones de la mayor importancia, dejaba indiferente a otras gentes.

En Isla Negra está su mesa de trabajo. Cuando van visitantes por primera vez a la casa, les muestro esta mesa y les digo: «Aquí Pablo esribía su poesía, amaba extraordinariamente esta mesa.» La miran, unas veces extrañados, otras, indiferentes. Es sólo una pobre mesa. Por lo general, la gente que visita la casa de Isla Negra no ve las cosas que Pablo más amaba, porque siempre son las más sencillas, las de menor valor material. Amaba y buscaba las piedras suavizadas por la acción del tiempo; las raíces lo fascinaban, tenía muchos pedazos de madera que encontraba en los bosques, me decía que eran como pequeñas esculturas. Así, esta casa era para él su universo alucinado; sólo él entendía el valor de sus objetos. Yo, como su sombra, también lo entendía.

A un costado de su mesa, como colgado de la pared, se ve un pequeño escritorio. Era el escritorio de su padre. Llegó a la casa el día en que Pablo cumplía sesenta años. Con gran trabajo, su sobrino Raúl lo había rescatado de la casa de un vecino que, no se sabe por qué, lo tenía y se aferraba a él de manera total. Raúl, con mucha paciencia, empezó a convencerlo, diciéndole que sería bueno mandar de regalo ese escritorio a Pablo, por sus sesenta años. No era fácil, pero con una palabrita un día, una frase como perdida otro día, el vecino fue perdiendo la esperanza de quedarse en paz, hasta que un día dijo: «Bueno, llévenselo. Es tanto lo que me han hablado, que me han convencido de que este escritorio no es mío.»

Yo sabía que ese día llegaría este escritorio a la casa. Todo el día le anunciamos a Pablo un regalo que le gustaría mucho, habíamos logrado exaltar al máximo su curiosidad. Por fin, a mediodía, llegó el ansiado regalo. Cuando Pablo lo vio salir de ese paquete enorme que se había confeccionado con papeles de colores y cintas de todas clases, su emoción fue muy intensa. Recuerdo que sus primeras palabras fueron: «¡Y todavía tiene la llave!» Recordaba que este escritorio estaba siempre muy ordenado con papeles muy puestecitos en un orden perfecto, y cuando el padre sacaba dinero, siempre éste estaba debajo de todos los papeles. Siempre estaba con llave, martirizando su curiosidad. Ahora, miraba este pequeño escritorio vacío, lo palpaba, y se quedó callado. Sin ninguna duda, éste le traía todos los recuerdos de Temuco, de su padre, de su infancia, de aquella «casa grande y pobre de madera».

En sus *Memorias*, dice: «De aquellas tierras, de aquel barro, de aquel silencio he salido yo a andar, a cantar por el mundo.»

Aquel escritorio quedó colocado junto a su mesa de trabajo. Allí está. Es simple, modesto en apariencia, trae el sello de las casas pobres. No había que hacerle nada, y allí está.

Esta pieza está rodeada de repisas con su colección de potes antiguos, los hay de todos los tamaños, unos grandes y muy pesados. A través de los años, Pablo los fue trayendo uno a uno.

Otra característica de esta pieza es que aquí casi todos los objetos son animales; los hay de todos tamaños, hechos en distintos materiales. Sería muy largo describirlos. Han sido traídos de distintos países.

Pablo, lleno de picardía y humor, cuando describía esta pieza decía: «Aquí tengo todos mis animalitos tan queridos.» Y miraba un retrato mío que colgaba a la entrada de la puerta. Yo estaba feliz de estar entre sus animalitos más queridos.

Este retrato es un regalo del gran poeta turco Nazim Hikmet. Pablo debía ir todos los años a Moscú, porque era jurado del Premio Stalin, que posteriormente se llamó Premio Lenin. Pero él sólo iba año por medio. Los premios se entregaban el Primero de Mayo, por lo que, cada dos años, pasábamos mi cumpleaños, que es el 3 de mayo, en Moscú.

El 3 de mayo de 1960 estábamos, como siempre, alojados en el hotel Nacional de Moscú. Es un viejo hotel de inmensas piezas, algunas con pianos de cola. Las pesadas cortinas de felpa y brocado cuelgan de unos inmensos ventanales que dan a la plaza Roja, desde donde veíamos elevarse, como un milagro, la basílica de San Basilio. Para Pablo, este hotel era una gran joya antigua; sus ascensores, sus grandes piezas, sus decorados, le hablaban del pasado. Cuando aceptaba la invitación para ir a Moscú, en su confirmación siempre pedía ser alojado en el hotel Nacional. Para nosotros, era ya como llegar a una casa muy conocida; nuestras habitaciones siempre daban a la plaza Roja. Cuando miré por la ventana la primera vez, quedé atónita con tanta belleza arquitectónica; a un lado, el Kremlin, con su apariencia monumental y severa; al frente, como un gran juguete, San Basilio. Pablo adoraba esa iglesia con las que él llamaba sus cebollas monumentales que, llena de color, alegraba esta plaza de apariencia fría y severa.

Aquel 3 de mayo me llamó por teléfono muy temprano Nazim, anunciándome que pasaría por mí al hotel, debíamos ir a buscar mi regalo de cumpleaños, yo tenía que ir de todas maneras. «Si Pablo tiene algo que hacer, que no venga», me dijo. Pablo, al oír esto, se vistió rápidamente; estaba más intrigado que yo con este regalo. «¡Usted sola con un turco! ¡Jamás la dejaría ir!»

Salimos con Nazim, llenos de alegría; con él siempre estábamos de fiesta, era alegre, chispeante, conocía todos los rincones de Moscú. Llegamos a una casa taller, salió a recibirnos Glasunov en persona, quien nos esperaba; solamente en ese momento supimos que este artista me haría un retrato, ése era mi regalo de cumpleaños. Se demoró escasos veinte minutos, mi retrato estaba listo. Pablo, que siempre me veía muy joven, me dijo: «Así será usted en diez años más.» Y me colocó en esta pieza donde están todos sus animalitos. Me gusta estar aquí.

Pero el regalo no terminaba allí, iríamos a su *dacha*, cerca de Moscú, donde pasaríamos el día. Esta casa de campo estaba amueblada a la usanza turca, con cojines para acomodarse en el suelo. Tenía un ama de llaves cuyo recuerdo me hace sonreír ahora. Nazim nos contó una historia muy curiosa de esa mujer alta, de ojos chispeantes, paso ligero, y una boca grande siempre sonriente. Había sido casada con un campesino a quien él no conocía. Durante muchos años fue muy feliz, pero un día el marido la dejó y se fue a otra ciudad, con otra mujer; ella, muy triste, buscó una casa donde trabajar, y así llegó a la *dacha* de Nazim Hikmet. Él dice que le pagaba muy bien, pero, al cabo de algunos meses, sus zapatos estaban gastados, su ropa descolorida de tanto lavarla, y jamás se compraba nada. Muy intrigado, Nazim, al verla vestida tan pobremente, le preguntó qué hacía con el dinero que él le pagaba, porque nunca había visto que se comprara ni siquiera un pañuelo para la cabeza, que todas las rusas acostumbran usar con gracia, nuevos y relucientes. Ella se puso muy triste con la pregunta, y le contó que estaba comprando el regreso de su marido. En una aldea vecina había un brujo que estaba trabajando para que su marido la amara de nuevo. Le había dicho que, en ese momento, él estaba con grandes remordimientos y con deseos de regresar, pero debía pagarle aún mucho dinero, porque era un trabajo muy caro. «Para que veas, Pablo —le decía Nazim—, estamos a tantos años de la revolución, y aquí está el pasado, con todas sus ignorancias y sufrimientos subterráneos, como lacras firmemente pegadas, contra las que es imposible luchar.»

Al darse cuenta de que nada podía hacer, Nazim comenzó a vestir a su ama de llaves para que así ella pudiera darle su sueldo íntegro al brujo de la aldea vecina. Para vivir, ella necesitaba creer firmemente en el regreso de su marido y esa creencia sólo se la podía dar el brujo.

«La casa... No sé cuándo me nació...»
¡Qué difícil tarea es hacer un inventario de ella!
Hay tantos recuerdos, tantas vivencias en cada pequeño objeto, en todos sus rincones.
«... la casa fue creciendo, como la gente, como los árboles.»

20

12 DE JULIO DE 1974:
PRIMER CUMPLEAÑOS DE PABLO, SIN PABLO

Llega el 12 de julio, Pablo cumpliría setenta años. Hoy debe ser un día de fiesta, siempre fue así. Quiero llegar antes que nadie al cementerio. Estoy animosa, busco algo alegre que ponerme. Pablo me verá, y no debo olvidar jamás que él odia la tristeza, le gustan mis explosiones de alegría.

Cuántos recuerdos se atropellan en mi cabeza. Me quedo como clavada mirando sus fotos, debo hacer un esfuerzo muy grande para separarme de ellas. Tengo que salir, tengo que llegar temprano, antes que nadie. Me miro en el espejo y mis ojos brillan como si fuera a una cita de amor. Salgo con paso rápido. El mundo, que no sabe que hoy debe ser un día de fiesta, está nublado y una neblina mojadora cae sobre mi cabeza, sin piedad. ¡Y yo que me había peinado con tanto esmero para lucirle a Pablo mi «chasca», como él llamaba a mi pelo levantado! Lástima de día. Hace frío.

Me voy a las pérgolas del Mapocho, busco claveles rojos, son los más robustos y hermosos. Compro un paquete muy grande. El vendedor me ofrece mandármelos al auto. Lo miro y, tomando mi paquete, le digo: «De ninguna manera. Estos claveles son para Pablo y nadie más puede tocarlos.» Me despidió con una sonrisa, no entendía nada.

Me fui abrazada a mis claveles. Lástima de neblina. Mis pasos eran ágiles, quería llegar pronto al cementerio, arreglar su tumba, ponerla muy alegre. Comenzarían a llegar mis amigos, también el pueblo; los que lo conocían y los que, sin conocerlo, lo amaban. Iba sola manejando mi coche, llena de pensamientos alegres.

Llego al cementerio y allí están los carabineros. Primera nube. Sigo avanzando y, al llegar al nicho, veo carros llenos de fuerzas policiales. Mi alegría se ha esfumado. Me pregunto por qué puede ser tan peligroso un poeta para este gobierno tan fuerte, que tiene todas las armas, que está sobre nosotros, presionándonos como una gran garra amenazadora y brutal.

Comienzan a llegar nuestros amigos, sobre todo llega gente que no conozco, mujeres que me abrazan, todas tienen miedo, veo a algunas que, de entre sus ropas, sacan claveles rojos y me miran con aire de complicidad, de sufrimiento. Algunas lloran, todas me miran con esperanzas, creen que yo puedo ayudarlas, me cuentan sus angustias. Me dicen que en las poblaciones es horrible, que los cercan, invaden sus casas, roban sus radios porque dicen que escuchan radio Moscú, se llevan a sus maridos, a sus hijos. Siempre terminan con la misma pregunta: «¿Hasta cuándo durará esto?» Yo las miro, y siento que un viento muy frío del futuro ha comenzado a soplar. Recuerdo la profecía de Pablo, cuando, ante mis protestas de que no podía ser, me dijo «esto será largo, muy largo». Ahora, miro este pueblo sufriente, desamparado, y quiero consolarlo, tampoco puedo mentir, y sólo digo: «No olviden. No debemos olvidar.»

Hace frío, me quedo todo el día en este nicho. Hay muchas flores. A cada minuto golpean mi recuerdo sus cumpleaños con petardos, con luces, y esos inmensos globos que elevaba y se iban de la fiesta, surcando el cielo como naves. ¡Cuántos recuerdos de este gran niño que vivió derramando alegría!

Y los recuerdos siguen sonando, mientras crecen los tarros con flores en el suelo. Llega más gente y más flores. Mis ojos están agrandados por la sorpresa; son tantos, no le temen a estas fuerzas policiales que están allí, amenazantes. ¿Por qué en el cementerio? ¿Habrán declarado la guerra también a los muertos?

Muy tarde, me fui. Tenía mucho frío. Cuando me vieron pasar también se aprontaron para irse los furgones con todos esos carabineros. Yo no salía de mi sorpresa. ¡Qué guerra tan desmedida! No hay duda de que había un deseo de amedrentamiento, todavía tuve valor para mirarlos. Tengo miedo, pero ellos no lo sabrán nunca. Seguiré aquí, bien plantada sobre el suelo de mi patria y tendré que levantarme cada vez que me derriben.

Ha llegado el invierno. Hay días asfixiantes, salgo, no sé qué hacer. Otros días no puedo levantarme, es como si la vida me hubiera abandonado, dejando mi cuerpo sin fuerzas y mi cabeza hecha un volcán de ideas. Miro la pieza tapizada con fotografías, estoy bajo la protección de Pablo. Qué bueno es mirarlo. Cuánto nos reíamos. Qué hermosa es la vida. Qué hermosa.

Veo a muy pocos amigos, estar conmigo es como confesar una línea política peligrosa. Casi no recibo llamados. La única amiga que está siempre a mi lado es Teresa Hamel. Va seguido a la cárcel y me trae noticias de los presos, éstos aumentan cada día, necesitan medicinas, ropa para el invierno.

En esta atmósfera pesada en que vivo, mi paseo favorito es el cementerio. Deambulo por él casi todos los días, me gusta ver las tumbas que están frente al nicho de Pablo. Todos son pequeños jardincitos con cardenales, hiedras, alguna mata de rosa, crisantemos.

Ha llegado septiembre y todo comienza a brotar. Me paseo entre estos jardines, a algunos les saco el pasto. Poco a poco, me estoy haciendo de amigos muertos. Esto, que parecería macabro, no lo es. Necesito amigos y me voy quedando con los muertos, a ellos no les hace daño mi amistad.

Una de esas tardes en que un sol tibio baña el cementerio, me voy caminando y me sucede algo muy extraño. En vez de salir por la puerta de avenida La Paz salgo por la de Recoleta y, casi inconscientemente, llego a la avenida Perú. En lugar de tomar el camino hacia el hotel Crillón, sigo caminando hacia Márquez de la Plata. Al llegar a la puerta de mi casa, me doy cuenta de que algo ha pasado: los murales han sido borrados, los ha cubierto una capa de pintura. Ya podían estar contentos nuestros «valientes soldados», quienes tanto habían insistido para que los borrara. Nunca supe quiénes fueron. Los vecinos dicen que, por el muro del fondo (mi calle es una cerrada), se descolgaron dos muchachos con tarros de pintura y se fueron por allí mismo, menos mal que les dio vergüenza pasar por la calle.

Era un día hermoso, entré a mi casa, que sigue abierta. Los árboles, la hierba, me reciben como a una antigua conocida, parecían sonreír. Los yuyos han dorado mi jardín. De manera imperceptible, el recuerdo de Pablo está por todas partes, me acompaña. Una profunda sensación de tranquilidad me invade. La naturaleza es misteriosa, en medio de esta destrucción total se ha vestido de fiesta para recibirme.

De la tierra suben los vapores lentos que se extienden por mi cuerpo, los siento, es como una savia que me hacía falta y que necesito, es una sensación realmente física de unión con la tierra, es como la esperanza. La armonía con la naturaleza es como haber encontrado una dirección perdida. Allí, bajo los árboles, despertaban nuevas fragancias que se habían perdido.

Los pájaros cantaban, había muchos y revoloteaban cerca de mí. Estaban en su casa.

Una paz muy grande fue poseyéndome. Miré el esqueleto de mi *living*. Arreglaría todo aquello. No podía vivir sin esta casa que tanto quiero, sin mi jardín. Fue mi primer hogar verdadero en Chile. Allí estaban vivos los recuerdos del amor, de nuestra vida de enamorados clandestinos. Allí estaba esa escalera por la que yo bajaba alborozada cuando Pablo llegaba. Por ahí esperaba ansiosa cuando se retrasaba; cuando pasaba un día sin verme, en la tarde me sentía abandonada y subía a mi pequeña terraza. De repente, un grito: «¡Patoja! ¿Dónde está mi Patoja?», y el mismo cielo se abría. Ansiosa, le preguntaba qué había pasado, él se reía y me cerraba la boca con un beso, sin decir nada, ¿para qué?

Bajo lentamente esta escalera de piedra. Abajo, un barro negro, ya endurecido y muy feo. Miro todo esto en actitud desafiante. Sacaría ese barro, mi casa volvería a ser alegre, la llenaría de flores, de rosas, de camelias, de copihues.

Estaba eufórica, alegre, animosa. Pronto dejaría el hotel. Tendría casa. Pronto también terminaría este régimen de terror y todos mis amigos volverían a ser alegres, optimistas, regresarían del destierro, se abrirían las cárceles. Y todo esto no sería más que el recuerdo de una pesadilla.

En ese momento, me puse a vivir como envuelta en el manto de mi ángel bueno en el que me había hecho creer mi madre.

Me senté allí arriba, en mi terraza, desde donde diviso el parque, el cerro Santa Lucía. El cielo fue tiñéndose de rojos, de azules, de naranjas. El sol se iba, dejándonos su magnificencia de colores. Y yo, ahí, feliz, acompañada de recuerdos, de tantos recuerdos.

Comenzaba a crearme un mundo ficticio que nada tenía que ver con la realidad. ¡Qué desgraciada habría sido en ese momento si hubiera podido vislumbrar que, al cabo de diez años, cuando escribo estos recuerdos, todavía se tortura, y que los monstruos del año 73 se han perfeccionado y siguen matando en las calles!

Dicen que se trata de enfrentamientos; a otros les amarran una bomba, los hacen estallar, y dicen que murieron queriendo hacer sabotaje. Y nosotros leemos estas noticias en la prensa, y ya parece que estuviéramos acostumbrados. Estos recuerdos se van macerando en nuestra mente. Son tantos y tantos, que nos torturan. En la noche, al querer dormir, están allí presentes, nos hacen daño. Pero no debemos olvidar. Hay que recordarlos siempre.

Al comienzo, tenía apuntes acerca de los crímenes que conocía. Fui juntando los papeles en un cajón de mi escritorio, hasta que se me hizo pequeño. Ahora me pregunto: ¿Cómo poner tanto nombre? ¿Cómo describir tanto horror?

En la biblioteca de Pablo hay muchos libros sobre los dictadores de América; muy a menudo, hablábamos de ellos como si habláramos de la luna, de las estrellas, siempre vimos todo esto tan lejano. Con gran conocimiento de cada uno de ellos, hoy, a casi diez años de dictadura, me pregunto: ¿Algún pueblo ha sufrido como éste?

Pero yo estoy ahora en mi terraza, y un optimismo muy grande me invade entera. Con las luces del atardecer, dejo la casa con paso ágil. Debo haber ido sonriendo.

Mañana comenzaré a limpiarla, dije, cuando salí por la puerta sin puerta.

Esta alegría, este optimismo, me duró hasta que llegué al hotel y vi a esa policía disfrazada de modestos ciudadanos que yo, por instinto de conservación, en todo momento trataba de olvidar. Cesaron entonces los hermosos sueños. Qué feo es todo esto. Yo quiero vivir, no quiero convertirme en una mujer sufriente, pero siento que las miradas de estos policías se quedan como amarradas a mis ojos. Me hacen daño, las siento físicamente, parece que quisieran atarme las piernas para dejarme inmóvil, quitarme el movimiento, el derecho de pensar, de mirar, de vivir.

Estoy reconstruyendo mi casa. Todos los días salgo muy temprano del hotel y esto llama poderosamente la atención de los policías de la puerta. Me siguen. Llegan hasta mi casa y, como es una calle cerrada, ahí se quedan; ven entrar a los dos trabajadores que tengo; siguen esperando, me ponen muy nerviosa, pero es eso lo que ellos quieren. Ya no los miro más, no sé cuánto tiempo se quedan allí. A veces, cuando salgo a almorzar, allí están, siempre son dos.

Soy la mujer más indefensa, más desorientada, más triste, y ellos me creen peligrosa. ¡Qué bueno!

Estoy llena de actividades, en plena faena de arreglar mi casa. Todo el barro ha desaparecido. Arreglamos las puertas, colocamos los vidrios exteriores. Comienzo a tener pequeñas alegrías: mi casa está cerrada y, cuando entro, tengo que buscar la llave. Nadie sabrá la emoción que sentí cuando abrí por primera vez esta puerta. Allí estaba mi mundo destruido, pero yo lo recompondría. Allí estaría mi seguridad, lo que esperaba que ahora me diese fuerzas. Todo estaba concentrado allí.

Plantaría de nuevo mis flores. Mis árboles quemados, como un símbolo de supervivencia, comenzaban a cubrirse de brotes que venían de la tierra, de sus raíces; éstos comenzaban a levantarse entre sus muñones quemados, que quedarían allí, como testigos de la barbarie que azota a este pobre país.

Estoy todo el día trabajando en esta casa y en la noche me voy cansada. Bendito cansancio, me hace dormir bien.

Por fin se ha terminado de reconstruir dos piezas, la cocina y el comedor.

Hoy es un día feliz: dejo el hotel que, por más de un año, fue como mi prisión. Estoy rejuvenecida, quisiera cantar, reír. A todo el mundo quiero contarle que tengo casa.

Me despido de los muchachos de la recepción del hotel que tanto me protegieron. Estoy deseosa de llegar, tomo un taxi. Tengo la llave. Abro la puerta. Estoy sola. Subo al jardín.

Me estoy acostumbrando a la soledad y podría asegurar que la necesito para oír el canto de los pájaros, que son muchos; para percibir este olor a yerbas; para ver cómo se cimbran los yuyos con la brisa; y, sobre todo, cuando estoy sola percibo a Pablo muy claramente.

Espero a una muchacha que me mandará una agencia de empleos, será la única persona que me acompañará en esta casa; no la conozco y ella tampoco sabe quién soy. Haré lo posible porque no sepa que está en una casa que fue destruida por un ramalazo de furia, puede darle miedo.

A pesar de mis esfuerzos, ésta es una casa triste, algo flota en el aire, puede ser que sólo sea yo quien lo siente. Hace tan pocos días era una ruina, todo eso quedó amarrado a mis ojos; pero ahora existirá otra vez, iré apartando las ruinas de este tiempo. Tengo como aliada a la primavera, que en este momento es algo infinitamente precioso. Los pájaros cantan todo el día; en la tarde, cuando ellos se callan, comienza el cantar pausado y monótono de los grillos. ¡Cuánto canto! Parece que todo contribuye a mis deseos de vivir, de recomenzar mi vida en este país en el que todo va cambiando. Amigos que eran muy queridos ya no lo son tanto, y a otros, que pasaban desapercibidos, comienzo a quererlos mucho, a sentirlos mis hermanos. Recuerdo que tengo parientes a los que han preguntado si tienen algún parentesco conmigo, y asustados, han dicho que no me conocen. Así va transcurriendo la vida, como componiéndose de nuevo. Es como si toda mi vida pasara por un gran tamiz donde, espero, quedará lo mejor.

Llega la muchacha que me acompañará. Es muy joven. Hago lo posible porque no se fije en la parte incendiada. Le muestro la casa. Hay flores por todas partes, éstas me alegran. ¡Cuánto las amo!

Y así, esta casa comienza a cobrar vida. Tengo un dormitorio, un comedor y una cocina. Arriba, continúan los arreglos del *living*. Trabajo todo el día en el jardín. Casi no veo a nadie, excepto a mi amiga Teruca Hamel; es tan formidable, tiene tanta vida, que es la única capaz de hacerme reír.

Hoy me ha contado que fue a la cárcel a ver a su amigo. No querían dejarla entrar porque llevaba un vestido escotado y, para taparlo, tuvo que anudarse pañuelos que le prestaron las otras mujeres. Todo esto me lo cuenta con explosiones de risa.

¡Qué bueno es reír! ¡Qué bueno!

21

SECUESTRADOS Y DESAPARECIDOS

Hacía solamente una semana que había regresado a esta casa cuando, de madrugada, llegó un sobrino al que quiero mucho, lo mismo que a sus hijos, inteligentes y valiosos. Veo cómo le tiemblan las manos, su estado casi no le permite hablar. Me cuenta que la noche anterior estuvo la DINA en su casa; lo sacaron a golpes de su cama, lo mismo que a sus tres niños, de entre 4 y 7 años. Preguntaban por David, su hijo mayor, alumno de la Universidad Técnica: querían saber dónde estaba. Él y su familia nada habían sabido de él, desde el golpe no lo veían. Le pegaron. Los niños quedaron traumatizados al ver esa brutalidad contra su padre. Por fin, se fueron.

Miro a mi sobrino. Es alto, fuerte, hay tanto sufrimiento en su rostro ante la impotencia de no poder defenderse. Pero esto no era lo peor: habían detenido a Guillermo, otro de sus hijos, hacía sólo dos días había tenido su primera hija. Se lo llevaron cuando encaminaba a una amiga a la esquina, con la brutalidad acostumbrada. Hubo testigos de ello.

Comencé a recordar a Guillermo, un muchacho delgado, sin gran fortaleza física. ¿Cómo podría resistir las torturas?

Me levanté al día siguiente muy temprano y llamé a una abogado valiente y de gran corazón, Chela Álvarez. Su valentía de esos días iba a pagarla muy cara: hasta hoy permanece relegada en Venezuela. Fue ella quien me ayudó a poner un recurso de amparo, trámite que en esos días servía de poco o nada. Con David, mi sobrino, decidimos ir a todas partes. Fui a hablar con el general Contreras, director de la DINA, quien por supuesto no me recibió; a su secretario le comuniqué la razón de mi visita.

Pasaron angustiosos días de búsqueda, hasta que por fin Guillermo volvió a su casa. En cuanto lo supe, fui a verlo. Allí estaba, con una mirada lejana, como interrogante. Me miró, tuvo valor para sonreír.

—Hoy no te preguntaré nada, pero mañana me contarás todo. Debe verte un médico y tenemos que denunciar todo esto —le dije.

Tomando una taza de té, como si se tratara de comentar los últimos acontecimientos, comenzó su relato. Por momentos, deseaba detenerlo, sentía que algo dentro de mí estaba a punto de romperse, pero no me atrevía. Él seguía contando. «Eres duro —le decían—. No quieres delatar a tu hermano, que está en un complot contra el ejército. Andamos con las pruebas del plan.»

«Todo eran mentiras, tía», me decía el pobre muchacho. Su hermano no participaba en ningún complot, él lo habría sabido. Me contaba que su cuerpo estaba tan maltratado que ya ni siquiera sentía los golpes. Lo colgaron de las muñecas toda la noche. En su piel traía las huellas de las correas que lo habían herido. Se desmayó y, al volver en sí, estaba tendido en el suelo. Su boca estaba seca. Al recuperar el conocimiento, lo primero que escuchó fue: «Eres duro.» Le llevaron tallarines, tenía que comérselos, pero se le hacía imposible porque tenía tan seca la boca que no podía tragárselos. Era casi incapaz de hablar, lo habían deshidratado al máximo.

—Y aquí viene —me dijo— el peor momento. Comenzaron a ponerme electricidad en las partes más sensibles. Es lo más bárbaro y repugnante, uno se retuerce, grita. El que me aplicaba la corriente lanzaba una carcajada de loco cada vez que yo me retorcía. Me entró un enorme pánico. Comprendí que estaba en manos de locos y fue lo que más daño me hizo. Estaba aterrorizado. Tía, le aseguro que jamás olvidaré esas carcajadas. Me han perseguido días y noches. Será muy difícil desprenderme de ellas.

Seguía contándome y yo habría querido rogarle que no me contase más. Parecía que habíamos llegado a un límite peligroso para ambos. Pero continuaba hablando, con voz monótona, como si todo aquello le hubiera ocurrido a otra persona que nada tenía que ver con él.

Era como si se le hubiera escapado la vida. Nunca más volvería a ser aquel joven alegre, fresco e ingenioso que yo conocí. Su hermano está entre los desaparecidos. Nunca más supimos de él. Salió de una casa para ir a otra y jamás llegó.

Al día siguiente nos fuimos a la vicaría. Allí conversó con un abogado y un médico constató las torturas a que lo habían sometido. Su mujer, quien acababa de tener su primer hijo, estaba enferma de un pecho; al saberlo, el médico también le prestó asistencia.

Vi mucha gente llegar hasta la vicaría. Nunca a nadie se le preguntó por su religión o su partido político. Un pueblo sufriente se cobijaba en la Iglesia y ésta, como una inmensa madre, llena de valor y sabiduría, supo consolar a este pueblo, tan terriblemente desamparado.

22

RECOMIENZA MI VIDA EN «LA CHASCONA»

Mi vida va transcurriendo en esta casa en una soledad muy grande. Todo el día estoy ocupada; ya he limpiado el jardín, mis plantas comienzan a revivir y yo con ellas. Todo esto va convirtiéndose en mi mundo.

Los vecinos están alarmados, desde que regresé a «La Chascona» hay siempre un auto de la tenebrosa DINA estacionado en mi puerta. Trato de no pensar en ello, pero a veces me llaman por teléfono y me dicen: «Hoy el auto es de tal color y hay una pareja dentro.» Me siento un poco prisionera. Quieren saber todo lo que hago y a quiénes veo.

Todos los días salgo. Me voy a los criaderos y regreso llena de plantas. Los arbustos salen por las ventanas de mi coche, que parece un hermoso jardín ambulante. Y entro con esta primavera a mi casa y, al día siguiente, casi desde que amanece, estoy cavando y sembrando. Todo esto me ha ayudado a serenar mi espíritu. Me siento menos nerviosa y comienzo a ver las cosas desde una dimensión nueva. Me ayudan los recuerdos.

Hoy fui al estudio de Pablo, sigue en ruinas. Su sillón, donde se sentaba a escribir, tirado en el patio. Todavía amarrado a uno de los balaustres del balcón de su estudio se conserva un pequeño árbol seco, una trampa que Pablo ponía a los colibríes. Le amarraba botellitas colocadas casi horizontales y las envolvía en papeles de colores. Las llenábamos con agua y azúcar y se producía el milagro: los colibríes llegaban por decenas a colgarse de las botellitas y se bebían el néctar, como embriagándose. Esto nos hacía muy felices. Mientras tomábamos el té en este balcón, ellos seguían llegando, sin importarles nuestra presencia. Allí estaban, con su aleteo fino que más parecía un pequeño temblor. Los había de todos colores, algunos parecían dar luces. En este momento, me pregunto: ¿Habrá otra persona en el mundo que haya tenido fiestas como éstas?

Miro estos palos secos y estoy segura de que no haré nada para que vuelvan los colibríes. No sería lo mismo. Pasarán a ser otro recuerdo hermoso que, embelleciéndose con el tiempo, permanecerá en mi memoria.

Bajo este balcón hay una inmensa jaula. Pablo, quien muy a menudo iba al mercado, llegaba siempre con pájaros, los que entraban felices en la jaula. No me gustaba que estuvieran allí, privados de su libertad. En general eran pájaros chilenos y, como a todos los pájaros, no les gustaba estar enjaulados. Por eso, al cabo de uno o dos días, yo les dejaba abierta la jaula. Se iban alegres. Pablo estaba acostumbrado a ello y nunca me dijo nada. Sabía que liberaría sus pájaros y hasta creo que los compraba para que luego yo los echara a volar.

Aquí está ahora esa enorme jaula, semidestruida; nunca más aprisionará un pájaro. ¿Para qué los quiero encerrados, si entre los árboles hay tantos y a veces bajan hasta casi tocar mi cabeza?

No ha sido fácil el recomenzar mi vida en esta casa. Necesito de todo mi valor para soportarlo. Esta casa me duele. Por todas partes surge el recuerdo de Pablo, nuestras risas, siempre el bullicio y la alegría. Es como una casa siempre iluminada que se hubiera ensombrecido.

Los primeros días, tenía miedo de la noche, sentía cómo ésta oscurecía mi alma, llenándola de miedo. Malos presagios se adueñan de mi cuerpo, dejándolo helado y sin deseos de moverse. ¡Cómo dulcificar esta vida dura, tan llena de desengaños, con tantas lágrimas!

Este mundo me es tan ajeno, lo siento como una visión infernal, sin relación con los mundos conocidos.

Pero, poco a poco, como un rumor subterráneo, como una fuerza incontenible, llega hasta mí, inesperadamente, consuelo y compañía.

Venciendo el miedo, que es aterrador en estos días, comienzan a llegar hasta mi casa mujeres de las poblaciones, pálidas y temblorosas. Me abrazan con afecto, como si perteneciéramos a una misma familia. Me cuentan que están desesperadas. No tienen suficiente alimento para sus hijos, viven en casas miserables, la cesantía aumenta cada día. «Estamos acostumbradas a la pobreza —me dicen—, pero ahora no es sólo eso. En la noche, mientras estamos dormidas, comienzan los operativos militares. Los hacen sin piedad. Ni siquiera nos dan tiempo para vestirnos y nos sacan a la intemperie, sin importarles el frío de la noche ni el llanto de los niños que viven una terrible pesadilla. Y, además, se llevan nuestras cosas. Dicen que no podemos tener radios porque escuchamos "Radio Moscú".»

Todo esto me hace sufrir, pero, al mismo tiempo, me da fuerzas. Comienza a invadirme una rebeldía muy grande y, gracias a ella, empecé a perder mi propio miedo, a buscar dónde cobijarme, algo que atenuara esta mezcla de soledad y de terror. Y fue así como mi vida comenzó a llenarse de otras vidas. Comprendí que debía hacer algo para vencer mis propios miedos. Tenía que hacer frente a las angustias, como las que me provocaban las sombras de la noche.

Una tarde, subí al *living* y encendí un hermoso fuego, nuestro «amigo de ojos rojos», como lo llamaba Pablo. Sentí que me invadía algo tibio y refrescante al mismo tiempo. Saqué todos mis álbumes, las cartas y telegramas que Pablo me había mandado desde distintos lugares; cinco álbumes hechos en Capri. Los abrí y, sin llamarlos, acudieron en tropel bullicioso los recuerdos. Escucho risas y me escapo: estoy viviendo en Capri, ese Capri que recordaré como mi paraíso. O estoy en Nyon, junto al lago Leman. O en Vézenas, pueblito cercano a Ginebra, donde pasamos aquellos días tan felices en esa pequeña pensión familiar y amable.

Muy tarde ya me fui a dormir. Ya no estaba sola. Una enorme confianza se había apoderado de mí: Había triunfado.

* * *

Queridos amigos:

He dicho y lo repito: Pablo está vivo. Yo fui y soy la compañera de Pablo. Él me invitó en *Los versos del capitán*, en los *Cien sonetos de amor* y en tantos otros a acompañarlo en su vida de militante de la paz. Él, que luchó en forma incansable por conquistar días mejores y justos para este pueblo que tanto amaba.

En «La bandera», me dice:

> *Pero levántate,*
> *tú, levántate,*
> *pero conmigo levántate*
> *y salgamos reunidos*
> *a luchar cuerpo a cuerpo*
> *contra las telarañas del malvado,*
> *contra el sistema que reparte el hambre,*
> *contra la organización de la miseria.*

... Esa miseria del pueblo que lo golpeaba tan fuertemente...

Él era un investigador de su país. Quería saberlo todo. Quería que su patria fuera un libro sin ningún secreto para él.

Conocía todos los pájaros chilenos y cómo era su canto, cómo movían la cola y el ropaje que los vestía. Se desesperaba cuando encontrábamos en los caminos esas flores silvestres, tan hermosas, y que nadie sabía cómo se llaman.

Todos los años, en enero, estábamos viajando hacia el Sur. Nos movíamos lentamente, visitando cada pueblo. Íbamos a los mercados, a las ferias; él aseguraba que era en los mercados donde se conocía la vida de cada región. Allí conversaba con los vendedores, investigaba qué artesanías se hacían, admiraba las faenas campesinas. Todo le interesaba. Sentía una curiosidad inmensa por saber qué hacía la gente, en qué trabajaba, cuánto ganaba, qué comía, qué leía, en qué se divertía. Más tarde, todos estos recuerdos eran los actos fundamentales de su vida poética.

Pablo tiene una poesía al aire libre, escribe lo que ve. Los pueblos de todo Chile lo escucharon decir sus versos, en teatros y plazas, en calles y mercados. A todas partes llegaba Pablo a entregarles su poesía.

Él conocía los problemas del pueblo, los veía, los palpaba.

En sus odas se vuelca a las cosas más simples: los objetos más humildes los levanta, los sublimiza; le canta a la cebolla, al tomate, a la alcachofa, al pan, al aire, a las tijeras...

Yo lo he definido como un poeta del amor. Hay tanta pasión cuando le canta a su amada; hay tanto amor cuando le canta a la naturaleza, con sus ríos, sus montañas, sus pájaros, sus flores, sus árboles. Todo está cantado en su poesía.

Y hay tanto amor al pueblo cuando fustiga a los tiranos que nos quitan los más elementales derechos.

Él dijo: «Cada uno de mis versos quiso instalarse como un objeto palpable; cada uno de mis poemas pretendió ser un objeto de trabajo; cada uno de mis cantos aspiró a servir en el espacio como signo de reunión donde se cruzan los caminos y como fragmento de piedra o de madera en que alguien, otros, los que vendrán, puedan depositar los nuevos signos.

Nosotros somos responsables de depositar esos nuevos signos.

Ahora, a diez años de su muerte, no hay duda que lo necesitamos, pero él está con nosotros, está vivo y actuante. No solamente por su genio político, sino por su condición de hombre de esta época; por su patriotismo, por su inmersión en los problemas de su pueblo.

Por esa dignidad de hombre, de poeta, de patriota, su corazón y su voz siguen latiendo y luchando con nosotros.

Agradezco que sea saludado desde los más diferentes rincones de la tierra, porque, junto a nosotros, está diciendo:

¡Basta de relegados!

¿Por qué convierten nuestro querido y hermoso país en una inmensa cárcel?

Exigiremos la verdad sobre los detenidos desaparecidos, esa pesadilla increíble que hemos sufrido tantos chilenos.

¡La patria para todos los exiliados!

El derecho a vivir en su patria es lo más sagrado que tiene cada ser humano, es como el derecho a tener una madre. Parece increíble que alguien se atreva a quitar algo tan sagrado.

¡Exigiremos justicia frente a los responsables de tanto dolor!

Aquí está una parte de ese pueblo chileno, interrumpido por la cesantía o la muerte, y el habitante que vive hacinado en el desorden, lleno de niños con hambre.

Sin embargo, yo los he visto en las últimas protestas, llenos de dignidad, de valor, de fe, con sus banderas y el retrato de su Presidente asesinado, Salvador Allende.

Yo les pido a estos durísimos chilenos que tratemos de unir nuestra voz a otra voz, juntemos nuestra mano a otra mano, forjemos la unidad. Sólo la unión nos dará la fuerza suficiente para solucionar los problemas fundamentales del país y poder alcanzar una patria con Pan, Trabajo, Justicia y Libertad.

Tenemos que salir de una vez por todas de la ley del embudo, como decía Pablo: todas las facilidades para unos pocos y para el pobre que reclama, unos pocos metros de tierra para levantar una mediagua; al que protesta porque no tiene trabajo y quiere pan, se le responde con la relegación, los palos, la cárcel y, ahora, las balas.

Para terminar, les leeré algunos versos del Soneto 94 que, para mí, es como un mandato. Me dice:

Si muero sobrevíveme con tanta fuerza pura
que despiertes la furia del pálido y del frío,
de sur a sur levanta tus ojos indelebles,
de sol a sol que suene tu boca de guitarra.

No quiero que vacilen tu risa ni tus pasos,
no quiero que se muera mi herencia de alegría.

... Él amaba la alegría...

Por esto, yo no voy a pedir aquí que lo recordemos con un minuto de silencio. ¡No! Yo les voy a pedir para Pablo un minuto de alegría, de gran ruido, de mucho aplauso.

Gracias.*

* * *

Para mí resulta muy difícil describir todo lo que ha ocurrido a lo largo de estos años, desde la muerte de Pablo, y en especial junto a su tumba. Creo que nunca en la historia se ha dado un caso semejante: la persecución a un poeta muerto.

Desde el primer aniversario de su muerte, soslayando infinidad de obstáculos que iban desde el miedo a no tener cómo llegar hasta el cementerio, la gente del pueblo llegaba. Desde

* Texto del discurso pronunciado por Matilde Urrutia el 22 de octubre de 1983, en el teatro Caupolicán de Santiago, con motivo del Homenaje al Décimo Aniversario de la muerte de Pablo Neruda.

lejos la veía venir; llegaban silenciosos y cabizbajos. Cuando se encontraban ante el nicho, los hombres y las mujeres adoptaban una actitud casi religiosa. Venían con sus claveles rojos en la mano, en medio de la noche de Chile: era como si llevaran una estrella.

Año tras año, los 12 de julio y los 23 de septiembre los carabineros se apostaban en las inmediaciones de la tumba y en las puertas principales de acceso al cementerio.

Éste es el pueblo con que estos señores se enfrentan. Se me quedan las lágrimas al borde de los párpados, sin caer. No deben caer. No.

Cada año en estos días se recuerda a Pablo en muchísimas partes del mundo. Fuera de Chile, Pablo adquiere una enorme dimensión. Pero, estoy segura, estos homenajes que con modestia le hacen sus amigos y su pueblo en el Cementerio General son los que más le gustan: su poesía no ha cantado en vano. Creo que él está contento y yo también, aunque quisiera estar sola para poder llorar libremente, siento este gran regocijo.

En uno de esos aniversarios, cuando había gran cantidad de gente junto a la tumba, se acercó lentamente, sin decir nada, un muchacho. De entre su ropa sacó ceremoniosamente una quena y comenzó a tocar. Se produjo un gran silencio. Nadie lo conocía, y a él poco le importaba que estuviésemos allí en ese momento. Al terminar, con el mismo gesto ceremonioso, guardó su quena y se marchó sin decir nada. Qué importancia tenía saber su nombre, era uno más entre tantos otros, llegó a rendir su homenaje a Pablo con lo que él más amaba: con su música.

* * *

La capacidad que el ser humano tiene para recuperarse de los peores golpes físicos y psicológicos ha alcanzado aquí su punto de mayor tensión. Y esto ha provocado una terrible crisis, dejando como resultado una grave enfermedad que la padece toda la sociedad: es el miedo.

Después de la muerte de Pablo habría podido. irme. Pero no quise, no pude. Tenía que correr aquí mi propia suerte. Sin lugar a dudas, con la emigración mi vida habría sido muy diferente. Habría recibido noticias lejanas y por ello más difusas de los crímenes que aquí se cometen. Gran parte del dolor que ha sufrido este país lo he sufrido en carne propia.

Fueron pasando los primeros años y nadie se atrevía a actuar en las calles. Todo era peligroso. El miedo era algo que se respiraba. Y así llega 1976, año en el que desaparece gran cantidad de gente. En la medianoche, con la cabeza cubierta por una capucha, los sacan a golpes de sus casas. Una desesperación infinita se refleja en la mirada de sus familiares. La herida está abierta. ¿Cómo ayudarlos? ¿Cómo?

Las madres, las esposas, se me acercan y me dicen: «Sólo usted puede contarlo. A usted van a oírla. Salga al mundo a remover la conciencia de todos. Usted puede hacerlo.»

Es terrible sentir este peso sobre los hombros, esta enorme responsabilidad que me confían.

Como si nada pasara, nosotros seguimos viviendo. Hemos escuchado disparos en la noche, pero a la mañana siguiente hacemos nuestras cosas habituales. Nada se pregunta, nadie comenta. Tampoco los diarios informan de nada. Pareciera que se trata de hechos perfectamente normales. Hemos perdido gran parte de nuestra capacidad de asombro. Pero no nos ha contaminado la indiferencia. No a todos.

De una forma u otra comenzamos a protestar. Quienes lo hacíamos, vivíamos acorralados entre dos miedos: el miedo a callar y el miedo a ser castigado por rechazar la injusticia. Por suerte, la necesidad de denunciar es mayor que el miedo.

Han sido años largos, de tantos amigos muertos, relegados o desaparecidos, de tantas pequeñas batallas, de tanto dolor.

Pero también ha habido momentos, ya sea porque el sol ha hecho florecer a los pájaros y cantar a las flores, o porque el viento ha hecho promesas de amor a mis castigados árboles, en que, llegada la noche, no he sentido ni un atisbo de tristeza, ni un asomo de soledad.

* * *

Por entonces recibí un invitación de la Unión Soviética. Bautizarían con el nombre *Pablo Neruda* un gran barco petrolero. Yo debía asistir a ese bautizo, aunque el viaje era largo y difícil.

Toda su vida Pablo fue un gran marinero: su carta de navegación buscaba siempre la alegría. Y muchos de sus poemas son verdaderas bitácoras de viaje. Pablo era más de agua que de tierra.

A la mañana siguiente de mi llegada a Moscú salimos para el puerto de Riga. Entre mis acompañantes sólo había escritores, lo cual era muy significativo. Entre ellos iba Mijail Sholojov, a quien llegué a conocer mucho y por el que siento una gran admiración. El mismo día de nuestra llegada a Riga se realizaría la ceremonia.

Yo pensaba en Pablo, un muchacho de provincia, del sur de Chile, que, cuando comenzaba a escribir, jamás pensó que llegaría a ser tan admirado por el mundo entero. Sentí un inmenso orgullo, tanto por su obra como por Pablo mismo.

Al bajar del automóvil, subimos por una pasarela llena de flores y, al final, había un enorme retrato de Pablo, también rodeado de flores. Más que un homenaje, aquello era una fiesta.

Entramos a una gran sala en donde nos esperaba toda la tripulación del barco. La idea original había sido realizar una ceremonia sencilla, con poca gente, pero la tripulación pidió estar presente: Pablo había tocado su corazón.

Tras el breve discurso del capitán, me ofrecieron la palabra. En realidad fue algo inesperado y tuve que improvisar, centrándome en algún episodio significativo de la vida de Pablo. Y así, les conté que Pablo era un marinero de corazón, que el mar le era tan necesario como el aire, y que lo amaba por sobre todas las cosas. Les describí los objetos que había ido recolectando a lo largo de su vida: las brújulas, los mascarones de proa, los astrolabios, antiguos mapas marineros, compases y campanas. Estuve conversando con ellos largo rato y, mientras hablaba, dudaba de si estaba diciendo terribles disparates o si eran cosas valiosas y agradables para mis oyentes. Al terminar, agradecí tan alta distinción para un poeta que ahora yace en uno de los nichos más humildes de la tierra.

De acuerdo con lo que se había planeado, la ceremonia sería breve pues el barco zarparía esa misma tarde. Sin embargo, poco a poco, a todos fue invadiendo una especie de euforia, produciéndose un ambiente casi mágico. Incluso el capitán, que hasta ese momento había actuado con tanto protocolo, me dijo: «¿Usted sabe cómo estaremos de orgullosos cuando, al llegar a puerto, nos pregunten: "quién viene", y nosotros respondamos: "¡Pablo Neruda!"?»

Así llegó la medianoche. El barco, que debería haber zarpado a las seis de la tarde, aún estaba en el puerto, mecido por aquellas frías aguas que contrastaban con la alegría desbordante que se vivía en su interior.

Bajamos y desde el automóvil, donde íbamos Sholojov, el intérprete y yo, durante largo rato seguimos respondiendo los saludos de los muchachos del *Pablo Neruda*.

En el camino, el intérprete, que hasta ese momento prácticamente no había abierto la boca, me dijo con gran extrañeza: «¡Señora, esto yo jamás lo había visto! ¡Se lo aseguro!» Y Sholojov, quien había participado en más de una de nuestras fiestas, decía: «Esta fiesta la hicimos nosotros. Pablo estaba aquí. Él la hizo.»

La noche era hermosa. Sentí que estaba más cerca del cielo, o que las estrellas estaban más cerca de mí, pero no dije nada. Por primera vez, sentí un cansancio casi dulce y mucho sueño. El *Pablo Neruda* debe estar haciéndose a la mar.

23

PABLO POR DENTRO

Pablo era muy poco secreto. Todo lo que se le pasaba por la mente lo conversaba. Esto hacía nacer entre nosotros una amistad muy grande. De él yo lo sabía todo. Y aquí quisiera dejar cómo era, en verdad, Pablo por dentro.

Una de las cosas con las que más disfrutaba era hacerme bromas. Cuando él leía novelas policiales, me contaba partes significativas del relato; lo hacía de manera detallada y hermosa, algunos episodios eran embellecidos con su imaginación. Hacía crecer el suspenso y, antes del desenlace, cuando ya estaba en la cúspide, llegaba a un punto y me decía: «Usted lee el final.» Y allí me quedaba, esperando ansiosa el libro que Pablo aún no terminaba de leer. Con estas picardías gozaba enormemente.

Después de su muerte, me quedó mucho tiempo disponible. Se había ido ese niño tan grande, tan abundante, que ocupaba todas las horas de mi vida. Entonces, con enorme avidez, comencé a ir a la Biblioteca Nacional, buscando sus primeras colaboraciones enviadas a diarios y revistas de la época. Por mis manos pasó *La Mañana* de Temuco, junto a las revistas literarias *Correvuela* y *Claridad*. Esta última ya contenía algunos elementos de protesta juvenil. De esta recopilación nació el libro *El río invisible*, en el que aparece un niño triste, atormentado, al que le duelen los sufrimientos de los demás y sufre por todas aquellas injusticias palpables que lo rodean. Ve tan de cerca la boca con hambre que no puede permanecer indiferente. El atraso roe a nuestros pueblos y la miseria muerde. Es en esa etapa de su vida cuando comienza su protesta escrita, actitud que no lo abandonará jamás. Su aspecto físico era débil, pero su palabra era de acero. No se le escapan detalles, de modo que siempre debe estar con los ojos muy abiertos. Puede ser que aún no entendiera cabalmente el por qué de todas las cosas, pero ya sabía muy bien qué quería. Ante esta actitud, debió superar muchas desventajas y muchos obstáculos que intentaban desviarlo de su camino o apagar su inspiración. Su maquinaria emocional trabajó en su interior con fuerza redoblada y defendió tenazmente, de manera incontrastable, su mundo, sus sueños y, más tarde, sus principios.

Hay un episodio de su vida que Pablo narra maravillosamente en sus *Memorias* y que le dejó un recuerdo muy bello. Un día, cuando era niño y vivía muy solo en Temuco, alguien, una mano misteriosa, le dejó una ovejita que hizo entrar por un hueco del cerco de tablas de su casa.

En una ocasión le pregunté cómo era esa oveja que tanto lo obsesionaba. Le pedí que me la describiera. «Era la oveja más linda del mundo —me dijo—. Tenía ruedas, sólo tres, porque una se le había perdido. En uno de los tantos incendios que tuvimos, esa ovejita terminó por desaparecer. Ante su pérdida, no tuve consuelo ni resignación.»

Una noche en que recorríamos, en Navidad, las calles de Condé-sur-Iton, en una vitrina de juguetería, Pablo se detuvo bruscamente y me rogó: «¡Cómpremela! ¡Cómpreme esa ovejita!» Era una oveja de lana, de fabricación artesanal. Se la compré y la quedó mirando absorto, un largo rato. «Es la más parecida a la que me dejaron en el cerco de mi casa, en Temuco —me dijo—. La más parecida que he encontrado.» Ahora la conservo en un lugar destacado de mi dormitorio, en Isla Negra. Para mí, constituye uno de mis grandes tesoros.

Todos los años cae en Isla Negra una lluvia constante que hace caer algunos nidos de pájaros desde los árboles. Pablo recogía a los pequeños moribundos y, con sus manos, les entregaba todo el calor del mundo. Con maestría y ternura les abría el pico, dejándoles el alimento muy adentro, tal como lo hace la madre del animalito. Nunca he visto en otra persona la habilidad que tenía Pablo para darles de comer. Pasaba el tiempo y, a veces, la madre regresaba a buscarlo, sin embargo, no se iba sino que se quedaba revoloteando por el jardín, donde siempre le dejábamos agua y alimento. Hasta que un día cualquiera ya no estaba. Había logrado sobrevivir y regresaba al cielo, o al bosque, con sus propias alas.

En la primavera nos íbamos un poco antes del amanecer, con unas mantas, a unas quebradas que hay en Isla Negra. Llegábamos sin hacer ruido y nos tendíamos inmóviles. Al poco rato comenzaba el concierto de trinos más maravilloso que es posible imaginar, con infinitas variaciones. Había diversos instrumentos que preguntaban y una orquesta alada que respondía. Es así como comenzó a nacer su libro *Arte de pájaros.*

También hay en Isla Negra una laguna donde habitan cisnes de cuello negro. Muy a menudo íbamos a contemplarlos, sobre todo cuando había sol y los cisnes pequeños nadan junto a su madre, aprendiendo a buscar su alimento. Hunden el cuello una y otra vez, pero nunca sacan nada. Era divertido verlos. En cambio, la madre cisne, nadando junto a ellos, con majestad y sabiduría hunde su largo cuello negro y saca del agua algo que nunca alcanzamos a ver, pues, como un relámpago, el pequeño glotón se lo traga.

Una vez ocurrió algo inusitado. Como tantas otras veces, llegamos a ver a nuestros cisnes, así los sentíamos: nuestros. Y, con enorme tristeza, vimos que no estaban, habían desaparecido todos. Acongojados, buscamos al cuidador para preguntarle qué había ocurrido. «No se preocupe, don Pablo —fue la respuesta—. Volverán.» El agua de la laguna había bajado mucho de nivel, de manera que no tenían suficiente alimento. Fue el año en que se secaron tranques y lagunas de la zona central por efecto de una gran sequía. Al año siguiente todo se normalizó y los cisnes volvieron. Sentimos una gran alegría. ¡Qué habría sido de nosotros sin nuestros cisnes!

A medida que el Año Nuevo se acercaba, Pablo iba poniéndose más y más alegre. Amaba los fuegos artificiales. Los hacía estallar él mismo encendiéndolos primero en su mano y luego lanzándolos al aire.

Desde temprano comenzaban a llegar los amigos. Todos hacían algo. A mí, por ejemplo, me correspondía recortar papeles de colores para adornar toda la casa, incluido el jardín. Pablo y sus amigos enterraban botellas para colocar los fuegos artificiales que luego en el cielo se desgranaban en luces de mil colores.

Un Año Nuevo a Pablo le reventó un petardo en la mano; por cierto, no tenía ninguna habilidad, pero le encantaba encenderlos en la mano para lanzarlos luego. Fue tremendo. Al día siguiente debíamos salir hacia el Sur en uno de nuestros viajes anuales y se obstinó en partir con la mano herida. Yo estaba muy asustada, pues seguramente llegaríamos a algún pueblo donde ni siquiera habría algún practicante. Me miraba a intervalos y, con dulzura, me decía: «No me duele. No me duele.» Desde entonces, prohibí que llevaran petardos a las fiestas. Pero mis órdenes eran difíciles de cumplir. Pablo enviaba un emisario para averiguar dónde estaba yo y, a escondidas, hacía estallar más petardos que nunca. Desde el momento en que se convertía en algo prohibido, más le fascinaba.

Pablo es como un cronista de su época. Todo, de una u otra forma, queda como testimonio en alguno de sus poemas. Por eso, cuando lo leo, recuerdo pasajes de nuestra vida que ya había olvidado. Entre sus devociones destaca, por lo inmensa, la que sentía por su país. Lo convertía en un investigador admirable. Cuando viajábamos hacia el Sur, lo hacíamos lentamente, deteniéndonos en cada pueblo, visitando el mayor número de lugares posible, en especial sus ferias y mercados. Allí, según él, era donde mejor se conocía la vida del lugar. Entablaba largas conversaciones en las que le contaban de sus amarguras y de sus escasas alegrías. Con gran entusiasmo, Pablo investigaba qué tipo de artesanías fabricaban. Admiraba las fatigosas faenas campesinas. Todo le interesaba. Sentía una inmensa curiosidad por saber qué hacía la gente. Más tarde, todos estos elementos se hundían en su poesía.

Creo que casi todos los pueblos de Chile lo escucharon decir sus versos. Le gustaba la moda de musicalizar la poesía, pues para él era como un resurgimiento de la antigua juglaría, cumplía su necesidad vital de entrar en contacto directo con los auditores de poesía. Pablo siempre practicó esta costumbre que, en nuestros países se hace imprescindible por el difícil acceso del pueblo a los libros. El deber del poeta es ir hacia el lector, rompiendo las cárceles privadas que los propios escritores se construyen alrededor. «Cualquier lugar es bueno para decir algunos versos: las plazas, los frigoríficos, las calles, los mercados.» Para él no existían vallas insalvables que atentaran contra la comunicación. «La poesía se aprende paso a paso entre las cosas y los seres, sin apartarlos, agregándolos en una ciega extensión de amor.»

De aquellos tantos recitales en tan diversos lugares y distintas circunstancias, nunca olvidaré uno que ofreció a un gran grupo de trabajadores en un bodegón de Punta Arenas. Allí trasquilaban ovejas y llegamos cuando estaban en plena faena. Para nosotros era entrar a un mundo totalmente desconocido. Había cientos de trabajadores que, con admirable maestría, quitaban el pesado traje de lana a las ovejas. Ninguno reparaba en nuestra presencia. Al cabo de unos minutos, miré a Pablo interrogante. En voz baja, me dijo: «No sea impaciente, ya pasará algo.» A los pocos minutos sonó un silbato y se paralizó la faena. Como por encanto, apareció ante nosotros una mesa y dos sillas. Mientras tanto, los obreros se acercaron a unas tinajas llenas de agua y se lavaron la cara y las manos. Así, chorreando el agua, se pararon ante nosotros, en actitud de espera. Podíamos conversar con ellos durante una hora, y ésta no era una dádiva de la empresa, no. Ellos la repondrían después de su jornada normal. Eran rostros curtidos por el frío o por la sal, duros por el dolor, los que estaban allí esperándonos. Pablo comenzó a leer. A medida que las palabras salían de su boca y llegaban hasta aquellos oídos, lentamente comenzaban a dulcificarse sus expresiones. Y cuando —ya terminada la hora— Pablo terminó de leer sus poemas, el viejo bodegón se estremeció con el aplauso de estos cientos de manos duras que, cuando aplaudían al poeta, sonaban como campanas. La emoción que Pablo sentía en ese instante se me hace imposible de describir. Yo estaba sin voz; en los ojos, marcada a fuego, llevaba la sonrisa que iluminaba los rostros de esos trabajadores.

Durante todo aquel viaje, la preocupación de Pablo se centraba en especial en los pájaros. El libro *Arte de pájaros* es una seria investigación de cada especie que allí describe. Y esos conocimientos los adquirió tanto en los viajes al Norte como en las enmarañadas selvas del Sur, o en las quebradas de la zona central, donde los conocíamos a todos. En todas partes, buscaba los pájaros de la región. Con su catalejo los espiaba durante horas y los seguía hasta los bosques. Mientras, iba describiéndome todo lo que hacían: «Levantó la cabeza; ahora mueve la cola; está inquieto; mira hacia todas partes; parece que empenderá el vuelo; no, me equivoqué; sólo se preparaba para cantar.»

Pero no sólo amaba los bosques tanto como a los pájaros, o a los escarabajos tanto como a la lluvia. También era un marinero de corazón. Investigaba el mar a través de todo lo que vive en él. Era un conocedor profundo de las caracolas, las conocía a todas por sus nombres científicos y, además, de qué remotos mares provenían. Cuando sus amigos le preguntaban de dónde había sacado tantas, sonriendo, les respondía: «Del mar de París.» Allí, en las grandes casas de naturalistas, se encuentran las más diversas variedades de caracolas, así como las más extrañas del mundo.

Cuando viajábamos por Europa y llegábamos a una ciudad que no conocíamos, lo primero que preguntaba era si había un museo marino. Le fascinaban los mascarones de proa, los barcos que reproducían fielmente las embarcaciones antiguas. Entrábamos y se quedaba extasiado mirándolos. Si yo no intervenía, era capaz de quedarse durante horas.

Pablo sentía admiración por muchos países, pero sin duda era Francia el que más amaba. Allí encontraba lo que más le gustaba. Era el único país donde no dormía la siesta. Él, que siempre se cansaba, se pasaba todo el día visitando los buquinistas, le fascinaban las casas de ciencias naturales, las tiendas de animales y las pajarerías. ¡Cuántas veces salí de allí con una jaula y con un perro que me quitarían la tranquilidad!

Iba de un lugar al otro, como hipnotizado. Todo lo miraba y volvía a mirarlo, sin cansarse nunca. Recuerdo que, ya de noche, subíamos a la Torre Eiffel sólo para contemplar los techos de la ciudad, esas pequeñas buhardillas con vida, esas también pequeñas ventanas encendidas que parecían de juguete. Y, por último, nuestros paseos por la orilla del Sena, siempre en el atardecer.

Lo que siempre admiré en Pablo era esa facilidad enorme que tenía para hacerse de grandes amigos; éstos lo buscaban y lo querían. Al llegar a París, a los pocos minutos ya estaba con su gran amigo Jean Marcenac, el que había avisado a otros y, en muy poco tiempo, se armaba la gran tertulia.

Casi siempre nuestros viajes a París eran de paso hacia la

Unión Soviética, donde Pablo era jurado para otorgar el Premio Lenin. Allá sucedía lo mismo que en París. Llamábamos por teléfono a nuestro amigo Kirsanov, éste le avisaba al resto y la noticia corría como reguero de pólvora. De entre todos ellos, Pablo prefería a los más alegres y, de ellos a Nazim Hikmet, gran gozador de la vida. Una tarde, en una reunión en su casa en la cual nos despedían porque partíamos al Lejano Oriente, Ilya Ehrenburg, con quien siempre se hacían bromas, le dijo a Pablo: «Pero, ¿por qué haces este viaje tan agotador y con tantas horas de vuelo?» Pablo lo miró y, con picardía, le contestó: «¿Crees que sería capaz de resistir las ganas de mandar a mis amigos de Chile tarjetas de Samarkanda y Bujara? ¿Sabes qué significan esas palabras para los chilenos? Son *Las mil y una noches*. Yo entraré en ellas y, desde allí, saludaré a mis amigos.» Ilya Ehrenburg no supo qué responder, la risa lo ahogaba. Pasaron muchos años de eso y, en cada tertulia, Ilya siempre contaba que Pablo viajaba a Samarkanda y Bujara sólo para mandar desde allí tarjetas a sus amigos chilenos. Y la verdad es que enviamos muchas postales de Samarkanda y Bujara. Eran hermosísimas. Algunas de ellas todavía deben estar en los archivos de nuestros amigos.

Ese espíritu travieso y bromista que Pablo poseía, aun en los momentos más solemnes y significativos de su vida, constituía mi admiración. Por ejemplo, cuando estaba vistiéndose para la gran ceremonia en la que recibiría el Premio Nobel, se miraba las colas del frac y, riendo, decía: «Siento la misma sensación que cuando me disfrazo en Isla Negra. Si pudiera pintarme mis bigotitos, todo sería perfecto.»

Cuando se disfrazaba, cosa que le gustaba mucho hacer, siempre se pintaba bigotes con un corcho quemado. Era un bigote pequeño y había logrado tal maestría que siempre se los pintaba iguales, sin necesidad de mirarse en un espejo.

Cuando regresamos de la cena del Premio Nobel, le pregunté qué había conversado tanto con el rey, lo que había sido muy notorio y comentado. «Empezamos a hablar de piedras —me dijo—. Las piedras son su pasión y, entonces, le conté de nuestra Isla de Pascua, le di detalles de esa isla maravillosa y de cómo sus grandes figuras enfrentan el cielo, con la mirada perdida en el océano. Fue tanto lo que hablamos de eso y tanta la impresión que le provocó la isla que, al final, le dije que lo invitaba a Isla de Pascua, que la visitara. Me contestó que nada le gustaría tanto como hacerlo, pero que se iban acabando sus fuerzas.» El rey de Suecia murió ese mismo año y ésos fueron los últimos Nobeles que entregó él.

He escuchado muchos comentarios acerca de por qué Pablo dejó tantos libros inéditos. Quiero explicar la razón de ello. A comienzos de 1973, el gobierno presidido por Salvador Allende comunicó a Pablo que el 12 de julio de 1974, cuando cumpliera 70 años, se haría una celebración nacional con escritores de todo el mundo y, por supuesto, con la participación de todo el pueblo. El homenaje que los chilenos habían rendido a Pablo al llegar a Chile luego de haber recibido el Premio Nobel no había tenido precedentes en nuestra historia. El próximo cumpleaños de Pablo iba a ser en grande. Para compensar en una mínima parte todas las muestras de cariño que le brindaban, Pablo comenzó a preparar su sorpresa, el regalo que él haría a todos los que amaba: ocho libros de poemas, de los cuales seis estaban preparados, y sus memorias que, hasta ese momento, estaban incompletas.

* * *

... Tranquilo amaneció ese día 11 de septiembre de 1973. Un chorro de luz me golpeó el rostro cuando abrí las ventanas.

Pablo está sonriente y sus ojos buscan el mar que besa constantemente las tranquilas playas.

Un aire de paz mece las flores del jardín.

Nos sentimos animosos.

Debo haberle sonreído a esa mañana de luz.

ÍNDICE